婴语的秘密

美国超级育婴师特蕾西·霍格教您带出一个聪明宝贝

〔美〕特蕾西·霍格 梅琳达·布劳／著 邱 宏／译

Secrets of the Baby
Whisperer

天津社会科学院出版社

图书在版编目(CIP)数据

婴语的秘密：美国超级育婴师特蕾西·霍格教你带出一个聪明宝贝 /
(美)霍格,布劳著; 邱宏译. —天津：天津社会科学院出版社,2011.7

ISBN 978-7-80688-680-9

Ⅰ.①婴… Ⅱ.①霍… ②布… ③邱… Ⅲ.①婴儿–哺育–基本知识
Ⅳ.①TS976.31

中国版本图书馆 CIP 数据核字(2011)第 118681 号

Copyright© 2001 by Tracy Hogg Enterprises, Inc. The Simplified Chinese Edition published
by Publishing Press of TianJin Academy of Social Science through Big Apple Tuttle–Mori
Agency, Inc. All Rights Reserved.

天津市版权局著作权合同登记号 02-2010-144

出 版 发 行： 天津社会科学院出版社
出 版 人： 项 新
地 址： 天津市南开区迎水道 7 号
邮 编： 300191
电话 / 传真： (022)23366354
(022)23075303
电 子 信 箱： tssap@public.tpt.tj.cn
印 刷： 北京金秋豪印刷有限责任公司

开 本： 710×1000 毫米 1/16
印 张： 15
字 数： 300 千字
版 次： 2011 年 7 月第 1 版 2012 年 11 月第 3 次印刷
定 价： 29.80 元

目录

推荐序

很多即将要做父母的人，最常问的一个问题就是："你会给我们推荐一些什么样的书作为指导？"而我总是处于进退两难的境地，因为很难找出一本能为父母提出儿童早期行为和发展方面建议，而且既立足于医学又实用简便的书。现在我的问题终于解决了。

在《婴语的秘密》一书中，特蕾西·霍格给诸多刚刚为人父母者送来了一份伟大的礼物——让你学会开发早期深入了解孩子气质的能力，解释婴儿早期交流和行为的框架结构，而且这还是一套非常实际可行的解决办法，可以纠正很多典型的婴儿问题，如：爱哭、多餐以及夜不能寐等问题。她那充满智慧的英文戏谑是一个让人不能不赞赏的地方——本书中常见作者以聊天的方式侃侃而谈，既诙谐幽默又实用简洁，让人读起来非常舒服。这是一本深入浅出的书，简单易懂而非咄咄逼人，哪怕对付脾气最坏的婴儿，都能让你在书中找到实用的内容。

对初为父母的人们来说，在婴儿出生之前，很多好心的家庭成员、朋友就给出了颇多友善的建议，然而，书籍和电子媒体等也给人们造成了混乱和焦虑。当下流行的各种针对新生儿问题的出版物也都太教条，更不可思议的是，基本都缺乏哲理。在接二连三的极端教育面前，新生儿父母经常会开发出一种"随意抚养"的方式，虽然出于善意，但依然会遇到各种各样的麻烦事。本书中，特蕾西强调了常规安排的重要性，可帮助家长们掌握能预测到的节奏。

　　她提出了一种"E.A.S.Y."的循环模式，即饮食(E)、活动(A)、睡眠(S)与"你自己"(Y)的规律循环，目的是将孩子对饮食的期望从睡眠期望中分离出来，这样一来，就方便家长们拥有自己的作息时间和安排了。最终，孩子也能学会自我安慰，甚至不需要奶瓶或奶嘴的抚慰也能自娱自乐。家长们会发现，孩子在吃饱之后产生的哭泣或其他行为有着更多的现实意义。在很多初为父母者热忱地整合资源，准备提前进入孩子的世界中时，特蕾西鼓励你"放慢脚步"。她给所有要面对产后调整阶段的家庭成员提出了很多切实可行的建议，还告诉我们该如何预先发现问题，以及如何简化这个让人疲惫不堪的阶段，如何捕获那些微妙且重要的线索——新生儿对沟通交流的渴望。特蕾西还将教给看护者们如何观察婴儿的身体语言以及对现实世界的各种反应，利用这些知识来帮助你及时满足婴儿的基本需求。

　　对那些孩子已进入幼儿期的家长们来说，阅读本书一样可以得到很多帮助，书中的有用建议可帮助你了解并解决孩子身上目前存在的问题，或者可以预防将来会出现的各种问题。在你清楚了解之后，孩子身上的很多旧习惯同样也可以得到更正。特蕾西很有耐心地带领你了解了整个过程，并给诸多家长朋友们灌输了充分的信心，让哺育过程重新回归到过去舒适的轨道上。无论如何，《婴语的秘密》这本书是给所有家长们的精美礼物，是一本备受大家喜爱和期待的育儿手册，衷心希望你也能爱不释手！

珍妮特·J·莱文斯坦医学博士

(洛杉矶儿童医院主治医师)

你也能成为一个听懂婴语的人

坦白地说，我没有给自己命名为"婴语专家"，而我的一个客户却出于关爱这样称呼我了。这个叫法听起来似乎比其他称呼更好一点，如果叫我"老巫婆"，似乎有点恐怖；如果叫"魔术师"，好像有点太神奇；如果只是简单地叫"霍格"，我担心别人会把我的姓和食欲搞混了。因此，我就成了一个懂得婴语的人。我必须承认，从某种程度上看，自己很喜欢这个称呼，因为它的确刻画出了我们的实际行动。

或许你已了解"马语者"的真正意义，又或许你已读过相关书籍、看过这部同名电影了，倘若如此，你可能会记得罗伯特·莱德福这个角色如何对付那匹受伤的马。他慢慢地、耐心地靠近它，倾听并观察着周围的一切状况，然而，当他思考着这匹牲畜的问题时却保持了一定的距离。时间一分一秒地过去了，他最终还是靠近了这匹马，双目直视着马的眼睛，温柔地和它低语着。在整个过程中，这位马语者稳若磐石，一直保持沉着冷静的态度，正是这种态度使马平静下来。

千万别误解我的意思，我并非在将新生儿与马匹做对比(尽管这两者都是有知觉的动物)，而是因为他们十分相似。虽然家长们认为我有某种特殊天分，但是我所做的一切其实并没有什么特别神奇的地方，而且这种天分也并非只有个别人群才具备。咿呀学语的过程与尊重、倾听、观察和解释等行为密切相关。你不可能在一夜间完全学会并掌握，我是在观察并了解了五千多个婴儿之后才得出这些研究成果。不过，任何一个家长都能学习并掌握这个技能，是的，每个人都应该学习并掌握。我了解婴儿的语言，我也能教会你学习并掌握这个技能。

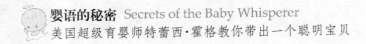
我是如何学会倾听婴语的

你可能会认为,我为做好这项准备工作花费了毕生时间。我生长在约克郡(顺便说一下,这里有世界上最美味的布丁)。给我影响最大的一个人是外婆,她今年已经84岁高龄了,但仍然是一个最有爱心、温柔而有耐心的女人。同时,她也是一个懂婴儿语言的人,能够搂着脾气暴躁的婴儿,让他们安静下来。她不仅给了我很多指导,而且还在我的女儿们(她们是另外两个影响我一生的人)出生时给了我极大安慰和支持,同时,她也是我童年时期一个很重要的人物。

小时候,我是一个喜欢蹦蹦跳跳的顽皮小姑娘,行为有点像根本没有耐心的假小子,而且还有点神经兮兮地,外婆总是得想方设法让我倾力投入到某个游戏或某个故事中。例如,我们在电影院排队等候时,我就会露出典型的小孩子样,抓住她的衣袖不停地问:"外婆,还要多久才能放我们进去呀?我都等不及了。"

虽然我的奶奶现在已经不在人世了,但她会重重批评我的无礼。奶奶是真正的维多利亚女王时代的人物,她坚信孩子们应该被人照看,而不是被倾听。她的管教方式非常严厉。但是,我的外婆却从不这样对待孩子们。面对我的无理取闹,外婆总是眨巴着眼睛注视着我说:"瞧瞧你,因为哭闹都错过了些什么呀,快看看你自己吧。"随后,她总会转移孩子们的注意力。"看到那边的一对母子了吗?你认为他们今天会去哪里呢?"边说着,她边用下巴指了指方向。

我立刻就被吸引住了,回答道:"他们可能会去法国吧。"

"那你觉着他们应该怎么去呢?"

"可能会坐大型喷气式飞机去吧。"我之前肯定听说过这个专用名词。

"那他们会坐在哪里呢?"外婆会继续追问,直到我最终全部了解。这种方式不仅消除了我脑海中的等候念头,而且还为那个女人编织了一个完整的故事。外婆一直在激发我的想象力。她还注意到了商店橱窗里摆放着的一套婚纱礼服,然后问我:"你认为有多少人会去试穿那套婚纱?"如果我回答说"两个",她就会持续问我更多详细的问题,如:他们如何将衣服还给商店?衣服是从哪里制作的?是谁缝上去的珠宝?她会一直引导我,最终刻画出印度的农场主播种、种出棉花,然后织成布、做成衣服的画面。

事实上,讲故事是我们家族中的一个重要传统项目,不仅仅是外婆一个人这么做，外婆的妈妈也是这么对待她的两个孩子的，而我的母亲也是在外婆的熏陶下成长起来的。无论何时，只要她们其中一个人想教育我们，总会编织出一个个故事来。她们把这个天分又遗传给了我。到目前为止，我在工作中也对各个家长朋友依然坚持了讲故事、打比喻的传统——"如果我将你的床放到高速公路上，你是否能安然入睡呢？"我可能正在劝说一对父母，在熟睡的孩子旁边放置一台吵闹的收音机只会过度刺激孩子使其无法安静下来。这样的想象可帮助家长们理解为何我会提出某个特别建议，而不只是简单地回答："按照这种方式去做。"

如果说是我们家族中的女人们帮助我开发出了这个天分，那么见证我适应并应用这个天分的人一定是外祖父。我的外公在一个被人们称为疯人院的地方做护士长。我记得在某个圣诞节，他带着我的妈妈和我去参观儿童病房。那是一个散发着霉味的阴暗地方，映入我眼帘的全是那些穿着打扮杂乱无章的小孩子，或坐在轮椅里，或随意地躺在地板上，或在枕头上。那时的我可能还不到七岁，但妈妈那生动的表情却深深地印在了我的脑海里，尤其是她的脸颊上挂满了倾泻而下的泪水，既带有恐惧感又富于同情心。

而我当时却被那场景强烈地吸引住了，我了解很多人都很害怕这样的病人，都希望能远离这个地方，可我却不一样。我不断请求外公再带我去参观那个地方，终于有一天，在无数次的拜访之后，外公将我带到一边，说："你应该好好考虑一下，将来也做一个这样的护士，特蕾西。你的胸怀很宽广，而且非常有耐心，就像你的外婆一样。"

曾经也有人如此赞扬过我，就像外公说得一样，他们都很有洞察力。就在我 18 岁时，决定去英国一家护士学校学习，课程为期五年半。我得承认，自己是一个不到关键时刻不肯努力的人，所以毕业成绩并不十分优秀，但是我在耐心调解方面却做得十分优秀。我们将这种调解行为称为"实习"，在整个课程设置中非常重要。由于我能很好地倾听、观察、表达自己的同情心，所以学校董事会授予了我年度优秀护士奖，这是一个表扬学生展现出优秀的耐心护理技能的年度大奖。

就这样，我成为了英国的一名注册护士，特长是护理那些生理或心理有缺陷的少年儿童，这些孩子通常在沟通交流方面都存在着诸多问题。实际上，孩子们并非真的缺乏沟通能力，他们不过是有着自己的一种变换方式——一种非语言性的沟通方式，通过哭泣或肢体语言来表达自己的思想。为了帮助这些孩子们，我必须充分理解他们的语言，必须要成为一个优秀的翻译。

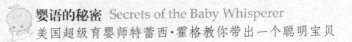
哭泣和咿呀

在照顾了诸多新生儿之后，我开始意识到自己已经能够了解他们的非语言沟通方式了。于是，当我从英国来到美国之后，专攻婴儿护理学和产后护理学，也就是美国人常说的婴儿护士。我在纽约和洛杉矶工作过好几年，很多客户都把我的性格描述成英国情景戏剧《欢乐一家亲》中介于玛丽·波平斯和达夫妮之间的一种——从口音上看，至少在美国人耳朵里，我的口音很显然是英国约克郡的粗喉音。我为那些初为父母者解说如何倾听、了解孩子的特殊语言，如何咿咿呀呀地跟孩子说话——学会退缩一点，试着去理解孩子，一旦发现了问题所在，立即使之平静下来。

我和大家分享了自己认为所有父母都应该为孩子做到的事情：给孩子设定规律性的作息，帮助他们成为一个独立的小生命。我开始极力提倡一种家庭整体观念——让小生命成为家庭中的一分子，他们需要变成其中一员，而不是以外来者的身份生活。如果家庭中的其他成员——包括父母、同辈人，甚至宠物——都感到幸福快乐，那么这个小生命也同样会感到安心。

我很荣幸受邀去某个家庭拜访，因为我了解这是父母抚养宝宝的生活中最宝贵的一段时间。在这期间，爸爸和妈妈们在经历过无数惶恐不安和无心睡眠的夜晚之后，都体会到了生命中最欢欣喜悦的感受。当我关注着他们的进展，以及被召唤提供帮助时，我感到自己也更加快乐起来，因为我帮助他们从混乱和厌烦中走出来了。

现在，有时我会和新生儿的家人们一起生活，但更多时候我只作为一个顾问，在孩子刚出生的前几天或前几周内到他们家中呆几个小时。我遇到过无数三四十岁的家长们，在没有孩子之前，他们通常能很好地调整自己的生活，然而在他们成为父母之后，就对新角色无所适从了，有时甚至会疑惑"我们究竟做了些什么？"瞧，无论你是一位多么富有的家长或多么贫穷的家长，新生儿的到来总会让人重新寻找平衡，尤其是第一个孩子的到来。我曾经遇到过各种阶层的父母，从家喻户晓的人到默默无名的人，无奇不有，有一点我可以向大家保证，大多数刚有孩子的家长都会产生恐惧感。

实际上，我的电话常常会整日响个不停(有时在深夜也如此)，多数电话都是刚当上父母的人们打来的，他们的问题层出不穷：

◎"特蕾西，怎样确定克里斯的确是饿了？"

◎"特蕾西，为什么杰森刚刚还对着我笑，一眨眼就哭了呢？"

◎"特蕾西，我有点茫然不知所措了。乔伊一直通宵不睡，哭得人头疼。"

◎"特蕾西，我想瑞克周围的孩子哭得太多了，能告诉他该停下来了吗？"

不管你信不信，在与这样的家庭一起工作了二十多个年头之后，我经常能在电话里就诊断出到底是哪里出了问题，尤其是那些我曾经见到过的婴儿们。有时，我会要求年轻的母亲把孩子带到电话跟前，这样我就能听到孩子的哭声了（母亲通常也在哭泣）。或者，我会突然造访他们家，如果有必要的话，我还会整晚待在他们家里观察究竟是什么原因让孩子感到难过，或者扰乱了孩子的生物钟。迄今为止，尚未有一个孩子是我无法理解的，孩子身上出现的任何问题都被我迎刃而解了。

尊重是通往婴儿世界的金钥匙

我常会听到客户说："特蕾西，你看起来仿佛什么都难不倒呀。"事实上，解决婴儿问题对我来说得心应手，因为我能和所有的婴儿建立良好的沟通。我尊重任何一个小生命。朋友们，这是作为一个懂得婴语的人最应具备的基本素质。

尊重是贯穿本书的主题。如果你还记得把孩子当作一个完整的人来看待，那就一直坚持给予孩子他们所需要的尊重吧。字典上对这个词的解释是

> 每个孩子都是一个拥有语言、感受和独特个性的生命体，因此，应该有礼貌地对待他们。

"避免去侵犯或干扰"，那么，当某人高高在上地和你说话，而不是平等地对待你时，或者在未经许可就触摸你的身体时，你会体验到什么样的侵犯感呢？当你遭到反驳时，或被误解时，又会体验到什么样的伤害或愤怒呢？

对孩子来说也一样，人们常常凌驾于婴儿的头顶之上在讲话，有时甚至当孩子不存在。我经常会听到家长们说"宝宝做这个了"或"宝宝又做那个了"。这是一种无礼的行为，没有尊重个人情感，而且他们还把宝宝当成了一个非生命体。更坏的是，他们在用力地推拉可爱的宝宝时一点歉意的表示也没有，仿佛侵犯婴儿的空间是大人们的权利一样。这就是我为何要建议在宝

宝周围勾画出一个假想的界限——一个受到尊重的范围，在这个范围内你不能肆意而为，反而应该在有所行动之前先告诉宝宝并征得其许可(我们将在第五章中详细叙述这部分内容)。

即使在产房里，我也能立刻准确叫出他们的名字。我并不认为躺在小床上的那个小生命是一个"婴儿"。为什么不用孩子的大名来称呼她呢(本书中，在提及婴儿时可能会混用他或她，除非特别加以注明，否则不代表孩子的性别区分)？假如你这么做了，就会将孩子当成一个小人物来看待，而不仅仅是那个无助的小家伙了。

实际上，无论何时见到新生儿，不管是否在医院里，还是在孩子刚回到家后的前几个小时，或者几周内，我都会持续地向他介绍我自己，并说明我为什么会在这里。我会看着孩子大大的蓝色眼睛说："嗨，赛米，我是特蕾西，我知道你并不熟悉我的声音，因为你根本都不认识我。但是，我到这里来并认识了你，还会找出你想要什么来。我准备来帮助你的爸爸妈妈理解你所说的话。"

有时，某位做母亲的会对我说："为什么你要对孩子说这些？他才刚刚出生三天。他根本不能理解你所说的话。"

我回答说："是的，我们并不确定，难道不是吗？想象一下，假如他能理解我，而我又没有对他讲过这些话，会出现多么可怕的场景呀。"

上个世纪末时，科学家们就已经发现，新生儿的理解力完全超乎人们的想象。研究证明，婴儿对声音和味道特别敏感，而且还能找出两种不同的视觉景象之间的区别。在生命的前几周内，孩子的记忆力就开始被开发出来。因此，即使小赛米并不十分理解我的话，他也一定能够感受到在面前缓慢移动的人们之间的差别，而且还能感受到让他安心的声音，以及来来往往的人们。倘若他能理解，就一定会明白，我从一开始就表达出了对他的尊重。

童言婴语并非只是发声说话

孩子咿呀说话的秘密还涉及以下内容，孩子其实一直在倾听，从某种层面来讲，他完全能够理解你。现在，几乎每一本有关儿童护理方面的书籍都会对家长们说——多对孩子说说话。这并不够，我还会对家长们说——和孩子多多交流。你的孩子可能不会像你一样用语言反馈信息，但他会用喔喔啊啊的声音、会用哭泣、会用各种手势(第三章中详细介绍婴儿语言代码)来进行沟通。因此，你和孩子实际上也是在对话，用两种沟通方式进行的对话。

和孩子交谈也是另外一种表示尊重的方式。难道你不能把这当作是在和一个大人交谈吗？当你初次见到一个大人时，一定会先自我介绍并说明到这里的原因吧。你一定会非常有礼貌，用"请、感谢你、我可以……"之类的词进行对话吧。你可能还会继续不停地进行交流和说明。为什么你不能和婴儿这样对话呢？

找出婴儿喜欢和不喜欢的事情也同样表达了自己的尊重。正如你将在第一章中了解的那样，某些婴儿比较容易接触，某些婴儿可能比较敏感，或者难于交往，同时，还有某些孩子发育得比较缓慢。真正的尊重应该是，我们必须要接受孩子原本的真面目，而不是将之与模范孩子相比较。你的孩子同样拥有让自己与众不同的权利，而且你能越早和孩子进行这种珍贵的对话，你就能越早地了解孩子究竟是谁，以及他希望从你这里得到什么。

我确定，天下所有的父母都希望鼓励孩子成为一个独立的个体，一个能让人尊重和景仰的健康的人。然而，我们应该从婴儿时期就培养孩子的特性，这并非是在孩子15岁或5岁时才开始的培养。同时，还请你牢记，培养孩子是一个长期的过程，作为家长，你是孩子的榜样。通过聆听和给予孩子应有的尊重，他也将成长为另外一个能够聆听他人、给予他人尊重的人。

家长能尽力认识宝宝并满足其需求，宝宝才会安心。他们才不会因为被放下而哭泣，因为宝宝已经得到了满足感。宝宝会相信自己周围的环境很安全，如果宝宝有烦恼或有疼痛感，一定会有人来帮忙解决。这样的宝宝完全不需要人们过多的关注，他们很快就学会

> 倘若花点时间来观察，你会理解宝宝哭泣想表达的意图，如此才能拥有一个心满意足的宝宝和一个不会被烦恼中的宝宝闹得一团糟的家庭。

了自娱自乐，反而不像其他婴儿那样一被放下就会大哭起来，也不像那些常常被父母误解意图的宝宝一样。顺便说一句，很多家长都会误解孩子的意图。

新生儿父母需要自信

明确了解自己正在做什么，会使家长们产生一种安全感。令人难过的是，现代生活节奏通常与爸爸妈妈们的想法背道而驰，他们只能应付自己那繁忙的日程安排。他们还没有意识到应该在努力使孩子恢复平静之前先放慢自己的脚步。于是，我的其中一个职责就是让年轻的爸爸妈妈们先慢慢调整自己的

心态,然后再来抚慰孩子,毕竟,倾听自己的心声也是一件非常重要的事情。

有一点小遗憾的是,现代社会中的家长们都是信息过多的受害者。带着对孩子的期望,他们或阅读报纸、杂志、书籍等,或做某种深入研究,或上网搜索,或咨询身边的朋友、家人和各种各样的专家学者。虽然这些资源都有其一定的价值,但在宝宝降临于这个世界之时,初为父母者常常会陷入迷茫之中,不像刚开始那样有条不紊地了解信息了。更糟糕的是,他们本身自有的常识也会被他人的观点淹没。

毫无疑问,这些信息都具备一定的实用价值。我也试图在本书中与大家分享自己的成功经验。然而,我所阐述的所有方法中,你对自己的信心才是抚育好孩子的重要法宝。因此,为了开发出这种自信,你必须要深刻了解自己。每个孩子都是一个特殊的个体,同样地,每个母亲、每个父亲也都是一个特殊的个体。因此,每个家庭的实际需求是有所不同的。告诉大家我对自己的女儿做了些什么,对你来说有什么益处呢?

越早开始理解并且满足孩子的需求,你越能做得更好。我向你保证,事情还会越来越顺利。我几乎每天都在教给家长朋友们如何了解孩子、如何与孩子进行沟通交流,我不仅看到了孩子的理解力和本领的提高,而且还看到家长朋友们越发自信,与孩子之间的沟通也越发有成效。

从书中学习

婴儿的咿呀学语是可以被模仿的。事实上,一旦明白了看什么、听什么,多数父母都会惊讶于自己快速理解宝宝意图的能力。真正"神奇"的地方在于,我给那些刚成为爸爸妈妈的朋友们提供的一再保证。所有初为父母者都需要得到大力的支持,而这就是我的作用。在他们面对诸多麻烦、困扰且周围没有一个能提供答案的人时,多数人都不能做好准备度过这个调整期。我会帮助他们整理所有关心的问题,而且我还会告诉他们:"让我们先来制订一个计划。"我会亲自示范给他们该如何执行这个有计划的规范,然后还会告诉他们我了解的一切。

日子一天天地过去了,抚养孩子其实是一个艰苦的差使,有时甚至让人担心害怕,要求在不断地提高,而且经常是无偿的付出。我希望本书能帮助你发掘内在的幽默感,同时还希望能让你看明白自己身处的真实环境。本书的事情实在太多了,我哭过很多很多次。"

产生后的3~5天,通常是母亲们最难过的日子,因为她们面对的所有情况都是从未遇见过的,也是令人畏惧的。那些焦虑的父母亲经常像连珠炮似的问我一些问题:"我们应该多长时间喂一次奶?""为什么宝宝会将小腿抬成那样?""这种换尿片的方式对吗?""为什么宝宝的大便是这种颜色的?"当然了,家长们最常问的就是——"宝宝为什么哭了?"家长们经常会感到内疚,尤其是妈妈们,因为她们总爱假定自己无所不知。有一个孩子才1个月大的母亲对我说:"我很担心自己做错什么,同时,我也不想让任何人来帮忙,更不想让别人告诉我该怎么做。"

我对家长们说的第一件事,而且是我一直不停地在唠叨的一件事——那就是一定要慢慢来。我们需要花费很多时间才能了解孩子,还要有耐心,还要处在一个让人相当冷静的环境里,还需要有精力和活力,还需要礼貌且和蔼的态度,还需要有责任心和自制力,还需要有密切的观察和注意。在能够正确照料小宝宝之前,人们可能都会犯点小错误,这需要时间和耐心来纠正。当然,我们还需要了解自己的直觉。

瞧,我说了多少个"还需要"呀!初时,小宝宝的确只会"索取",很少会"给予"。然而,抚养一个孩子所带来的回报和乐趣将永无休止。虽然不能在一夜之间获得,但经年累月之后,你一定会尽享其乐的。而且,每个人的经历各不相同。我的团队成员中有一个当了母亲的同事,她在回顾自己过去刚从医院回到家后的前几天时,发现"我根本不知道自己做的是对是错,而且,每个人对正确一词的定义也不一样。"

不仅如此,宝宝们也是千奇百态,没有重样的。因此,我告诉所有母亲们一定要了解自己的宝宝,而不是怀胎九个月时梦想中的那个宝宝。本章中,我将帮助大家清楚了解宝宝可能会出现的情况。不过,我们首先应针对刚从医院回到家后的前几天进行启蒙培训。

回家前的准备

我自认为是在为整个家庭而服务,并不单单是照料刚出生的小宝宝,因此我的其中一部分职责就是帮助家长们建立远景。从一开始我就告诉爸爸

宝宝回家准备事项一览表

我的宝宝之所以不太让人操心，其中一个理由就是在预产期前一个月，我就已经准备好各种必需品了。你准备得越早越好，那么刚出生的孩子就会越来越安静，这样你就会有更多的时间观察宝宝，了解他或她究竟是什么样的一个人。

◎ 将被单铺放在床上或摇篮里。

◎ 安排一张更换桌，放置你所需的各种物品——湿纸巾、纸尿片、小棉棒、酒精等，使其易拿易放。

◎ 准备好宝宝的第一个衣柜，取出所有衣物的包装，摘掉各种标签，用不带漂白剂的中性洗涤液轻柔地洗干净所有衣服。

◎ 将冰箱和冰柜填满。在你即将生孩子的前一周去疯狂采购，准备好面条、糕点、汤料和其他各种半成品食物。各种必需品一定要保证易拿易放，如牛奶、黄油、鸡蛋、麦片、小零食等。如此，你不仅花费较少，而且还避免了去超市采购的忙碌。

◎ 不要带太多东西去医院。请记住，除了小宝宝之外，你可能还会额外拎回家几个袋子。

妈妈们，眼下的这种忙乱状况不会持续太久，你们将来一定会冷静下来，你们一定会变得更加自信，你们一定能够成为最优秀的父母。无论你相信与否，小宝宝终将会安安稳稳地睡一整晚。从现在开始，你必须要降低期望值了。人们总会遇到好日子和不好的日子，最好能为此做好充分准备。千万别奢望事事完美。

小贴士：你在回家之前准备得越充分越好，这样，每个人都能获得更多的快乐。假如你能事先打开各种瓶盖、打开盒子，清除所有必需品的外包装，就不必一手抱着孩子，一手再去做这些事情了。

我通常都需要提醒母亲们："这是你回家的第一天，是你第一次离开医院那个安全的环境，在那里你能随时得到帮助和解答，只要按下叫护士的那个按钮，你就能得到解放和轻松的感觉。现在，你必须要靠自己了。"当然，作为一个母亲，通常都会很高兴地出院回家。护士们有时可能很唐突，有时可能会给出相反的建议。去医院探访的亲戚朋友以及医院里的各种干扰也让产妇得不到较好的休息。任何情况下，在产妇们回到家里时，通常都会既担心害怕，又迷茫疲惫，有的甚至还感到疼痛难忍。

因此，我建议慢慢适应。在跨越这道门槛时，先集中精神做一个深呼吸。让事情变得简单些(你可能会从我这里听到很多类似忠告)。将这一切想象成新探索旅程的开始，你和你的配偶或家人就是那些探险者。尽管人们想尽一切办法去适应，但也要面对现实——产后这段时期异常艰难，可以说布满荆棘和坎坷，很少有人不被绊倒(有关产后复原的详细内容请参见第七章)。

相信我，我非常了解你刚刚回到家的那一刻，或许你会感到迎面而来的是势不可挡的各种困难,自己完全被压制住了。但是,假如你能按照我的指导、按照回家后的简单程序执行,就不会为此而抓狂了。请记住,这只是一个简单的快速指南,随后我将会详细介绍更多的内容。

先给宝宝介绍一下家庭环境,带着宝宝环家旅游一圈——是的,把自己当作博物馆解说员,而宝宝则是一个非同一般的客人。请牢记我先前提到过的尊重态度——你需要将这个小宝宝当作一个成年人来对待,仿佛他完全能够理解并感受到你所说的一切。姑且承认,宝宝的语言是我们无法理解的,然而,称呼其姓名或与其进行对话依然十分重要,绝不要进行说教。

因此,抱着宝宝环顾四周,告诉他即将要住到哪个房间,和他说话聊天,用温和的声音向他介绍每个房间:"这是厨房,我和爸爸就在这里做饭。这是浴室,我们都在这里洗澡。"诸如此类的介绍将持续进行到宝宝完全认识整个家为止。你可能会认为这样做有点傻。很多爸爸妈妈在和小宝宝初次交谈时都很害羞,这并没什么特别的,经常练习一下就好了,你一定会惊讶地发现和宝宝说话很轻松。你只需试着去牢记自己怀中的这个小家伙也是一个人,是一个有知觉的人,一个已经能熟悉你的声音和气味的人。

在妈妈带着宝宝四处溜达时,可以让爸爸或爷爷泡上一壶洋甘菊茶或者其他能使人冷静的饮料——其实,茶是我最喜欢的饮料了。无论我从哪里回来,每次一回到家,妮莉总会从隔壁出来,烧上一壶开水准备泡茶。这个高尚的传统非常英国化,现在我已经推荐给了这边的每个家庭。在喝完一杯暖暖的茶后,你一定迫不及待地要去了解那个刚出生的小生命了。

> ### 限制客人来访
>
> 除了特别亲近的亲戚和朋友之外,劝说其他人不要急着在你刚生产后去探望。如果父母亲从外地来访,他们最好能帮你做些家务活,如做饭、打扫卫生、跑腿等。以柔和的方式让他们明白,倘若你需要的话,一定会向他们请求有关小宝宝方面的帮助。同时,你可以利用这段时间亲自了解那个小家伙。

给小宝宝用海绵洗个澡,然后喂奶——请一定要记住,你并非唯一一个陷入震惊中的人。你的宝宝早已经在体验着这个感受了。想象一下,这样一个小家伙来到产房里明亮的灯光下,突然,小家伙被用力地包裹住,然后由声音不熟悉的陌生人揉搓、刺探、搂抱。经过几天护士的喂养之后,在周围遍布其他同龄人的环境中,他又要从医院里被带回家。如果你是一个收养孩子的人,这个过程或许会更漫长。

小贴士：医院保温箱里的喂养环境十分温暖，几乎像母亲的子宫一样，因此，请确认小宝宝的新"子宫"温度应该在华氏72度(约22℃)左右。

对你来说，这是一个探索自然之奥妙的绝佳机会。或许这是你第一次见到裸露着身体的小宝宝，那就尽可能地了解他的点点滴滴，包括那稚嫩的小手指头和脚趾头。你要不停地和宝宝说话，保持紧密联系。你要给宝宝喂奶，不管是用母乳还是奶粉。你就那么慈爱地看着他，仿佛他已进入了梦乡。宝宝可能马上就会入睡，让他在小床上或摇篮里自己睡去。在第六章中，我有很多关于睡眠方面的小建议提供给大家。

盖尔马上提出了抗议："但是，宝宝的眼睛一直在睁着呢。"盖尔是一个理发师，她女儿才刚刚出生两天，小家伙会心满意足地盯着小床边护栏上悬挂着的照片看。我建议盖尔离开女儿的房间，让宝宝自己休息一会儿。可盖尔接着说道："她明显还没睡着呀！"我已经听过无数妈妈们提出的同样的反驳意见。但我仍然要直截了当地告诉你，宝宝们并不会因为你将她放到床上或者单独留在房间里就会乖乖地睡觉。我对她说："瞧，丽莉正在思念她的男朋友呢，你可以回到自己房间里去休息了。"

你需要小睡一会儿——不要收拾从医院带回来的行李，不要打电话，不要环顾家中的各个角落，不要去想那些你应该做的事情。这时的你已经非常疲倦了。在宝宝睡觉时，亲爱的读者朋友，你也尽量利用这个时间去休息。实际上，你已得到了一个伟大的自然

从小处入手

等着你要处理的事情已经太多了，千万别再给自己增加额外的压力了。不要对自己生气，因为你并非在做公众演讲，也并非要发送感谢信，给自己一点可控制的日常目标——每天四五个目标即可，而不是每天要完成40个目标。通过"紧急"、"不急"、"待我感觉好时再做"等各种标签来区分事情的优先办理顺序。倘若你在嘈杂的环境中依然能够保持冷静和正直，你就会惊讶地发现有许多事情都会被归于第三类。

奇迹，他就在你身边。宝宝需要用几天的时间从降临于世的震惊中恢复过来。一个刚出生一两天的婴儿，连续睡六个小时是常有的事，这样你也会有时间从生产的创伤中恢复过来。尽管如此，请小心以下现象——如果你的孩子看上去很乖，这有可能是暴风雨前的平静了！他很可能已经从你的身体里吸收了药物，或者最起码他已经很累了，即便你是自然分娩，在通过产道的挤压之后，宝宝也会异常疲惫。他并非生性乖巧，而是因为他的脾气性格随

关于宠物

动物会嫉妒刚出生的小宝宝，毕竟小家伙是另外一个进入这个家庭的小生命。

狗：尽管你不能用语言告诉小狗准备迎接新的家庭成员，但你可以带一个小宝宝用过的毯子或尿片之类的东西回家，便于让小狗熟悉宝宝的气味。当你带着孩子从医院回家时，让宠物狗在屋子外面迎接，然后再一同进入室内。狗是一种很有主权观念的动物，不太喜欢陌生人。如果能让它们先熟悉小宝宝的气味，相对来说就比较容易接受了。同时，我还建议各位家长朋友，永远不要让小宝宝和你的宠物单独呆在一起。

猫：有些老话说，猫很喜欢躺在小宝宝的脸上，但其实猫是被小宝宝脸上的温度所吸引了。让猫远离育儿室是最佳方法，这样就可以防止猫窜跳至婴儿床上，用爪子抓挠小宝宝了。宝宝的肺也很娇嫩，猫毛和小狗的细发，就像杰克罗斯犬身上的毛，会引起某种过敏反映，甚至还会引起宝宝哮喘。

后才会逐渐形成，你将在随后的章节中了解这一点。

一份测试：宝宝属于哪种类型

莉莎在罗比刚出生第三天时，就抱怨说："他在医院时就像个天使一样，可现在怎么哭得这么厉害？"如果每个爸爸或妈妈在这样说时都给我一英镑，那么，我早就成为富婆了。这时候，我必须要提醒妈妈们，她们自认为了解的小宝宝一旦回到家中就不会像现在这样了。

事实上，所有的宝宝都像成年人一样，各自的饮食、睡觉、刺激反应度等生活习惯都不相同，同时，他们得到抚慰的方式也各不相同。人们所说的气质、性情、个性、天性，在刚出生后的3~5天内逐渐形成，而且能从中看出宝宝属于什么类型的人，或者说将来会成为什么类型的人。

对此，我有着亲身体验，因为我一直和我的"孩子"们保持着联系。我是看着他们慢慢长大的，从儿童到青少年。从他们身上，我总能看到他们小时候的影子，如他们跟人打招呼的方式、如何处理新情况，甚至于能看到他们与父母或同辈朋友之间的主要沟通交流方式。

戴维出生时瘦得皮包骨头,小脸通红。比预产期提前两周来到人世的这个小家伙,着实把爸爸妈妈吓了一跳,也因此需要父母更多的拥抱,呵护其远离外界嘈杂和强光的环境。现在他刚刚学会了走路,但仍然有一点羞怯。

安娜是一个脸蛋红扑扑的小女孩,出生仅 11 天的她看起来非常容易照料,很少哭闹,而且能够彻夜安睡。这位通过人工受孕方式怀孕的单身母亲曾告诉我,一周之后她就不再需要我的帮助了。现已 12 岁的安娜依然开朗乐观地生活着。

还有一对双胞胎,两个小男孩迥然各异。给肖恩喂奶挺容易,他的小嘴一含上乳头就会露出笑容,但在最初的一个月,给凯文喂奶就很费劲,小家伙看上去好像挺仇视这个世界的,总是一副气呼呼的样子。孩子的爸爸是一家石油公司的行政人员,后来被派驻国外工作,我也就和他们一家人失去了联系。然而有一点我敢打赌,那就是日后肖恩的性情一定会比凯文更阳光、更乐观。

先天还是后天

哈佛大学的杰罗姆·卡根学者从事婴幼儿性情方面的研究。他说自己像其他大多数 20 世纪的科学家们一样,曾经相信社会环境因素比生理因素更为优先,然而,近 20 年来他所进行的研究却揭示出与此相反的结论:

他在《盖伦的预言》(盖伦是公元二世纪之后的物理学家,是第一位对性情进行分类的医生)一书中写道:"我承认有时会伤心,因为发现一些健康可爱的孩子虽然降生在经济条件较好的和睦大家庭里,但其与生俱来的一种生理机能有种抑制作用,使其不能随心所欲地放松自己,不那么自在,不能随意地开怀大笑。有些孩子日后不得不与天性中那些强烈的欲望或冲动做斗争,刻意让自己看上去不苟言笑,而且对明天的事情忧心忡忡。"

除了我自己的临床观察之外,不少心理学家也都证实了这种性情上的前后一致性,并且还设法描述出不同类型的特点。事实上,哈佛大学的杰罗姆·卡根协同其他几位心理学专家一同证明(参见左表),相比之下有些婴儿较其他婴儿更为敏感、更难应付,有些脾气更坏一些,而有些却更加温和可亲,也有些更具预测性。性情中的这些方面会影响小宝宝对所处环境的观察和操控,对新生儿的父母来讲,也许最为重要的是了解什么才能安慰小宝宝。这其中的诀窍在于仔细观察你的孩子,逐步地了解并接受一个宝宝的真实面目。

亲爱的家长朋友们,我向你保证,性情仅仅是一个影响因素,并非终生的宣判。小时候淘气难管的孩子,长大之后就注定会朝你身上吐牛奶?看上去弱不禁风的女婴,长大后参加的第一次舞会就一定会落落寡欢?没有人能够如此断言。我们不敢否定先天因素——大脑科学和解剖学固然重要——但后天的培养在个体发展中同样起着至关重要的作用。此外,要想全力支持和培养你的宝宝,你还需要了解和掌握其诞生之日起就与生俱来的一切特质。

根据个人经验,我已将婴儿的气质禀性大致划分为五种类型,分别称其为天使型、模范型、易怒型、活跃型和暴躁型。我会在下文中对此进行详细描述。为了帮你认识宝宝,我设计了一项包含20道多项选择题的测试。该测试适用于出生5天至8个月大的身体健康的婴儿。请你记住在宝宝出生后的最初两周里,性情会发生明显的改变,但这些变化其实都是暂时的。比如,切除包皮手术(通常在婴儿出生后的第八天实施)或是类似黄疸之类的先天性不正常,都会导致婴儿嗜睡,极有可能掩盖宝宝的真实性情。

我建议你和你的爱人分别回答这些测试题。假如你是一位单亲妈妈或单身父亲,那就找你的父母亲帮忙,或者求助于兄弟姊妹、亲戚、朋友,或者托儿所里的工作人员。总之,只要是与你的宝宝待在一起的人就可以。

为什么要求要两个人来完成测试呢?首先因为你和你的爱人观点会有所不同,这一点我敢肯定。毕竟,不可能有两个人对所有问题的看法都一模一样。

其次,婴儿在不同的人面前表现也不一样,这是一个简单的生活常识。

再次,我们容易把自己的主观偏好强加到宝宝身上,而且我们有时候对宝宝的脾气禀性过分肯定,通常只会去关注我们希望看到的特点。倘若意识不到这一点,你就有可能过度关注自己宝宝的某些特征或者干脆忽视了某些特征的存在。比如,如果你自己是一个挺害羞的人,小时候甚至被人嘲弄过,你就很可能去关注自己的宝宝在生人面前爱哭闹的事实。设想一下,你的宝宝将来要忍受跟你同样的社交焦虑和嘲讽,是不是多少有些痛苦呢?是啊,我们确实早早地就将"自我"映射到了宝宝身上,而且对此我们还深信不疑。当小家伙第一次跌倒爬起来的时候,他的爸爸很可能会说:"瞧瞧我们的小足球明星。"再如,当小家伙一听到音乐就能安静下来,那么从五岁起就开始弹钢琴的妈妈一定会说:"我敢说他一定得到了我的遗传!"

敬请注意,即使你们的答案不一样,也不要为此而争论。要知道这并不是考察谁更聪明或者谁更了解宝宝的测试。测试的本意是将其作为一种手段、途径使你对刚刚融入你生活的小生命有所了解。根据测试题下面的说明算出你的得分,你就能确定宝宝究竟归为哪种气质类型最合适。当然,一些宝宝既有这样的特征又有那样的特征,这样做的目的并非为你的宝宝定性——这么做太过严苛、太不人性化——而是帮你从我已经了解到的宝宝的一些行为上发现某些线索,例如,哭闹类型、反应类型、睡眠类型和气质类型,而这些最终都会有利于我们判断宝宝的需要。

测试:你的宝宝属于哪种类型

为下列问题选择最佳答案——换言之,选择大多数情况最能符合宝宝的描述。

1. 我的宝宝 _____:
   A. 几乎不哭。
   B. 只在饥饿、疲倦或遇到强烈刺激的情况下哭闹。
   C. 莫名其妙地哭。
   D. 哭声大,而且不把他抱在怀里哭得就更厉害。
   E. 总在哭。

2. 到该睡觉的时间,我的宝宝 _____:
   A. 静静地躺在小床里,在轻缓的摇摆中入睡。
   B. 一般用不了 20 分钟就能入睡。
   C. 多少有些烦躁,看上去好像已在摇晃中入睡,但稍后又会睁开眼睛。
   D. 特别烦躁,通常需要用衣物包裹或将其抱在怀里。
   E. 几乎一刻不停地哭,好像讨厌被人放在小床里,要一直把他抱在怀里才行。

3. 清晨醒来时,我的宝宝 _____:
   A. 几乎不怎么哭,在我去看他之前,一个人躺在小床里玩。
   B. 发出婴儿的细语并且四处张望。
   C. 需要有人即刻来到他的身边,否则就开始啼哭。
   D. 尖声哭闹。
   E. 呜咽啜泣。

4. 我的宝宝会在下述情况下露出笑容 _____:
   A. 见到任何事物、任何人。
   B. 有人逗他玩的时候。
   C. 有人逗他玩的时候,不过转眼间就又开始哭闹。
   D. 经常笑,而且嗓门大,总是发出婴儿般的大吵大闹声。
   E. 只在适当的时候。

5. 每次带宝宝外出活动时,他_____

    A. 相当配合。

    B. 如果带他去的那个地方没有太多人或者以前曾经去过,他还算听话。

    C. 大惊小怪地乱折腾。

    D. 特别希望我能随时关注他。

    E. 不喜欢被外人抱来抱去。

6. 遇到陌生人友好地上前用婴儿般的细语哄他时,我的宝宝_____

    A. 立刻就笑。

    B. 经过一段时间很快就会笑起来。

    C. 通常会哭,除非对方特别讨他喜欢。

    D. 表现异常激动。

    E. 很难被逗乐。

7. 若外界有响亮噪声,如狗叫或关门时发出的巨响,我的宝宝_____

    A. 从不紧张。

    B. 会有所觉察,但不会受到干扰。

    C. 明显有些害怕,而且通常会放声啼哭。

    D. 自己也发出很大的声音。

    E. 开始哭闹。

8. 当我第一次给自己的宝宝洗澡时,_____。

    A. 他在水里的样子宛若一只小鸭子在嬉水。

    B. 起初感到有些惊讶,但很快就会喜欢上这种感觉。

    C. 极为敏感,身体微微发抖而且看上去有些害怕。

    D. 他会失去控制,又踢又蹬把水溅得满地都是。

    E. 他厌恶至极并放声大哭。

9. 宝宝的肢体语言具有如下特征:

    A. 放松且会时刻对外界有所警觉。

    B. 多数情况下处于放松状态。

    C. 紧张不安且会随时对外界刺激做出反应。

    D. 忽动忽停不够连贯,小胳膊小腿乱抓乱蹬。

    E. 直挺挺的,胳膊和腿通常都是僵直的。

10. 我的宝宝会发出响亮且带有攻击性的吵闹声

    A. 偶尔。

    B. 仅在玩耍嬉戏和受到较强刺激时。

    C. 很少。

D. 经常。

E. 被惹怒时。

11. 每当我给自己的宝宝换尿布、洗澡或穿衣服时 _____

A. 他总是挺配合。

B. 如果我放慢节奏并且告诉他要做什么时，他还算听话。

C. 经常发脾气，好像无法忍受自己没穿衣服的样子。

D. 不停扭动身子以求挣脱，并想方设法阻拦你。

E. 厌恶反感，给他穿衣服就像进行一场战役。

12. 假如我把宝宝带入光线较强的环境中，如阳光下或荧光灯下，他会 _____

A. 比较容易适应。

B. 有时可能会被吓到。

C. 过度频繁地眨眼睛或试图把头转到背光的一侧。

D. 受到较大刺激。

E. 表现得烦躁不安。

13a. 假如你使用奶瓶给宝宝喂奶，他会 _____

A. 通常会吮吸得津津有味，注意力集中，一般用不了20分钟就能吃完。

B. 随着一天天长大也会变得有些不规律，但总体来说喂奶不算困难。

C. 动来动去不肯配合，而且需要花很长时间才能喂完一瓶奶。

D. 紧紧抓着奶瓶不愿松手，一次容易喝很多。

E. 动不动就发脾气，喂奶过程会持续相当长的一段时间。

13b. 假如你选择用乳房喂宝宝，他会 _____

A. 立即明白是怎么一回事，从第一天开始喂奶就能轻而易举地搞定。

B. 过一两天才知道吃奶，但现在已经不成问题了。

C. 想喝，但是小嘴含不住奶头，好像忘记怎么吃奶了。

D. 只要按他喜欢的姿势抱着喂奶就吃得很香。

E. 变得燥怒不安，好像害怕我的奶水不够他吃一样。

14. 下列关于我和宝宝之间沟通交流的表述中，最为恰当的是 _____

A. 他总能让我明确地获知他的需求。

B. 多数情况下他给我的暗示较易理解。

C. 他让我很迷惑，有时他会冲着我哭。

D. 他会明确地向我暗示他的喜恶，而且态度坚决声音洪亮。

E. 他一般情况下会用愤怒的大声哭叫来吸引我的注意。

15. 当参加家庭聚会且有很多人都想抱他的时候，我的宝宝 _____：

A. 很能适应。

B. 在某种程度上有些挑剔,会选择让自己喜欢的人抱。

C. 假如很多人抱他,就很容易哭闹。

D. 可能会哭,或者会因为感到不适而竭力挣脱对方的搂抱。

E. 除了父母外,不让任何人抱他。

16. 无论外出做什么,一旦回到家后,我的宝宝_____:

A. 很快也很容易放松下来。

B. 需要花上几分钟才能让自己放松下来。

C. 总是对此很敏感,会因此变得极为紧张不安。

D. 通常会受到较大刺激且很难让其安静下来。

E. 表现出生气且难过。

17. 我的宝宝_____:

A. 无论什么样的东西,即使是婴儿床上的百叶板,他都能盯着看上老半天,没人陪着也能自娱自乐。

B. 能自己玩上大约 15 分钟。

C. 在陌生的环境中很难被逗乐。

D. 需要费很大力气才能将其逗乐。

E. 用任何东西都很难把他逗开心。

18. 宝宝具备如下最明显的特征,_____:

A. 特别老实并且让人省心,超乎寻常地乖巧懂事。

B. 严格按照标准和预期一天天成长,就像书上描述的一样。

C. 对任何事情都极为敏感。

D. 特别具有攻击性。

E. 总爱发脾气,不满情绪显著。

19. 我的宝宝看上去好像_____:

A. 完全安心地躺在他的小床里。

B. 多数时候愿意呆在小床里。

C. 躺在他的小床上感到不安。

D. 发脾气,把小床视为囚禁他的监狱。

E. 仇恨别人把他放在小床里。

20. 下列关于你的宝宝的描述,最为贴切的是_____:

A. 你几乎感觉不到房间里还有个小宝宝,他特别安静。

B. 容易照看,轻易就能知道他想干什么。

C. 瘦弱不强壮,是个极其需要呵护的小生命。

D. 我害怕他爬来爬去,他好象对一切事物都感兴趣。

E. 他看起来很成熟,仿佛对这一切都极为熟悉似的。

接下来为以上进行的自我测试打分。在一张白纸上写下 A、B、C、D、E 五个字母,分别核算出选择每个选项的次数,并将其记录在相应那个字母的旁边,看看五个字母的选择次数,你的宝宝究竟属于哪种类型便一目了然了。具体结果如下:

A——天使型宝宝
B——模范型宝宝
C——易怒型宝宝
D——活跃型宝宝
E——暴躁型宝宝

将宝宝的类型调整归零

核算完字母以后,你有可能会发现,有一两个选项被选择的频率比较高。进一步阅读下文的描述,不要忘记我们现在讨论的是一种存于世界上的行为方式,而非一时的心情或在特殊情况下出现的典型行为方式,如婴儿腹痛后的反应,或长牙这类转折时期的行为表现。在下文的简略描述中,你很可能辨别出自己宝宝所属的类型,或者说感觉自己的宝宝既属于这种类型又有点像那种类型。详细阅读这五种类型的描述。对于每种类型,我都采用自己所见过的与其最为匹配的一个宝宝做范例进行说明。

天使型宝宝——正如你所期盼的那样,这种类型的宝宝可是每一个初为人母的女人梦寐以求的——他乖巧无比。波琳就是这样一个宝宝——永远带着甜甜的笑容,从没有过分的要求。很容易让人明白她想做什么。她很容易适应陌生的新环境,不会感到紧张不安。事实上,带她到哪里都不会给你带来不便——她相当配合。给她喂奶很容易,陪她玩耍和哄她睡觉也不是什么困难的事情。她睡醒了也不怎么哭闹。几乎每天清早去看她的时候,她都在对着毛绒玩具咿咿呀呀地说话,要么就盯着墙壁上的花纹自娱自乐。天使型宝宝通常可以自我安抚。但她也有累了的时候,或许是因为你误解了她的提示所致，这时你唯一需要做的就是偎依到她的身边对其轻语："我知道你有点累了。"然后给她播放一首催眠曲，让房间变得温馨、暗淡、安静一些就可以了。这之后，她自己就能安然入睡。

模范型宝宝——这类型宝宝即我们所说的可预知型宝宝，正因为如此，他们很容易应对。奥利弗不管做什么都会对你有所暗示，所以在他身上很少发生令人感到奇怪的事情。他的成长按部就班地极其符合规律——3个月大的时候就能彻夜安睡一觉到天亮，5个月时学会翻身，6个月时可以坐立。当然，有时他的成长也会像上了发条的机器一样突然加速——胃口食量会因体重增长过快而骤然增大。仅仅一周大的时候，他甚至可以在没人帮扶的情况下自己玩上一小会儿——大约15分钟。另外，他还经常咿呀细语地四处张望。有人冲他笑，他也会冲对方笑。尽管在成长过程中，奥利弗有时也会像书中描述得那样闹点小脾气，但他还是挺容易安抚的，他睡觉也很容易。

易怒型宝宝——对于那些像迈克尔一样过分敏感的宝宝来说，外部世界会不断带给他们感官上的冲击和刺激。窗外摩托车发动的声音会让他感到害怕，电视机发出的声响、邻居家的狗叫声都会吓到他。遇到强烈的光线他会频繁眨动眼睛或把头转到光线暗的一边。有时他会莫名其妙地哭，甚至是冲着自己的妈妈。每当这时他都会"大吵大嚷"（当然会通过肢体语言表现出来），"我受够了，我安静一会好不好"。接连被人抱过或外出回到家里以后，他就会变得紧张不安。他也能自己玩上几分钟，但前提是身边要有他熟悉的人陪伴——妈妈、爸爸或保姆，因为这样他才能安心。由于这类宝宝大都喜欢吮食，因此妈妈们在看到他们吮吸橡皮奶头时会误以为宝宝饿了。给他喂奶也不顺利，好像他忘记怎么吃奶了。不论白天还是晚上，睡觉时迈克尔都要折腾一番。像他这类易怒型宝宝很容易脱离原定计划成长，因为他们随时都会打乱事先的安排。要么白天睡多了，要么喝奶没规律。突然造访的客人、临时安排的行程、计划的改变等诸如此类的事情都会对迈克尔产生影响。想安抚易怒型宝宝，你必须再造一个子宫的环境，用暖和的衣物将他们紧紧包裹，让其蜷缩偎靠在你的肩膀上，然后挨近他的耳边对其小声且有节奏地发出嘘嘘的声音（模拟液体在子宫中流动的声音），一边轻轻拍打他的后背，模仿心跳的节律（顺便提一下，这种方法可以让大多数孩子安静下来，但对易怒型宝宝尤为奏效）。如果你的宝宝属于这种类型，越早学会解读他的暗语和哭声，你的生活就会越早变得简单轻松起来。这类婴儿喜欢富于规律和可以预知的生活。拜托你千万别给他们制造"惊喜"。

活跃型宝宝——这类宝宝生来似乎就知道自己喜欢什么不喜欢什么，并且会毫不犹豫地让你知道。像卡伦这样的宝宝就很会用声音表达自己的想法，她发出的声音有时听上去带有进攻挑衅的意味。清晨醒来，她通常会发出尖叫召唤妈妈或爸爸。她讨厌一个人躺着，讨厌小屁股下面垫着前一晚尿湿了或是已布满污渍的尿布，她会发出声音告知自己的不适，似乎在说"给我换新尿布"。的确，她经常咿咿呀呀地"说话"，而且嗓门很大。她的身体总爱不停地扭动。通常情况下，卡伦的身体需要被包裹严实才能入睡，因为她的胳膊和腿总是动个不停。在她啼哭时你若不能读懂其用意，那她就会一直哭下去。她的哭声会一直保持激动兴奋的顶峰状态。活跃型宝宝在早期时喜欢抢抓奶瓶。在引起其他宝宝注意之前，她会首先注意到对方，等长到具备较强抓握能力时，她就会抢抓其他宝宝的玩具。

暴躁型宝宝——我总认为像盖文这样的宝宝一定是转世投胎。他们是再生的灵魂，好像对再次降临人间极为不满。当然，或许我说得不对，但无论出于何种原因，但我仍然确信这种类型的宝宝疯劲十足，用我们约克郡的话说：他对这个世界怒不可遏，而且还得让所有人都知道(这本书的另一个写作伙伴告诉我，在依地绪语中管这种人叫 farbissiner)。盖文每天早晨都会发出长而高的呜咽啜泣声，一天到晚都会板着小脸，每天晚上大呼小叫地不肯入睡。因为无法忍受这个小家伙的坏脾气，照看他的人干不了多久就走了，所以他的妈妈总留不住保姆。起初他很讨厌洗澡，而且每次别人帮他换衣服或穿衣服的时候，他都会显得烦躁不安。妈妈曾试着用乳房给他喂奶，但奶水流出的速度慢(奶汁向下流，通过乳头淌出)，盖文对此有些不耐烦。即使改用奶瓶冲奶粉，喂奶工作同样会因其糟糕的脾气而难以顺利进行。想让暴躁型宝宝安静下来，妈妈爸爸通常需要付出极大的耐心才行，因为这类宝宝会变得特别气愤，而且他们的哭声也尤为响亮持久。父母发出的哄劝声一定要压过他们的哭闹声才行。他们讨厌被衣物包裹，当然他们也一定会想方设法让你明白这一点。假使暴躁型宝宝的哭闹到达顶点，你也不要冲着他们喊"嘘"以命令其安静，你应该一边横抱着宝宝摇晃，一边用温和而有节奏的话语哄劝宝宝："没事，没事，乖乖。"

> **小贴士**：无论哄劝哪一种类型的宝宝，在使用摇晃的方式时，你都
> 应该按水平方向前后摇晃，切勿左右摇或者上下晃动。在宝宝出生以

前,当你走路的时候,子宫里的液体就是按水平方向前后移动的,因此她习惯这样一种摇晃方式,会因此得到劝慰和放松。

幻想和现实

根据以上描述,相信你一定可以辨识出自己宝宝所属的气质类型了,或许他介于两种类型之间。不管怎样,分析的结果仅仅旨在为你提供指导,对你有所启发而不是警告。况且,确定宝宝的类型并不重要,比这更重要的是要了解哪些方面是可以预期的,以及如何有针对性地应付宝宝的特殊脾气。

等等,把话说清楚一点……你可能会说眼前的宝宝并非自己之前想象中的那个孩子!是不是他更难以安抚?是不是更加不老实?看上去是不是更为焦躁不安?是不是没有想到他不喜欢让人抱?你一定对此感到迷惑不解,甚至有些生气吧。你甚至可能后悔当初生下这个孩子。面临此类疑惑的,并非你一个人。在9个月的怀胎期间,几乎每一位家长都会对自己即将诞生的宝宝有所期待。想象她的模样,猜想她会是怎样的一个孩子,猜想她长大以后会成为一个什么样的人。对于那些怀孕有困难的大龄父母,或者到三四十岁才结婚准备生孩子的父母来说,此种期盼更为强烈了。36岁的萨拉就生了一个模范型宝宝。在丽兹5周大的时候,萨拉曾向我坦言:"起初,我只肯拿出四分之一的时间陪她。我真觉得自己不够疼爱这个孩子。"南希是位律师,快到40岁的时候才通过代孕的方式有了朱利安——一个天使型宝宝,然而当初却"没想到带孩子会这么麻烦,几乎快把我逼疯了,我想,'我可受不了这种日子。'"回忆起当时俯身看着出生仅4天大的儿子时,她还乞求小家伙:"小祖宗,你可别毁了我啊!"

调整阶段可能会持续几天或几周,或许还要花更长的时间,这取决于你在宝宝未出生前的生活状态。不管时间长短,(我希望)所有的父母都能逐步并最终接纳自己的宝宝,适应有了宝宝以后的生活(爱干净的父母可能一时接受不了家里变得乱七八糟,有条不紊的家长或许一下子忍受不了杂乱的生活。我会在下面的章节中详细说明这个问题)。

小贴士：妈妈们，和你周围的过来人多交流是很有帮助的。他们会告诉你这些起起落落再平常不过了。如果关系融洽的话，找有过类似经历的好朋友、姊妹，或者找自己的妈妈聊聊也行。找爸爸或男性朋友聊这些话题，可能不会像你想象的那么有用。在"我同爸爸"这个群体中的男人们曾经告诉我，当上爸爸的人在一起聊天大多都是在攀比，尤其在睡眠数量和性生活问题上比来比去。

一见钟情？

目光横扫房间的刹那，你们就已坠入爱河了，至少好莱坞电影里时常出现此类情景。然而，现实生活中的多数夫妻都不会出现这样的情形，母亲和宝宝的感情同样也并非一蹴而就。有的妈妈会即刻爱上自己的宝宝，但多数母亲都需要时间来培养和孩子的感情。你感到疲惫不堪、感到奇怪，还会受到惊吓，但最难以承受的可能还是心理上的落差。你期望自己的宝宝是完美、无可挑剔的，然而这种可能性几乎为零，因此不要让自己沮丧失落。爱上你的宝宝，需要时间。别说孩子了，就连大人也同样如此，随着了解的逐步深入你才会渐渐真正爱上对方啊。

有意思的是，你可以完全不用在乎自己的宝宝究竟属于哪种气质类型，因为这一点并不重要。要知道父母们的预期相当高，没有哪一种类型的宝宝能够达到他们心目中的要求，即使是天使型的宝宝也不例外。举个例子吧，金姆和乔纳森夫妻俩都是工人，工作都挺忙。他们的小克莱尔刚出生时，我就认定她是个不可多得的乖宝宝。她能吃、能睡、能自己玩儿，而且她的哭声也很容易让人知道她想干什么。我估计自己的工作很快便可以结束了。不过，无论你相信与否，乔纳森却很担心，他问我："她是不是有点太过安静了？""她是不是睡的时间太长了？假如她一直都这么文静，那她可没得到我们家族的遗传啊！"我猜想，乔纳森可能有些失望，他没机会和那些哥们儿在"全美国缺觉马拉松大赛"中一较高下了。尽管如此，我还是奉劝他要知足，像克莱尔这样的天使型宝宝多么招人喜爱啊，谁不想生一个这样的宝宝啊？

当然，倘若父母的现实感受与之前想得到一个安静温顺的小宝宝的愿望大不相同，他们就会感到失望和震惊。新生儿会在最初的几天埋头大睡，父母亲还认为自己的预想实现了呢。然而，霎那间就全都改变了，他们的宝宝变得精力充沛、情绪激动起来。"我们做错什么了吗？"这是父母们的第一反应。紧接着，父母又会提出疑问："我们该怎么办呢？"首先，家长要敢于承认自己的失望情绪，然后要相应地对此前的预期进行调整才行。

小贴士:不妨把你的宝宝当成美好新生活的开启者,并勇敢面对这一挑战。毕竟,每个人的一生中都要学习掌握大量的知识,而我们永远不会事先知道知识的传授者是何许人也。只不过,这次的老师是你的宝宝罢了。

有时,父母察觉不到自己的这种沮丧心理,又或者他们已经意识到了但却羞于承认自己的失望。他们不愿承认自己的宝宝并不像想象中的那样讨人喜爱、乖巧懂事,或者不想坦白自己第一眼并不喜爱自己孩子的事实。我几乎数不清有多少父母出现过类似经历了。或许在听了其他人的故事后,你心里会好受一些。

玛丽和蒂姆——玛丽是个气质温和的女人,她步履从容、举止优雅。丈夫同样也是一个平静且温和的人。他们的女儿美宝刚出生的前三天,看上去是个天使类型的宝宝。第一天晚上睡了六个小时,接下来的两个晚上也差不多睡了这么长时间。然而,从医院回到家以后,美宝的真实性格开始显露出来。她睡得越来越少,很难安静下来,还经常难以入睡。这还不算什么,稍微有一点动静都会把她吵醒。客人想抱抱她的时候,她总会扭动身体以示挣脱,还会放声啼哭。事实上,她似乎经常莫名其妙地哭泣。

玛丽和蒂姆简直不能相信,自己竟会生出一个这么高度紧张的宝宝来。他们总是羡慕朋友的孩子很容易被哄睡,羡慕别人的宝宝不用大人陪也能自己玩好长时间,并且在外出时也不用担心把宝宝放在车里。他们看到的显然不是美宝的真实样子。我帮着他们认识到宝宝的真实性情——一个活跃型的宝宝。美宝之所以喜欢一种可以预知的生活,是因为她的中枢神经尚未发育成熟,因此需要爸爸妈妈花费时间安静地陪伴。为了帮助她适应周围环境,玛丽和丈夫需要温和、耐心地对待宝宝。他们的女儿是个娇嫩脆弱的小生命,有自己独特的处世方式。她的过度敏感并非问题的症结所在,她只是想通过这种方式让自己的父母了解她。何况根据她爸妈的脾气性情,我猜宝宝也不会糟糕到哪里去。美宝喜欢舒缓的生活节奏,这一点像妈妈,而她渴求安静的环境则有些像爸爸。

我的这些分析和些许的鼓励对玛丽和蒂姆产生了一定的帮助作用,两人开始正视并接受自己现实生活中的宝宝,而不是一味拿美宝与朋友的孩子做比较。有宝宝在的时候,他们会放慢节奏,会限制他人搂抱宝宝的次数,并且开始更近距离地仔细观察他们的孩子了。

　　玛丽和蒂姆发现美宝有一个较为明显的特征，她能十分清晰地向他们做出暗示。当无从忍受时，她会把头扭到一旁，背对注视她的人或是在一旁打电话的人。通过这种肢体语言，美宝其实是在告诉父母"我受够刺激了！"妈妈发现，假如她能就此类暗示及时做出反应，那么白天就比较容易哄她入睡，但如果自己没注意，美宝就会放声哭叫，并且总是需要很长时间的安抚才能让她安静下来。有一天我顺路到他们家拜访，玛丽因为急着向我反馈美宝成长的新情况，无意间忽视了宝宝的暗示，美宝便开始哭闹。让人颇感欣慰的是，她的妈妈立刻用尊重的口吻哄她："对不起，小宝贝，妈妈没注意到你。"

　　简和亚瑟——这是一对可爱的夫妻，是我所喜爱的若干夫妻中的一对，两人婚后七年才有了孩子。还没离开医院的时候，詹姆斯看上去同样是个天使型的小宝宝，可是一回到家里他就开始哭闹，给他换尿布时哭，给他洗澡时还哭，一直没完没了地哭，而且越哭越厉害，看上去都让人感到莫名其妙。简和亚瑟都是喜欢开玩笑的人，两人都很幽默，可他们却无法取悦詹姆斯。"他时常哭闹，"简告诉我说，"在我怀里时他也那么不耐烦。说实话，我们唯一盼着的就是他能早点睡觉。"

　　尽管他们能大声说出这样的话，却很难承认自己的宝宝有点悲观。像许多其他家长一样，简和亚瑟总认为有办法克服，并为此做了努力。"我们让步吧，把詹姆斯当做一个独立的个体对待吧，"我建议说，"我看到的是一个小男孩正竭力向我表达，'嘿，妈妈呀，给我换尿布的时候动作能不能快点''哎，别别别，才刚过多久啊，你怎么又要喂我''有没有搞错，又要给我洗澡啊？'"当我代替他们这个暴躁型宝宝倾吐心声时，简和亚瑟严肃起来。我给他们讲了自己关于"转世小魔头"的理论，他们心照不宣地笑了。"你知道吗，"阿瑟说，"我爸爸就采用过这种方法。我们都很喜欢他这么做。我们需要做的仅仅是把他看做一个人。"很快，小詹姆斯看上去便不再是此前那个小魔头了，也不再是故意前来扰乱父母生活的小捣蛋了。他就是詹姆斯，一个有脾气、有需求的人，像其他人一样，他也是一个需要受到尊重的人。

　　现如今，简和亚瑟不再为给宝宝洗澡而头疼不已了，他们会放慢动作，以便给詹姆斯更多的时间适应入水的环境，而且在洗澡的整个过程中他们都会陪着宝宝说话，他们会劝小家伙："我知道你不喜欢洗澡，不过很快你就会喜欢了，到时候不让你洗，你还会哭喊着不愿意呢。"除此之外，他们也不再用衣物包裹宝宝了。他们学着揣摩宝宝的需求，因为他们知道稳定宝宝的情绪对大家都有好处。6个月大的时候,詹姆斯还是喜欢吮食,但父母至少愿意接受并把这当成他特殊的爱好和本性,况且他们晓得如何克制宝宝的坏脾气了。在这么小的时候就能被自己的父母理解,小詹姆斯无疑是幸运的。

这些故事告诉我们,理解宝宝的咿呀语言最为重要的两点就是:尊重和常识。正如无法找到适合所有人的灵丹妙药一样,对待宝宝也没有固定的方法和模式。不能因为看到姊妹的儿子喜欢某种喂奶姿势,就断定自己的宝宝也喜欢;看到别人用衣物包裹宝宝,就以为自己的宝宝也喜欢被衣物包裹;不能因为朋友的女儿性情开朗、愿意让陌生人搂抱,就判断自己的宝宝也愿意让人抱。收起你的这些一厢情愿吧。你必须面对现实生活中的宝宝,弄清楚什么才最适合你的孩子。我敢说,只要你能做到仔细观察、用心聆听,你完全可以准确揣度宝宝的需求并可以帮助他们应付困难的境况。

最后,这种心灵上的沟通和理解将会让你的宝宝生活得更加惬意,因为有你帮助他们扬长避短。还有一个好消息想与大家分享:无论你的宝宝属于哪种类型,他们都无一例外地喜欢安静和可以预知的生活。在下一章中,我将直接介绍一种日常规律,以使你们全家人的生活都能轻松幸福。

第二章

让你学会听懂婴语的 E.A.S.Y.模式

我感觉到有规划的生活会让她更开心。

此外,我曾亲见朋友家宝宝的实际应用过程。

——一位模范型宝宝的妈妈

成功诀窍——规划日常活动

我每天都会接到很多家长朋友们打来的电话,他们大都焦虑不安、疑惑重重、在困难面前束手无策,且严重缺觉。他们连珠炮式地向我发问,近乎乞求般地向我讨求对策,因为他们正饱受着杂乱的家庭生活所带来的痛苦煎熬。不管碰到什么样的问题,我都无一例外地给出相同的解决方案:有规律的生活。

例如,30岁的特丽从事广告行政方面的工作,她打来电话声称自己坚信五个月大的加思是个"不好喂的宝宝"。她对我说:"用母乳喂他可费事了,几乎要用一个小时才能喂好,而且他的小嘴总爱离开我的乳头。"

我首先问她:"你们的日常生活有规律吗?"

她的停顿已然告诉了我答案——很显然她没有这么做。我答应特丽当天晚些时候去拜访她,顺便看看孩子,再详细听听她的问题。但我当时已经相当肯定了,即使通过电话里她所提供的些许描述,我对其面临的窘境已了然于心。

后来在听了我对问题的解决方案时,她提出了质疑:"制定一个时间计划表?"对此她坚决反对,"不行,万万不可,我可不要什么计划表。我都工作了一辈子,干什么事我都会严格遵守时间。现在,我离职在家带宝宝,您不会又让我按时间表来照看宝宝吧?"

我并非建议她严格限定做事情的最后期限,或者设置严苛的纪律性约束,正相反,一种固定但不乏灵活性的事前规划完全可以按照加思的实际需求进行调整改变。"我所建议的这种时间表,可不像您想象的那样,"我向其解释说,"这是提前对日常生活中要开展的活动进行规划,一项有大体框架和规律性的计划而已。我不是逼您看着闹钟生活,完全没有这个意思。可您需要让宝宝的生活具有连贯性和顺序性。"

能看得出,特丽对我的解释仍持怀疑态度,但自打我安慰她说按照这个方法不仅可以克服加思身上所谓的问题,还能教会她理解儿子的肢体语言以后,她的情绪明显好转。我向她解释,大约每隔一小时就喂宝宝一次说明她一定误解了儿子的暗示,因为任何一个正常的宝宝都不需要每隔一个小时就喂一次奶。我相信加思很可能比妈妈想象得更容易喂养。他用小嘴不断拨弄乳头,很可能是想表达:"我吃饱了。"但母亲还是一个劲地喂宝宝,这时孩子不烦才怪呢?

我能想象到特丽的日子不好过。下午四点的时候,她还穿着肥肥大大的睡衣裤,很显然没有时间收拾自己,甚至连冲个澡的 15 分钟时间都腾不出来(是啊,我知道,亲爱的宝宝家长们,如果您刚有了宝宝,很可能在下午 4 点的时候依然穿着睡裤,但我希望在您宝宝五周大的时候,这种情况能有所改观)。

先就此打住吧(稍后我再告诉您特丽是如何向好的方向发展的)。或许帮助特丽规划日常生活,看上去再简单不过了。然而不管你相不相信,无论你面临什么样的困难——不好喂奶、睡觉不规律或误认为宝宝患了腹部绞痛等,通常情况下,提前规划日常生活确实是唯一能够解决问题的方法。假如这一方法还不能帮你摆脱困境,当然这种可能性极小,那你至少在朝着好的方向迈进了。

特丽无意中忽视了加思发出的暗示,同时,她还让宝宝占据了主导地位,没有建立起一套规律的日常作息让宝宝来遵守。是啊,我也知道顺从宝宝是现如今比较流行的做法,这可能是为了强烈反对过去那种为抚育宝宝定制严格时间表的做法。不幸的是,家长对此理念持有偏见,误以为任何一种规划或者例行公事都会抑制宝宝的天性、阻碍其自由"表达"和自然成长。但我想对持有此类想法的妈妈和爸爸说:"拜托你们弄清楚好不好,她还只是个婴儿而已,她根本不知道什么对自己有益(亲爱的家长朋友,敬请牢记,尊重你的宝宝和放任自流是两码事)。"

此外,我还倡导一种"全家合作育儿方法",我时常告诉家长们:"宝宝也是你生活中的一部分,但并非全部。"倘若我们让一个小婴儿占了上风,允许他随心所欲地想吃就吃、想睡就睡,那用不了六周时间,你的日子就会乱成一团。因此,我总是建议即刻着手创建一种安全有序的环境,并设计由宝宝来遵守的节奏安排,我称其为 E.A.S.Y.模式,正像这个名字一样,它的确简单易行。

E.A.S.Y.模式让每个人都轻松

E.A.S.Y.这四个字母分别是所要规划的四项日常活动的首字母。每每刚接触一个新宝宝的时候,我都会帮其进行日常生活的规划,从宝宝刚出生的第一天就开始进行规划是最理想的状态。将此模式看做一个循环的过程,约3个小时循环一次,每一循环周期都依次经历下述几个环节:

喂奶 (Eating)——无论使用母乳还是奶瓶喂养,宝宝急需的是营养。宝宝就像一个喂奶的小机器。与其体重成比例,他们所要摄入的热量高达一个大胖子的两三倍(在第四章里,我将更加详细地论述喂奶方面的问题)。

活动 (Activity)——不满三个月大的宝宝 70%的时间都在喂奶和睡觉。除此之外,她要么在换尿布,要么在洗澡,有时也会躺在小床或者地毯上咿呀细语,有时还会被带到外面溜达,又或坐在婴儿车里眺望窗外。在我们看来算不上太多活动,但宝宝的活动就是这些 (第五章内将有更多关于活动的介绍)。

睡眠 (Sleeping)——无论睡得安稳与否,所有宝宝都需要学着在没人哄劝的情况下自己入睡,以便培养他们的独立能力(详见第六章)。

你自己 (You)——该说的都说了,该做的也都做了,这时,也就是宝宝睡着以后,就是你的时间了。听上去是不是有些难以置信或不合逻辑呢?并非如此。如果你采用 E.A.S.Y.模式,那么每隔几小时你就有时间休息调整一下,一旦你的体力有所恢复,你将可以更好地做事情。记住,在最初的六周

"E.A.S.Y.模式"时间表

世界上没有两个完全相同的宝宝,从出生到三个月,下面的日常活动安排极为典型。随着宝宝的成长,当喂奶不再那么费劲,且孩子独立玩耍的时间变长之后,你完全可以放心地对其进行适当调整。

喂奶:使用乳头或奶瓶需要 25~40 分钟不等。一个重 6 磅(约 2.72 千克)左右的婴儿可以每隔 2.5~3 个小时喂奶一次。

活动:45 分钟(包括换尿布、穿衣服和每天开开心心地洗个澡)

睡觉:晚上用 15 分钟入睡;白天小睡半小时到 1 小时;出生两三周后夜晚的睡眠时间会逐步延长。

你自己:宝宝睡着以后便会有一个多小时的时间供你支配使用。随着宝宝一天天长大,喂奶时间缩短,一个人玩耍时间增多,白天小睡时间延长,你会有更多自己的时间。

里——产后恢复期——你需要从体力和情绪两方面把自己从生孩子的痛苦中调整好。那些急着像产前一样生活的妈妈们,那些不注意休养,只顾一个劲儿给宝宝喂奶的妈妈们,早晚要吃亏的(第七章内将详细说明这个问题)。

与许多其他婴儿护理方法相比,E.A.S.Y.模式是一种更合理、更实用的中间方式。多数家长在两股看似极端的"潮流"中左右摇摆、举棋不定,选择这种模式会让爸爸妈妈更宽心。一方面,提倡"严爱"的专家们认为,"调教"宝宝少不了挫折磨难。有时候你需要让宝宝放声啼哭,且让她有些许挫败感。宝宝一哭你就去抱他的话,会宠坏他们。你要让宝宝严格遵守时间,让他们顺应你的生活,依照你的需要生活。与之相反的另一股极端潮流,则代表着当今较为流行的观点,他们倡导大人迁就宝宝,要求妈妈们有求必应,随时给宝宝喂奶。我倒觉着这种所谓的有求必应有些自圆其说的意味,到头来只怕你会拥有一个总有要求的宝宝。支持这一理念的人坚信要想提高孩子的适应能力,就必须满足他们所有的要求……假如毫无主见地贯彻这一信条,你恐怕要放弃自己的生活了。

亲爱的家长朋友,说句实话,上面谈到的两种方法都不怎么管用。使用第一种方法的话,你不尊重自己的宝宝;用另一种方法的话你又不尊重自

E.A.S.Y.模式与其他方式对照表

有求必应型	E.A.S.Y.模式	时间表型
尽力满足婴儿所有需求——每天喂10次到12次奶,只要婴儿一哭就去喂奶。	灵活且有规律,喂奶、活动、睡觉和你的自我时间,周期大致在2.5~3个小时左右。	对照时间表严格遵守喂奶时间,通常每隔3~4小时喂一次。
不可预知——让宝宝占据主导地位。	可预见性——父母制定一个婴儿能适应的生活节奏,婴儿也了解将要发生什么事情。	可以预知但令人担忧——父母订立的时刻表有可能不适用于婴儿。
父母不去揣度婴儿的信号,将很多的哭泣误解为饥饿。	由于具有逻辑性,父母们因此可以预知宝宝的需要,因而更容易理解宝宝的哭闹。	如果与时间表不符,婴儿哭闹可能会被忽视,父母就不去理会婴儿的种种表现了。
父母没有自己的生活,婴儿主宰了一切。	父母也可以安排自己的生活。	父母受时间控制。
父母困惑不已,家中一片混乱。	因为理解孩子的哭声和暗示,父母们对自己的育儿方法更自信。	如果婴儿不能适应时间表安排,父母就会负疚、焦虑,甚至会生气。

己。更为重要的是,E.A.S.Y.模式强调家庭的整体性,因为它要确保每一位家庭成员的需求都得到满足,而非仅仅满足宝宝。你细心地聆听、仔细地观察宝宝的所需所想,与此同时还要让他/她适应并融入整个家庭生活（参见图表,全面了解 E.A.S.Y. 模式与有求必应或严格的喂奶时刻表有何区别）。

E.A.S.Y.模式为何行之有效

　　无论处在什么年龄阶段,人都是一种作息规律的高级动物。只要不打破常规,人们便能够较好地生活。规划和惯例对日常生活来说再寻常不过了。万事万物皆有逻辑顺序。我姥姥曾经说过:"蛋糕烤熟之后就不能再往里添加鸡蛋了。"我们家里、工作单位、学校,甚至是做礼拜的教堂,这些地方都存有沿袭已久的规则,正因为如此,我们才会感到安全踏实。

　　腾出点时间来,想想你每天进行的例行活动,每天清晨时分、用餐时刻和睡觉的时候,在无意识状态下你都极有可能重复地做着一些事情。假如这样一种生活被打乱,你将有何感受?即使一些微不足道的小事,如水管坏了没能让你冲上澡,道路堵塞让你不得不绕道上班,或者用餐时间比平时晚了一小会儿,诸如此类的小插曲都有可能打扰你一整天的生活。大人尚且如此,更何况小宝宝了?他们像我们一样需要有规律的日常生活,这正是 E.A.S.Y.模式行之有效的原因。

　　宝宝不喜欢惊扰——每天定时喂奶、定点睡觉、定时定量地玩耍才能确保他们脆弱的身体系统良好运行。允许些许调整,但变化不能太多。儿童,尤其是婴儿和宝宝,同样希望提前知道接下来的活动安排,他们一般不喜欢隐藏的惊扰。由此,我想到了丹佛大学马歇尔·海斯博士实施的一项颇具开创性的有关视觉的实验研究。他发现婴儿在出生后的第一年里眼睛都有点近视,尽管如此,两只眼睛却能很好地协作,发挥看东西的作用。即使是刚刚出生的宝宝,如果电视屏幕上即将呈现可视图像,那他们也会在图像真切呈现在屏幕之前找到其出现的位置。通过追踪宝宝的视线移动,海斯证实了"假设有影像即将呈现,那宝宝则更容易对此做出预期,但如果你愚弄了宝宝,没有出现预期的影像,那宝宝就会生气沮丧。"我们能否据此举一反三呢?很显然,海斯说完全可以,宝宝需要且更偏爱有规律的生活。

E.A.S.Y.模式能让你的宝宝适应事物的自然顺序——先吃饭,再活动,最后休息。我曾见过一些家长把刚刚吃完奶的宝宝抱到床上去,之所以会这么做,通常是因为在使用母乳或奶瓶给宝宝喂奶时,小家伙就已经睡着了。我可不建议你这么做,主要基于两点原因:其一,宝宝会因此对奶嘴或乳头产生依赖,且很快会养成含着奶嘴才能入睡的习惯。其二,你自己愿意吃饱了就睡吗?除非是赶上假日,在美美吃上一顿火鸡大餐之后,否则你不会吃过饭就上床睡觉,多数时候都会在吃完饭后活动活动。其实我们成年人的一天就是这样度过的:吃过早饭去上班、上学或娱乐消遣;午饭后会有更多的工作等着我们,学生上学或玩一会儿;然后是晚饭、洗澡、上床休息。为什么不让你的宝宝也尝试一下这种生活,一切活动都按部就班地进行着。

规划和组织好生活让所有家庭成员感到安全踏实——事先规划好的日常生活可以帮助父母争取主动,让宝宝遵循大人的生活轨迹,此外还可以营造环境让宝宝提前做到对即将发生的事情心中有数。采用 E.A.S.Y.模式,万万不可一成不变地机械照搬——我们要倾听宝宝心声,并满足他们的特殊需求,但还要确保宝宝的日常生活有条不紊。应该由我们大人而不是宝宝来创造人生的舞台。

例如,到了晚上五六点钟该给宝宝喂奶(喂奶环节 E)的时候,就让保育院里的宝宝含上乳头或奶嘴,或者至少将其安置在较为安静的角落里等待"开饭",远离厨房里飘溢的饭香、响亮的音乐和其他孩子的喧嚷嘈杂。接下来是活动时间(进入活动环节 A),如果是晚上,就意味着给宝宝洗澡。每次洗澡都用相同的方法(详见第五章内容)。洗完澡后给他换上睡衣睡裤,就该上床睡觉了(睡觉环节 S),这时我们应该把卧室的光线调暗,播放一些舒缓的音乐。

如此简单的安排,其真正的魅力在于宝宝能对下一项尚未开展的活动心知肚明,并且所有的人都会知道接下来该干什么,这就意味着妈妈爸爸也可以安排他们自己的时间了。暂不考虑宝宝还有其他兄弟姊妹的情况,每个人最终都能得到关注,所有人的需求都可得到满足。

E.A.S.Y. 模式能帮父母了解自己的宝宝——因为照看过许许多多的婴儿,因此我熟知他们的语言。宝宝哭泣时,"我饿了,快给我喂奶"的哭声跟"我的尿布湿了,给我换换"或者"我累了,让我安静下来哄我睡觉"之时的哭声大有不同,这之间的差别我能听得很清楚。我的目的是协助孩子的父母学会聆听和观察,让他们也能理解婴儿的语言。然而这需要时间、需要实践、需要反复练习，并从错误中积累经验。在使用 E.A.S.Y. 模式的同时，你在熟练掌握婴儿语言之前就可以针对孩子的需要做出准确判断了(在下一章中，我将详细介绍揣测和理解婴儿的肢体语言、哭闹以及发出的其他声响等内容)。

譬如，假若你已经喂过孩子了(喂奶 E)，而且他已经躺在客厅的地毯上盯着房顶的黑白波纹(自娱自乐的方式，因此可以视作活动环节 A)看了 20 多分钟了。倘若这时他突然哭了，那你便可以较为肯定地推断他或许累了，已经为接下来的活动——睡觉做好准备了(睡觉环节 S)。这时，你就不能再应付公事般地随便往他嘴里塞个什么东西，不能再推着小车哄他或是把他放到摇椅秋千上晃个没完 (这么做只会让他更加难过，我会在后面阐述原因)，反之你应该把他抱到小床上，先营造一下睡眠的环境，然后再——天哪，怎么会这么快！——转眼工夫他就已经睡着了。

E.A.S.Y. 模式会为你的孩子打下坚固且灵活的基础——父母可以根据自己孩子的脾气性情，对 E.A.S.Y. 模式提供的指导性方案和常规性安排进行调整，与之同等重要的是根据婴儿自身需求进行调整。比如我曾经帮小格里塔的妈妈——琼，调整运用过四种不同版本的 E.A.S.Y. 模式。最初的一个月，琼用母乳给孩子喂奶，后来又改用奶粉喂。诸如这种喂奶方法的改变，通常需要对例行常规进行相应的调整。而且，格里塔是个暴躁型宝宝，她的妈妈必须学着顺应其明确的偏好。更为麻烦的是，琼总是对照着时间做事情，一旦格里塔没有如实严格按照计划反应，她就会心生愧疚。综合考虑这些因素，相应做些调整和改变就不难理解了。

即使先喂奶再活动最后睡觉的生活顺序相同，随着宝宝一天天长大，调整和改变也在所难免。在前面，我已为新生儿提供了一张典型的 E.A.S.Y. 模式时间表，一般情况下可供三个月之前的婴儿参照使用。三个月后，多数宝宝晚上入睡时间推后，白天小睡时间缩短，因吮吸能力提高，故喂奶时间就相应缩短了。到那个时侯，你已然对自己的宝宝有所了解，调整例行安排对你来说就轻而易举了。

E.A.S.Y. 模式提倡合作育儿，无论你是否单身——当照看新生儿的主力——通常是孩子的妈妈——忙碌得丝毫腾不出时间做自己的事情时，她很可能牢骚满腹或怨恨配偶不帮自己的忙。我所到过的家庭中，十有八九都会遇到这种情况。新生儿的妈妈企图一股脑地把怨气发泄到孩子父亲身上，此时受埋怨的一方丝毫不比发牢骚的一方缺少怒气："你有什么可抱怨的？不就是带带孩子吗，至于这么大火气吗？"

"我都抱着她来回走了一天了,孩子都哭了两个小时了。"孩子的妈妈们经常这样说。

她就是想痛痛快快地宣泄一番,牢骚发出来就没事了,但她的配偶却一心琢磨着解决方法,想方设法应对这一窘况,于是提议说"我给你买个抱孩子的背袋吧"或者"你带她出去转悠转悠就好了。"最后,她会很生气,觉得丈夫一点也不体谅自己。丈夫也颇为沮丧、烦闷。他不知道妻子究竟是如何度过一整天的。他只是弄不明白妻子到底想从我这里得到什么?他现在最想做的就是埋头看报,或者打开电视收看自己最喜欢的篮球比赛。看到丈夫如此反应,妻子很可能会愈发歇斯底里,原本两人为了哄孩子而斗嘴,现如今已然演变成一场夫妻大战。

采用 E.A.S.Y.模式就可解决这个问题!计划一旦制定,爸爸就知道妈妈一天的日程安排了,重要的是他可以参与到计划的具体实施中来。我发现男人只有在明确自己任务时才最肯干,因此如果爸爸知道自己应该六点钟回家,那你只需要参照计划分配给他具体的任务就行了。大多数男人都喜欢给宝宝洗澡以及晚上喂奶的工作。

与常理极为不符的是,近乎 20%的新生儿家庭中,爸爸整日呆在家里,而妈妈却要出去上班。无论谁出去工作,我都建议下班之后夫妻和宝宝三人首先应该团聚半个小时,在这之后鼓励白天待在家里的一方出去遛遛弯儿,权当出去透透气。

> 小贴士:下班回家以后,你应该记着换下工作时的装扮,即使你一整天都呆在办公室里。衣物上会附着一些外界的气味,这会对婴儿敏感脆弱的感官形成刺激(不用担心,脱下一件衣服是不会把你的房间弄乱的)。

赖安和萨拉时常会就什么"最适合"他们的宝宝特迪这一问题争吵不休,E.A.S.Y.模式能够帮助他们有效地避免此类争执。赖安较为频繁地外出旅行,我第一次帮萨拉给孩子规划日常活动的时候,赖安就不在家。旅行归来后,他总想多抱抱孩子,这也是可以理解的。不久之后,特迪就习惯并依赖爸爸的搂抱了,喜欢爸爸抱着自己走来走去。等宝宝三周大时,萨拉几乎需要一刻不停地抱着他才行。爸爸无意间让特迪变得更加依赖于大人的搂抱,特别是在白天和夜晚哄他睡觉的时候。当萨拉打来电话询问时,我向其解释并让她务必重新训练特迪在无人搂抱的情况下入睡。当时的情况有些特殊，她的丈夫碰巧又要启程旅行，如果不这样做，她的日子就会很难过，因为可怜的妈妈又要一个人抱着孩子走来走去。孩子毕竟还小，我们两个人仅仅用了两天时间就让特迪重新走上正轨了。庆幸的是，赖安对 E.A.S.Y.模式还是有所了解的，因此当结束旅行再次回到家里时，他也相当配合妻子。

那如果是单身妈妈或爸爸又该怎么办呢？我承认，因为指望不上别人的援助，他们最初的日子会不好过。然而，除了有时情感上难以承受之外，38岁的克伦确实感觉自己的日子比其他夫妇好过得多。她发觉"没有人会在做什么或如何做之类的问题上跟自己吵架"，事实上对克伦来说，采用 E.A.S.Y.模式让问题变得更加简单了，她更容易请别人帮忙了。"因为我已经把所有需要做的事情都一一写下来了，"她回忆道，"朋友或家人无论什么时候来帮我照看宝宝都可以一目了然地了解马修的需求，白天何时该哄他睡觉，何时陪他玩耍等等，这些问题都毫无悬念，根本用不着猜来猜去的。"

小贴士：假如你是单身，那朋友们便是你的救生索。对于那些不能或者不愿去照顾孩子的朋友，可以请他们协助干一点家务活或类似购物、跑腿之类的琐事。请记住，你需要主动请求他们的帮助，别指望外人能读懂你的心思，否则在他们没能帮上忙时，你又会感到不满了。

想到就去做

我知道这一规划日常活动的理念或许与你之前从朋友那里听到的或从其他书上看到的相悖，为一个小小的婴儿制定计划的想法尚未被多数人所接受和认可，有些人甚至认为这很残忍。然而，还是会有不少同类型的书、一些亲戚朋友常常建议你在宝宝三个月大的时候为其制订某些日常惯例。到时候你就会认同啦，你将看到自己的宝宝长胖了，睡觉也相当符合规律。

我管那叫胡说八道、信口雌黄！为什么要等呢？最不好的习惯就是在那时形成的。况且，宝宝三个月时，什么也不会自然形成。的确，多数婴儿长到三个月的时候会进入快速成长阶段，这是事实，但日常习惯并非顺应年龄增长而自发形成，它需要后天的培养。一些宝宝，通常是一些天使型或模范型宝宝的成长速度远远超出预料,而另外一些宝宝则不然。到三个月时,宝宝本该平稳成长,可他们却会出现一些所谓的喂奶或睡觉"障碍"。而这些问题,假使在育儿初期就对日常活动有所规划,本是可以避免或至少可以控制的。

采用 E.A.S.Y.模式,你在引导宝宝的同时还可以了解他们的需求。等他长到三个月的时候,你就会了解他的行为模式并理解其语言,你还可以立即帮助他养成良好的习惯。我姥姥就曾教导我,一有想法马上就去做。也就是说,憧憬你想要的家庭生活,然后在宝宝从医院回到家的那一刻起,就按你的期望开始规划生活。我还是这样向你解释吧,如果你愿意接纳我关于"全家育儿"的理念,这不仅可以满足宝宝的需求,并且还能够使他或她很快融入你的家庭生活,那就选用我的 E.A.S.Y.模式吧。当然你也有可能选择其他的方法,那是你的权利,我自然无权干涉。

然而,问题在于家长通常并未意识到自己正面临选择,他们直接采用了我所谓的"随意性抚养"。在最初的前几周,他们没有考虑好是否真如自己所想要的那样, 或者说他们也许想不到自己的行为举止和思想观念会如何影响宝宝。他们没有做到一有想法立即实施 (第九章将详细谈论 "随意性抚养",并且教你克服其带来的负面影响)。

实际上,制造难题的一般都是大人,而非婴儿本身。身为家长,你一定要占据主动,毕竟你比宝宝了解得更多!尽管孩子们出生时都带着其特有的性情,但父母的行为对他们也有一定的影响。我曾亲眼目睹天使型和模范型宝

全神贯注地养育儿

佛教界将一种状态称为"境界",即全神贯注观察周围环境,且每时每刻都全情投入。我建议把这种状态贯彻到新生儿的抚育工作中,尽可能地熟知自己那些正在日益养成的习惯。

例如,那些抱着孩子四下走动的父母,我建议你不妨提着一口袋 20 磅重的大米走上半个小时试一试,你是不是打算未来几个月都这样度日呢?

那些一天到晚不停逗宝宝开心的家长,我想问问你们:"宝宝再长大一点,你有没有想过自己的生活会变成什么样?"不管你计划再次回去工作,还是打算留在家中,如果宝宝总希望你时刻关注着他,你会开心吗?难道你就不想给自己留点时间吗?如果想,那就需要你从现在开始培养宝宝独立自主的意识。

宝因混乱而疑惑,随之变成了"混世小魔王"。无论你的宝宝属于哪种类型,都请你牢记,帮助他或她培养习惯的主动权掌握在你的手中,还是好好想想你该做些什么吧。

这对你自己的日常活动安排也有帮助。倘若你一天的生活因为某一意外事件受到打扰或者过得不太顺利,那你会怎样呢?你可能会生气、沮丧,甚至有可能大发雷霆,这反过来又会影响你的胃口和睡眠质量。刚出生的宝宝同样如此,唯一与大人不同的是他不能为自己规划日常生活,需要你来帮助他。如果你能为宝宝制订一个他能遵守的合理安排,那么他会因此而获得一种安全感,你也能松口气了。

放任自流还是预先规划

有时,父母从一开始就会拒绝接受规划日常生活的想法。每当我说:"我们马上得开始给宝宝制订一套规律的作息安排"时,他们都会吓得倒吸一口气。

"不行,绝对不行!"宝宝的妈妈或爸爸有可能大呼小叫。"书上说了,我们必须得顺从宝宝,做到有求必应才行,否则她会没有安全感。"他们对概念的理解在某种程度上存有偏误,感觉制订计划的做法要么忽视了宝宝的自然规律,要么就是在惹其哭闹。殊不知结果恰恰相反。采用 E.A.S.Y.模式可以协助父母更好地理解和满足宝宝的需求。

另有一些家长同样对规划作息的观点持怀疑态度,因为他们确信这样做会让自己的生活全然失去自主性。不久前,我造访的一对年轻夫妇就是这样认为的。像很多二三十岁的年轻夫妇一样,他们的生活风格和育儿方式都崇尚"自然",不愿意受到限制束缚。克洛伊此前是一位牙科医师,在助产士的帮助下于家中诞下了小宝宝。身为一名计算机高手,塞斯刻意选择了一份灵活性较大的工作,可以让自己大部分时间呆在家里办公,这样就可以帮忙照看孩子了。当我询问他们以下问题的时候——"你都是什么时间给小伊莎贝拉喂奶","她白天什么时候小睡",两个人都会一脸茫然地看着我。要等一会儿之后,塞斯才会回答我:"那要看我们的时间啦。"

最初不愿意尝试 E.A.S.Y.模式的夫妻们,很可能会走向两个极端,我称之为"放任自流"/"预先规划"的持续过程。"放任者"崇尚随意的生活方式,就像克洛伊和塞斯一样。或许有的人生来不擅长统筹规划，认为自己无法改变（这种想法显然不对，稍后你会了解到这一点）。可能还有些像特瑞一样的家长们有意将原本安排紧凑的计划调整得灵活松散一些。无论上述哪一种情况，每逢我提及"规划作息安排"，他们都会听成"按计划执行"，且将其当成时间安排表并对照时间做事情，他们错误地以为我令其毫无保留地放弃他们现有生活中的一切自主权。

处于生活全无规律或极其随意散漫的父母，我会如实具秉："你自己首先要养成好习惯，才能培养孩子的良好习惯，我能教会你揣测理解宝宝的哭声，以及如何满足他们的需求，但除非你自己采取行动创造一种恰当的环境，否则你永远不能赋予宝宝安全感。"

处于持续过程另一方的"规划者"，是像丹和罗莎莉一样"按书索解"的家长们。他们两人都是好莱坞的大牌制作人。他们家里一尘不染，十分整洁。他们的时间安排精确到了每分钟。在罗莎莉怀孕的九个月期间，他们曾憧憬着宝宝不会影响其现有的生活状态。然而，小温妮弗雷德出生没几周之后，他们就发觉情形与此前的预想大有不同。"温妮多数情况下能够较好地遵守计划安排，但有时也会提前睡醒，或用比平时多的时间才能喝完奶，"罗莎莉解释说，"每逢这时，我们一整天的生活都会受到影响。你能告诉我怎样才能把她重新引到正常的生活轨道上吗？"我竭力向罗莎莉和丹解释，尽量让他俩明白，尽管我们一直在强调持续性有多么重要，但我同样也相信更要有灵活性。"你必须有所调整，以顺应孩子发出的暗示，"我告诉他们，"她正在努力适应这个世界，你们可不能苛求她严格遵照你们的时间啊。"

多数孩子的父母都能理解这一点。那些起先不认同 E.A.S.Y. 模式的妈妈爸爸们在按照自己的方法试了几周或几个月以后，会再次给我打电话，对此我一点也不感到奇怪。给我打电话的原因，要么是因为他们的生活乱成一团糟，要么是因为他们摊上了脾气不好的宝宝又不知道宝宝需要什么，又或两种情况同时存在。假如宝宝的妈妈是个"计划者"，一向能妥善高效地规划日常生活，且试着让宝宝适应自己的生活，那她一般弄不明白为什么自己这么做会不管用。倘若宝宝妈妈是个"放任者"，把主动权留给宝宝，让一个无助的婴儿主持日常生活，那她此时此刻肯定在纳闷，为何自己连冲澡、换衣服、甚至是喘口气的时间都没有呢！她已经一连几周没跟自己的朋友聊天吃饭了。无论碰到上述哪种难题，我的回答都一样：变混乱为有序，或者收敛一下你的统治欲望，尝试使用 E.A.S.Y. 模式。

你的放任规划指数是多少

当然我们当中的一些人天生善于规划,另一些人则喜欢完全听之任之,但多数人居于两者之间。你呢?为了帮你确定自己所处的状态,我设计了一项简单的问卷调查,你就可以利用它确定自己身处"放任/规划持续过程"中的位置了。所有题目的设计均基于过去 20 年我对许多不同类型家庭的观察。通过仔细观察父母如何持家和如何开展日常活动,我能较好地判断他们在宝宝出生以后对规划日常活动这一做法的适应程度。

WPQ 测试

为下列问题选择最符合你实际情况的一项,在所选数字上划圈。提示如下:

5=总是或一直
4=经常如此
3=有时
2=通常不
1=从来不或很少

我按照预先规划开展日常活动。	5 4 3 2 1
我更希望客人在来访之前提前通知我一声。	5 4 3 2 1
购物后或洗完衣物以后我会立刻将其收好。	5 4 3 2 1
我提前计划好每天和每周要完成的任务。	5 4 3 2 1
我的办公桌十分整洁。	5 4 3 2 1
我每周去商场提前购置我认为用得着的物品。	5 4 3 2 1
我讨厌他人不守时。	5 4 3 2 1
我会注意,不提前给自己超负荷地安排工作。	5 4 3 2 1
干活之前我会把所需要物品准备妥当。	5 4 3 2 1
隔三差五我会整理自己的衣橱。	5 4 3 2 1
干完活后,我会把用完的物品收好。	5 4 3 2 1
我提前规划。	5 4 3 2 1

将你每题的得分相加,所得总和除以 12 就是你的放规指数(放任/规划指数)。你的得分会处在 1~5 分这个区间,凭此你便可以确定自己处在"放任规划连续体"上的具体位置了。明确这一指数有什么用呢?假如你身处连续体的两端,无论位于哪一端你在最初使用 E.A.S.Y. 模式时都有可能遇到困难,因为这表明你要么过于循规蹈矩,要么过于自由散漫。但这并非意味着你无法对日常生活做出规划,只是较之那些处于连续体中间位置的家长们,你在运用 E.A.S.Y. 模式时需要更多的思考和耐心。下文会针对你的得分进行解释并会指出你所面临的困难。

4~5 分——你很可能是一个十分擅长制定计划的人。你喜欢而且也能够把一切事情都安排得井井有条。我肯定你会毫无异议地接受事先规划日常活动的理念,你甚至会举双手赞成。尽管如此你还是有可能遇到困难,那是因为你不够灵活机动,不愿对已经安排好的一天进行调整,而且或者说不乐意结合自己孩子的脾气和需求改变自己的惯例。

3~4 分——你还是挺有规划意识的,尽管对整洁程度或规划安排尚未达到力求完美的程度。有时你也会把房间或办公室弄得有点乱,但最后你都会把物品摆放好,把文件归置好,或是物归原处使其整洁如初。在协助宝宝运用 E.A.S.Y.模式时,你可能会感到比较轻松。况且因为你看似已经具备了某些灵活性,因此,你会很容易根据宝宝的特定情况来做出相应调整。

2~3 分——你处理事情有些松散、缺乏规划,但还远远称不上混乱。在尝试对日常生活做规划时,为避免偏离航线,你不妨把一天中所有要做的事情一一写下来。每天准确关注宝宝喂奶、玩耍和睡觉的时间。与此同时将你自己需要办理的事务也一并列出(在后面我会用一张表格帮你完成此项工作)。好处是你已经习惯了些许混乱,因此在面对有了宝宝后的生活时你也就不至于大惊小怪了。

1~2 分——你是个彻头彻尾的懒散人,做事情完全是想起什么干什么。对日常活动做出规划对你来说可是个不小的挑战。你务必要将所有事项一一记录下来,这也就意味着你的生活方式将发生翻天覆地的变化。但亲爱的家长们,猜猜我想告诉你们什么?生孩子本身就是一种巨变啊!

改变本性

所幸,孩子的父母并不像豹子一样。除了一些极为罕见的情况(参见下表),我们多数人都可以改变本性。我发现处在持续过程中间位置的父母其实很容易接受和理解 E.A.S.Y.模式,这或许因为他们天生就是最灵活的一群人。他们能够领会预先规划的好处,同时也可以容忍有些混乱的状态。

假如可以放弃对至善至美的追求,那些过于精益求精的孩子家长也能够在这种方法中找到轻松,因为这一模式具有管理性质,并且有章可循。尽管如此,家长们一定要灵活运用才行。令我感到高兴的是我曾亲眼目睹之前对生活极不具备规划意识的家长也都掌握了 E.A.S.Y.模式的逻辑规律,并能从中获益。

汉娜。初次见汉娜的时候,她的放任/规划指数为 5 分,现在已经有很大进步了。她都是看着表喂宝宝喂奶,我这么说一点也没夸大其词。她绝对是一丝不苟地循规蹈矩。在医院时,大夫让汉娜交换使用乳头给小米莉亚姆喂奶,每侧乳头喂 10 分钟(对此我无论如何也不敢相信,详见后面),她便一丝不苟地贯彻执行。每次喂宝宝之前,她都设置定时器,听到可怕的铃声后便会强行让米莉亚姆换用另一侧乳房继续喝奶。又一个 10 分钟过去,当计时器的铃声再次响起时,她会终止喂奶,迅速抱宝宝回房间休息。令我吃惊的是,此时汉娜还会再次设好定时器,同时还对我解释说:"我每隔 10 分钟进屋看看她,如果她还在哭,我就哄哄她,然后再让她自己待 10 分钟,之后

E.A.S.Y.模式何时难以实施

虽然不多见,但有些父母在规划日常活动时困难重重,通常出于以下原因:

◎ 他们缺乏信心和希望。在宏观规划中,宝宝仅占很小一部分。那些视 E.A.S.Y.模式为终生监禁的父母整日牢骚满腹,他们永远不能真正了解自己的宝宝,或者说永远无从体会为人父母的幸福快乐。

◎ 他们不能善始善终。你对日常活动的规划会随时间有所改变,或者说根据宝宝的实际情况或你的自身需求不得不进行调整。尽管如此,你每天还是必须尽力遵循它。喂奶、活动、睡觉和你的自我时间四个环节缺一不可。虽然有些枯燥,但你知道吗,它真的很管用。

◎ 他们放弃中立寻求极端。他们要么让宝宝顺应自己需求,要么一味赞成"把一切时间献给孩子"的观点,让宝宝,也让混乱占据家庭中的主导地位。

再进屋看看,如此反复直至她睡着为止。"(忘了告诉你,她可不管米莉亚姆哭了多久,哪怕 10 分钟里有 9 分钟都在哭,她也不会多哄宝宝一会儿的,一切按所设定的时间行事。)

"扔掉那该死的定时器!"我竭力让自己的语气不至于得罪人且富于理解和同情。"我们还是听听米莉亚姆的哭声,了解她究竟想表达什么吧。我们要仔细观察她喝奶的过程和尚在发育中的身体,根据其提供的种种线索判断她到底需要什么。"我开门见山地向她介绍了自己的 E.A.S.Y.模式,还帮着汉娜对日常生活进行了规划。虽然几周后这位妈妈才习惯了这种方法(当然米莉亚姆也很快得以放松),但米莉亚姆不久就能自己喝奶、自己玩耍了。只有看到米莉亚姆小脸露出疲倦时,汉娜才会送她回小床睡觉。

特瑞——尽管当初被我规划作息安排的想法着实吓了一跳,但得了 3.5 分的特瑞处在中间较为正常的位置上。依我看,她的得分应该接近 4 分才对,因为她多年以来从事着高级行政主管的工作,或许她对问题的回答掺入了自己的一些个人意愿。无论事实怎样,在打消她的抵制情绪以后,我们便全力以赴让加思按时喂奶。在我的帮助下,特瑞意识到其实喂奶并不难,每当孩子在妈妈胸前蹭来蹭去时,就表明他想喂奶了。没用多长时间,她就能较好地分辨宝宝饥饿时的哭声与疲倦时的哭声了。相信我,这两种哭声绝对不同。我还建议她每天都用图表的形式记录加思喂奶的情况、活动的时间和白天休息的时间,同时把她自己的时间安排也记录下来(参见后表)。有此框架后,她就可以观测一整天的生活进程,能够预知下一步的活动内容,这样做还可以帮助特瑞更好地解读加思的哭声,同时也能给自己腾出些时间来。她感觉自己做得越来越好了,事实上,她感觉到生活的方方面面都有了改观。

两周后她给我打来电话,颇为自豪地说:"现在才上午 10 点半,特蕾西,你知道吗,我正忙着换衣服出去办些琐事呢。更有意思的是,以前我特别担心自己的生活毫无规律可言,害怕自己的生活没有预期,可现在我居然还能腾出时间做自己突发奇想的事情呢!"

特瑞莎和詹森——两个人都从事咨询工作,都在家里办公。特瑞莎和詹森的放任/规化指数仅为 1 分,几乎处在放任/规划的边缘。这对夫妻很恩爱,大约三十四五岁的样子。在第一次向其提供指导的时候,我都感觉有些受不了。当时我跟他们坐在客厅里交谈,我真想起身关上那间办公室的门,因为里面实在乱得让人看不下去了。干瘪发霉的炸圈饼,尚未清洗的咖啡杯,满地都是的纸张,一看就知道他们家乱糟糟的。换下来的脏衣服胡乱堆放在椅子上,地板上也有该洗的袜子和毛衣,各种各样的家什满地都是。厨房里的柜子也开着,用过的碗碟堆在洗涤槽里。而特瑞莎和詹森似乎对此不以为然。

不像其他夫妻会矢口否认,特瑞莎和詹森坦然承认在特瑞莎怀孕九个月期间就已经明白,孩子出生后的生活会截然不同。我帮助他们了解宝宝降生后在生活方式上会出现哪些具体和特殊的变化。要让宝宝远离刺激,好好喂奶、开心玩乐、安心睡觉,只有这样他们俩的日子才会好过。非但如此,特瑞莎和詹森还必须一如既往地尊重宝宝的需求。

伊丽莎白在某个星期六出世了,次日就从医院回到家里。我把可能用得着的东西都写下来交给他们,他们购置了其中大部分物品。在哺育宝宝方面,他们做得还不够熟练,总是忘记提前把包装打开、把所需要的物品准备齐全。除了这些小小的不尽人意之外,特瑞莎和詹森做得非常出色,这一点太出人意料了(我得承认这是我此前万万没有想到的),他们很好地施行了E.A.S.Y.模式。幸运的是,伊丽莎白是个模范型宝宝,两周大时父母就毫不费劲地将其引上了规范的生活轨道,七周大的时候她晚上就能连续安睡五六个小时。

虽然没犯什么大错,但特瑞莎和詹森本色依旧。不过,至少他们已经朝着正确的方向迈出了第一步,他们的房间比以前整齐了,然而总体看上去还是延续了之前狼藉一片的风格。不管怎么说,小伊丽莎白正在健康地成长,这完全得益于她的父母为其营造了一种安全舒适的环境,且为其订立了她能适应的生活规律。同样地,特瑞还是那个特瑞,依然在关爱加思与放弃事业之间踌躇不定。无论此前如何承诺自己会放弃工作,我都觉得她还会重新掂量自己的这一决定。假如她较好地实施了 E.A.S.Y.模式,那她和加思便可以实现平稳过渡。汉娜还是汉娜,虽然弃用了定时器,但她的房间仍然干净整洁。米丽亚姆还不会走路,毕竟很难从小看到老,但汉娜至少能听懂女儿的咿咿呀呀了。

如何让宝宝适应 E.A.S.Y.模式

当然,进展如何还要看宝宝本身。我的第一个孩子——萨拉是个活跃型宝宝,她的需求特别多,每隔一个小时就会让人忙上一阵子。她像时钟的指针一样,只要一睁开眼睛就会准时提醒你,就想让人围着她转。她让我累得筋疲力尽。唯一能让我们俩摆脱这一现状的方法,就是规划一种有规律的生活。我有一套雷打不动的睡前程序,每次我一这样做,她的一切欢闹便停止了。后来,她的小妹妹索非出生了,她天生就是个天使型的小宝宝。之前已经习惯了萨拉的胡搅蛮缠,我总是会惊叹这个小宝宝怎会如此安静。说实话,有许多个清晨我都曾跑到索非的小床边,偎依到她的小脑袋旁边以确保她仍然活着。而她当然活着啊,正睁大眼睛冲着玩具咿咿呀呀地玩呢,一副心满意足的神情。我几乎从未想过为她的日常生活规划些什么!

你又能从自己的孩子身上期盼些什么呢?毕竟我们无法准确地预知未来。然而有一件事情我相当肯定:我从未见过不能按照 E.A.S.Y. 模式成长的婴儿,也从未见过实行 E.A.S.Y. 模式后的家庭没有改善其生活质量的。如果你的孩子是一个天使型或模范型的宝宝,那你根本不需要做太多的工作,他们体内的生理时钟很可能就会协助其走上很有规律的生活轨迹。其他类型的宝宝自然需要你较多的帮助,接下来我就会告诉你不同类型的宝宝将会出现哪些不同的状况。

天使型——并不奇怪,这类宝宝性情温和顺从,很容易适应有规律的日常生活。艾米丽就是一个这样的宝宝,从医院回到家后,我们立即为其制定了 E.A.S.Y. 模式。头一天晚上,她在自己的小床上一口气从晚上 11 点睡到凌晨 5 点,接下来一连三周都是如此。三周大的时候,她能从头天晚上 11 点睡到第二天早上 7 点。她的妈妈成了朋友们羡慕嫉妒的对象。凭我的个人经验,这也没什么可奇怪的。多数日常生活有规律的天使型宝宝,在三周大的时候都能实现彻夜安睡。

模范型——这类宝宝同样比较容易塑造,因此他们可以被预知。一旦你为其订立了日常活动计划,他们便会毫无偏离地执行。汤米会按时醒来喂奶,也能从晚上 10 点一气睡到凌晨 4 点,到六周大的时候,他的睡眠时间延至次日早 6 点。我发现模范型宝宝一般长到七八个月大时,才能一觉睡到天明。

易怒型——这是我们所见到的最脆弱、最易受到影响和刺激的宝宝了,他们喜欢可以预知的生活。日常活动的规律性越强,你和孩子就越能彼此了解,孩子也就越早可以睡个安稳觉。一般需要八至十周的时间,你才能准确揣度他的暗示。倘若未能达到这一预期,那你可要注意了。除非帮易怒型宝宝安排好日常活动,否则你将很难判断出他们哭闹的真实意图。你可能会让他们变得愈发恼怒。几乎任何事物都能让艾里斯感到惊恐,无论是突然到访的客人还是屋外的狗叫声。妈妈必须密切关注艾里斯发出的暗示才行。假如没能注意到他所发出的肚子饿或累了想休息的信号(详细参见睡觉信号表格),假如等了很久才让他吃上奶或把他送到小床上,易怒型孩子的情绪瞬间就会变糟,你将很难使其平静下来。

活跃型——这类宝宝很有主见,看上去会排斥和抵制你为其制订的计划。或者说,你觉着自己为其制定了有利于他的计划,但他却不这样想。那你就需要花上一天时间认真观察他发出的各种暗示,需要在弄明白他想让你干什么之后,再把他引回正道上。活跃型宝宝会"告诉"你,什么对他们有用,什么对他们不管用。比方说,每次妈妈试着给他喂奶时,巴特都会含着乳头转眼间在妈妈的怀里睡着,随后又很难再把他唤醒,采用 E.A.S.Y. 模式后的四个星期内仍旧如此。我建议帕姆仔细观察儿子一天,倾心聆听一下宝宝。她清楚地留意到巴特白天小睡的时间缩短了,睡醒之后确实不会再瞌睡连天啦。此外,她还意识到自己在宝宝刚睡醒的时候,没有为其留出足够的调整时间,忽视了宝宝的暗示,并直接将其领入下一项活动。从这以后,她便不再即刻把宝宝叫醒,而是给他留出更多时间,这么一来她发现孩子居然还能再接着睡一小会儿,她继而更加关注宝宝的情况。就这样把孩子一点一点引回正确的生活轨道。活跃型宝宝大致需要 12 周时间,才能做到一觉睡到天亮。他们不情愿一觉睡得太久,似乎是因为不想错过什么事情,并且你不容易让他们放松下来。

暴躁型——这类宝宝或许不喜欢任何一种形式的提前规划,这是因为没有几件事情能符合他们的心意。但是,如果你能将其引向正确的生活轨道,并将计划贯彻到底,那他的情绪就会有所好转。这种宝宝虽然很难应付,但运用 E.A.S.Y. 模式进行洗澡、穿衣、甚至喂奶的活动时,还不至于令你寸步难行,因为小家伙至少还知道接下来要干什么,因此也就比较容易心满意足。暴躁型宝宝经常会被误诊为患了腹部绞痛,而事实上他唯一需要的就是规律和贯彻。斯图亚特就属于这种类型。他讨厌一个人玩,讨厌别人给他换尿布,他尤为厌恶被抱在别人怀里。对此类事情,他一定会做出强烈的反应,以便让你知道他有些不乐意。斯图亚特与生俱来的生理节律起了作用,而非其妈妈的帮助,因为妈妈也弄不明白宝宝为何半夜里会莫名其妙地醒来。她选用了 E.A.S.Y. 模式,现如今宝宝的生活因为有了规律而变得更加可预知了,晚间安睡的时间也逐渐延长,事实上宝宝一整天的情绪都有所好转。暴

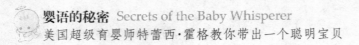

躁型宝宝通常长到六周时才能彻夜安睡,其实把他们舒适地安放在小床上,让其远离热闹的时候,才是这类宝宝最为开心的时刻。

请允许我再次提醒你,最初在第一章中介绍"不同类型宝宝"时,我就曾经提醒过你一次了,你的宝宝或许会显露出不止一种类型的多重性格特征。无论如何,你都不能将这些描述教条化,不能将其视作一成不变的事实。然而,我的确发现一些宝宝在运用 E.A.S.Y. 模式时更容易上手,而且有一些婴儿,就像我的小女儿萨拉一样,更加需要事先规划她的日常活动。

如何才能了解宝宝的需求

现在你已经对自己有所了解,并且知道宝宝身上会出现哪些状况。这仅仅是第一步,要知道冰冻三尺非一日之寒,最初在规划和实施日常活动时,还可能会遇到不稳定因素,这需要时间和耐心,坚持你的计划是需要信念和毅力的。此外还有一些小窍门需要你牢记在心:

统统记录在案——我传授给父母们的众多方法之一就是我的 E.A.S.Y.日志,它对"放任者"特别管用。它不仅可以显示日常活动开展的总体进度,还能显示在特定时间里孩子和妈妈开展的具体活动内容。在孩子刚出生的最初六周,极有必要写日志。别忘了用图表的形式一并记录下你自己产后的恢复情况。在第七章里你会更为详细地了解到,对产后六周内的妈妈来说,与学习照顾婴儿同等重要的大事就是好好休养。

花几天到一周时间,你就能清楚地观察到宝宝身上的变化,你或许能注意到较为明显的成长。比如,宝宝比以前能吃了,又或会发现他吮吸乳头的时间延长了。假如喝奶时间由原来的 30 分钟猛然延长到 50 分钟,那你可要确定一下他是不是真地在喂奶,是不是已经含着乳头睡着了呢?只有主动地认真观察,你才会找到答案。这也是妈妈爸爸开始学习掌握婴儿语言、了解熟悉宝宝特殊习惯的第一步(具体内容详见下一章)。

你的 E.A.S.Y.日志									
日　期									
吃　奶						活　动		睡　觉	你自己
何时	数量	使用右侧乳头喂奶的时间（单位：分钟）	使用左侧乳头喂奶的时间（单位：分钟）	排便	排尿	内容及时间	洗澡（上午或下午）	时间	休息杂事观察评论

　　这仅仅是一个日志例表，主要为孩子的妈妈设计。通读第四章到第六章关于婴儿喂奶、排便、排尿、活动及一天内其他方面的详细介绍，你将会另行添加一些衡量宝宝成长的指标。此外你还可以根据自己的实际情况，随意对其进行调整。假如你和你的爱人各自照看宝宝一半的时间，那你就有可能在日志中标示出谁干了哪项工作。假如你的孩子是个早产婴儿，或者从医院回到家时还体弱多病（参见第八章），那你或许需要另行添加一栏，标示出宝宝所需要的特别护理项目。需要谨记于心的是前后应该连贯一致，因为日志原本就是用来追踪记录日常生活的。

　　把婴儿当成一个人去了解——你所面临的挑战是把自己的孩子当成一个独一无二的特殊个体去了解。假如你已经给孩子起名为雷切尔，那就不要再继续叫她"小宝宝"，而是把她看做一个名叫雷切尔的人。你知道雷切尔的一天应该如何度过：喂奶、活动、日间小睡，但同时你又必须了解雷切尔的变化，也就是说在试行几天后，你需要后退几步仔细观察孩子的变化。

　　小贴士：牢记你的孩子其实并不是"你的"私人物品，而是一个独立

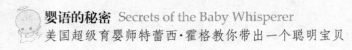

的人,是上天赐给你的需要珍视和照顾的小宝贝。

别着急慢慢来……从字面上来理解 E.A.S.Y.模式。其实,EASY 就是放松沉住气的意思,是四个英文单词的首字母缩略词,还有一层含义就是提醒你,对宝宝所做的动作应该轻柔、简单和舒缓,这才符合他们与生俱来的节律,对此我们应该予以尊重。不能试图让婴儿跟随你的快节奏,反之你自己应该放慢节拍顺应孩子的步调,只有这样你才能观察和聆听,才不会破门而入和横冲直闯。配合宝宝较为舒缓的节奏,不光对宝宝有好处,还有利于调整放松你自己的节奏呢。正因为这样,我才建议你在搂抱宝宝之前先做个深呼吸。在下一章里,我将详细谈论放慢节奏和近距离仔细观察两个问题。

第三章

欣赏宝宝语言的 S.L.O.W. 技巧

我们认为那些可以辩识宝宝的暗示，

能够理解孩子交流意图的妈妈，

日后才最有可能提供丰富其发展、促进其提高认知的育儿环境。

——巴瑞·莱斯特博士（摘自《布朗校友杂志》）

婴儿：一个陌生环境中的陌生人

我试着用这样的解释来帮助父母接纳自己的孩子。新生儿犹如一个从异国他乡来访的客人。我让宝宝的家长们做如此假想：想象自己在异地旅行，虽然陌生但优美的景色令你如痴如醉。在这个国度里，风景优美如画，人们热情友善。你能从他们的眼睛里、从他们洋溢着微笑的面庞上看出来。然而，令人颇为沮丧的是你的需求难以得到满足。你走进一家宾馆，询问那里的人："浴室在什么地方？"然而却被带到一张餐桌前入座，桌子上摆放着一碗意大利面。又或情形与此相反，你想饱餐一顿，但服务生却把你带到了洗手间！

婴儿降生后的感受大概如此。无论此前他们的房间被收拾得多么整洁，他们的父母多么热情友善，不为其理解的陌生感都会对婴儿形成连珠炮式的冲击。宝宝与外界唯一的沟通交流方式——他们的语言——就是哭声和肢体动作。

还有一点挺重要，应该记住宝宝是按照他们的而非我们的时间成长的。除了模范型宝宝之外，多数婴儿的成长都不会严格遵照时间表。父母需要观察自己的宝宝是如何茁壮成长的，并且稍稍退后加以辅助，但不能横加干预，不要一看到发生状况就急于上前提供帮助。

刹 车

当宝宝的父母向我求助，希望我帮他们找出孩子烦躁或哭闹的原因时，我理解此时的妈妈和爸爸那焦虑不安的心情，他们需要我立即做点什么，但我的反应却是他们始料未及的。我会说："先别着急！首先试着听一听小家伙在对我们说什么！"第一步，我会把身子后倾，拉远点儿距离，以便更好地观察宝宝的动作——他的小胳膊小腿乱抓乱踢，舌头在小嘴里面绕来绕去，一会儿伸出来一会儿又收回去，蜷缩着身体让背部成拱形。不同的姿势反应出不同的状况。我尤为留意婴儿发出的哭声与其他声响有什么特别之处。声调、强度和频率都是其语言的组成部分。

我同时会考虑周围的环境，把自己想象成眼前的婴儿。除了注意他所有的外在表现、发出的声响和做出的动作之外，我还会四下环视房间，感受房间里的温度，听听房间里有无噪声。我观察孩子的妈妈和爸爸的面部表情——紧张、疲惫、还是气愤不已——听听他们说些什么。我有可能会再问上几个问题，比如：

◎ "上一次给他喂奶是什么时候？"
◎ "入睡前你都是这样抱着孩子走来走去吗？"
◎ "他是不是总爱把小腿蜷缩到胸前啊？"

在这之后，我会稍作等待。我的意思是，在没有弄清成年人之间的谈话内容之前，你是不会贸然介入其中的，对吗？你可能会站在一旁，甚至连究竟要不要打断人家的谈话都得掂量再三。但是面对宝宝时，人们却很冒然，他们咕噜咕噜地哄宝宝、摇晃宝宝、拉扯着给宝宝换尿布、抓挠宝宝、逗引宝宝等。他们自以为这样是在回应，其实不然。他们这样做只是蛮干而已。面对宝宝的哭闹，他们做出的回应有时并非出于满足宝宝需求的考虑，而是因为自己被哭声惹烦了，因此无意间会增加宝宝的不满。

多年来我逐渐领会到采取行动之前的评估分析工作着实很重要，几乎可以做到下意识地暂缓行动。然而我发现一些尚未习惯宝宝哭声的新生儿父母，和那些具有看孩子焦虑症的父母，很多时候却都做不到这一点。正因为如此，我才又想出了另外一个便于掌握的首字母缩略词 S.L.O.W.，旨在帮助宝宝的父母或其他照看婴儿的大人学会控制冲动。英文单词 slow 本身就可以提醒你不要贸然行事，而构成这一单词的四个字母能够让你牢记自己具体应该做些什么。

停下来（Stop）——后退一步并且

S.L.O.W. 策略

每当你的宝宝烦躁激动或放声啼哭时，试试这个简单的方法吧，运用 S.L.O.W. 策略仅会占用你几秒钟的时间。

停下来。记住哭声是宝宝的语言。

听一听。这独特的哭声到底暗含什么意思？

看一看。宝宝在干什么呢？周围发生了什么事情？

出什么事了？结合你的所见所闻分析判断并做出回应。

让心跳平复下来。你没有必要一听到宝宝的哭声就冲上前去将其抱起。先做个深呼吸让自己平静下来，同时调整一下自己的感知能力。这样做还能帮助你理清思绪，要知道他人的意见和建议会阻碍你做出客观公正的评判。

听一听(Listen)——哭声其实是宝宝的语言。让你暂缓行动并不是建议你任由宝宝一直哭闹下去，而是鼓励你听一听他们在冲着你说什么。

看一看(Observe)——他们的肢体语言告诉你什么？周围发生了什么？宝宝"开口讲话"之前发生了什么？

出什么事了(What's up?)——假如整合一切——你的所见所闻以及孩子具体开展的日常活动内容——那你就可以推断出他想对你说什么了。

为什么要停下来呢

听到宝宝哭，你的本能就是去帮助他。你或许认为自己的宝宝身陷困境，更为糟糕的是你会以为宝宝的哭闹是一件不好的事情。S.L.O.W.策略中的S——停下来提醒你克制自己那些情感，相反你需要自我控制一会儿。接下来请允许我向你解释，之所以竭力奉劝你让自己停下来，有三条很重要的原因。

1. 你的宝宝需要锻炼开发他或她的"嗓门"。没有哪个家长不希望自己的孩子表达能力强，也就是说能够表明自己的需求、表达自己的情感。不幸的是，许多妈妈和爸爸一直等到孩子发展语言能力时，才刚刚开始教授他们这一至关重要的技能，而表达能力的培养从婴儿第一次用咕咕声和哭声与我们"交流沟通"时就已经开始了。

将这点谨记于心之后再思考一下，假如每次宝宝哭闹时，母亲都一成不变地把小家伙搂抱在胸前或者把橡皮奶头塞进他的嘴里，会出现什么现象呢？这么做不仅会抹杀宝宝的发声能力，几乎会让他们变成小哑巴(这正是在英国我们称橡皮奶嘴为哑巴奶嘴的原因)，而且无意间还会扼杀他们寻求帮助的能力。毕竟，每一声啼哭都暗含着"满足我的要求"这一含义。我想，你在听到丈夫说"我累了"的时候恐怕不会用袜子堵住他的嘴吧，然而我们基本上都是这样对待宝宝的。我们不会暂缓片刻，去听一听他在说些什么，我们仅仅是往他的嘴里塞个东西令其住嘴而已。

这么做导致的最糟糕结果便是，家长的贸然行事无意间抑制了婴儿的发声能力。数不清的研究均已证实，婴儿的哭声在出生之时便存在着诸多差异，但如果父母不能做到停下来认真听一听并学着辨识不同的哭声，那原本有所区别的哭声迟早会变得难以分辨。换句话说，假使宝宝的哭闹得不到家长的响应，或者所有的哭闹都用食物"招架"，那宝宝就会明白无论她怎么哭都无济于事，因为结果都是一样的。久而久之，她便会选择放弃，而她发出的所有哭声听上去也就没有什么区别了。

2. 你需要培养宝宝的自慰技能。我们都知道自我安抚对成年人的重要性。当情绪稍有低落时，我们会去泡个热水澡、做个按摩、读会儿书或者轻快地散散步。每个人让自己放松下来的方法虽然各有不同，但了解什么有助于自己放松或者可以促进入眠的技能非常重要。这一技能在不同年龄的孩子身上均有体现。三岁大的孩子要是厌倦了周围环境，可能就会噬吸大拇指或者会紧紧抱住自己喜爱的毛绒玩具；而十来岁的青少年在烦躁的时候或许会一头扎进自己的房间，在里面听音乐放松。

那婴儿又会怎么做呢？很显然他们不能散步，不能打开电视寻找消遣，他们能够利用的是其与生俱来的自我安抚的工具——他们的哭声和本能的吮吸能力——我们需要教会他们如何使用。不满三个月大的婴儿还不知道自己的手指头在哪里，但却会放声啼哭。虽然目的很多，但啼哭也是抵御外界刺激的一种方法，所以宝宝累了的时候就会哭闹。其实，我们成年人又何尝不是如此呢？你难道从来没有说过"烦死了，真想大声吼上两嗓子"之类的话吗？这时你唯一愿意做的，就是紧闭双目，用手捂住耳朵，张开嘴巴大喊两声，想用这种方法与外部世界隔绝。

对了，我可不提倡你对孩子的啼哭置之不理，直到让他自己睡着为止，我根本没有这个意思。我感觉这样做既缺乏回应又很残忍。我们可以把"疲倦时的"哭闹视为一种信号和暗示，听到以后把房间的光线调暗为孩子遮挡光亮和声响。此外，婴儿的哭闹有时候是极为短暂的，也就是几秒钟的工夫，我称之为"虚幻的婴儿哭声"(参见婴儿睡眠表格)，一会儿他自己就睡着了。他几乎可以做到自我抚慰。假如我们贸然干预，那他很快就会丧失这种能力。

3. 你需要学习宝宝的语言。S.L.O.W.策略是一种工具，它能帮助你了解自己的宝宝，并知道他都需要些什么。比起在尚未真正了解其需求以前就把乳头塞进他嘴里的做法，暂缓行动、等待着辨识宝宝的哭声以及看他哭闹之时是否伴有肢体动作等，会让你更有针对性地满足宝宝所需。

与宝宝步调一致的好处

布朗大学婴儿发展研究中心的巴瑞·莱斯特是一名精神病学和人类行为学的教授，20年来他一直致力于婴儿啼哭方面的实验研究。除了划分出不同类型的哭声，莱斯特博士还进行了其他方面的试验。他让妈妈们分辨自己一个月大孩子的哭声。假如妈妈的感知与研究人员的分类相吻合，那便可以得分(此得分较高的母亲在孩子18个月大时进行的心智测试中，同样能得高分。与得分较低的宝宝妈妈相比，其认字数量多出2.5倍)。

我必须再度强调一下，稍等片刻、进行分析判断的过程并非让你对宝宝的哭声置之不理，只是你需要一些时间揣度一下他在"说"什么。你务必要满足孩子的需求，一定不要把他弄得过于沮丧低沉。事实上，运用这一策略后，你会变得越发了解自己的宝宝，可以在形势即将失控之前捕捉到他的难过情绪。简言之，停下来看一看听一听，然后再进行细致的评估分析，这会让你成为一名更为优秀的家长（同时参见上表中的说明）。

有关聆听的初级教程

辨识宝宝不同类型的哭声需要有一点实践经验，但不妨牢记 S.L.O.W. 策略中的 L——倾听——同样还需要你放宽视野，寻找含有言外之意的暗示和线索。为便于讨论，我假设你正在运用 E.A.S.Y. 模式对日常行为活动进行规划，在此前提的基础上，我将提供一些小窍门，旨在帮助你更聚精会神地聆听。

考虑一下时间。你的孩子从什么时间开始烦躁或啼哭？他是不是刚刚吃过奶？他之前一直在玩吗？还是在睡觉？他的尿布是不是湿了或脏了？他是否受到了较为强烈的刺激？你可以回忆一下早前发生的事情，甚至是前一天的情形。回忆一下宝宝有没有做过之前从没有做过的事情，比如第一次学着翻身或第一次学习爬行？(有时，成长的高峰或其他类型的跳跃式发展，会影响婴儿的食欲、睡眠方式或者性情，参见下一章内容)。

留意一下环境——房间里还有没有发生其他事情？是不是有狗叫声？有没有人使用吸尘器或其他声响较大的家用电器？外面是不是挺嘈杂？这些事情都有可能让你的孩子心烦意乱、胆战心惊。是不是有人在做饭？空气中是否弥漫着刺鼻的味道，如空气清新剂或喷雾剂的气味？婴儿对气味的刺激相当敏感。还要感受一下室内的温度，与外界温差大不大？是不是给孩子穿得太多或太少了？假如你带着孩子出外的时间比平时长，那他是不是看到了陌生的事物，听到了不熟悉的声响，闻到了之前没闻过的气味，或者碰上了陌生人？

反思一下自己——婴儿会受成年人的情绪影响，尤其是自己妈妈的心情。如果你焦躁不安、疲惫不堪或气愤不已，那这些情绪上的异常都可能影响你的孩子。又或你可能接到一个令人不痛快的电话，或者正朝某个人大吼大叫，假如你稍后给宝宝喂奶，那他必定会感知出你行为上的不正常。

此外还要记住一点，在宝宝啼哭时，我们当中多数人都很不客观。在这一点上，我们对待一个婴儿的方式和对待一个成年人的方式差不多。当看到一个大人愁眉苦脸的难过表情时，我们会结合自身经历去揣度他的感受。一个人看到照片上的女人捂着肚子，或许会说："哦，她是不是肚子疼啊？"而另一个人在看着同一张照片时，也可能会说："她有喜了，一定是刚怀孕。"听到孩子哭，我们同样会如此反应。我们以为自己了解他人的感受，如果揣测结果里含有负面讯息，那我们就会变得紧张、不知所措。婴儿会觉察出我们的这种惶恐，也能感受到我们的气愤。一位妈妈发现自己在神经紧张的状态下"为孩子晃摇篮比平常更用力"。

还是现实一点吧。不知道怎样做没有关系，弄不清如何进行也没有关系，生气、发脾气也没有关系。有顾虑、有情绪只能说明你是位正常的家长，然而把自己的焦虑或愤怒转嫁到孩子身上就不好了。我总是对孩子的妈妈说："宝宝虽然哭闹，但绝不会因此有生命危险。就算让孩子多哭上一会儿，你也很有必要暂时离开房间，留出一些时间让自己先平静下来。"

> 小贴士：要想安抚宝宝，你必须首先安抚自己，做三次深呼吸。把握自身的情绪状态，试着分析情绪产生的原因，并且最重要的是把你能感觉到的焦虑或气愤统统消除。

啼哭的宝宝 = 差劲的妈妈？
不对，亲爱的，并非如此！

31 岁的詹妮斯是洛杉矶一家幼儿园的老师，我们曾一起工作过。她在运用 S.L.O.W. 策略时遇到过很大的麻烦，因为她连第一步都做不到。只要小埃里克一哭,詹妮斯就迫不及待地上前去安慰,她最常用的方法就是给孩子喂奶,要么就是往他嘴里塞个塑料奶嘴。我反复多次地告诉詹妮斯:"宝贝儿,稍等一会儿,这样你就能空出时间了解他在说些什么啦。"然而,她好像控制不住自己,直到有一天,詹妮斯自己意识到这种做法确实存在问题,她跟我分享了自己的看法。

"我刚生产完,爸爸妈妈和妹妹就来看孩子了。埃里克满月后他们都走了。几天后,我和母亲通电话的时候,她听见了埃里克的哭声,就对我说:'孩子怎么啦?你把他怎样了?'仿佛在谴责我没当好妈妈。"

尽管她在幼儿园里有着丰富的照看孩子的经验,但她还是对眼下自己照看婴儿的能力有些怀疑,这主要是因为妈妈在电话里那含沙射影的批评和指责让她产生了顾虑。自从那次和母亲通话之后,詹妮斯就坚信自己做错了什么。她的妈妈最后还在电话里补充道:"你小时候可从没哭过,我是个相当不错的妈妈。"

这正是我所听到过的最能产生误解和伤害的一个观点:哭闹的宝宝等同于父母失职。这一想法已经深深根植于詹妮斯的大脑,又有谁能谴责她对埃里克施加的冲动呢?更没帮助作用的是,詹妮斯的妹妹生了一个天使型宝宝,从不哭闹。而埃里克却是个易怒型宝宝,相当敏感,任何微小的刺激都会干扰到他。尽管如此,詹妮斯还是对自身的处境了解不清,因为其内心的焦躁挡住了她的视线,致使她无法准确做出判断。

不过,通过我们的不断讨论,詹妮斯的观念开始转变了。她首先回想起自己和妹妹小的时候,母亲曾夜以继日地照看他们。或许岁月冲淡了母亲有关往事的回忆,或许繁忙的家务经常让人对啼哭的婴儿视而不见。不管怎样,所有的婴儿都会啼哭是事实,除非孩子身体有毛病(参见左表)。其实适量的啼哭对婴儿有好处:泪水中含有抗菌物质,可以避免眼睛感染。埃里克的啼哭其实是一种暗示,他之所以

暗含危险的啼哭信号

啼哭是正常现象且有益健康,但遇到下述情形就应该求助医生:

◎ 平常安静的宝宝连续哭了两个小时以上
◎ 啼哭时间过长且伴有

　高烧

　呕吐

　腹泻

　抽搐

　柔弱

　皮肤呈现灰白色或青色

　青肿或皮疹

◎ 你的宝宝向来不哭,或者哭声听起来特别微弱,且像小猫发出的叫声

哭是希望自己的需求得到满足。

　　的确,埃里克每次放声啼哭时,詹妮斯头脑里总会出现一个声音在大声尖叫"坏妈妈!坏妈妈!"她很难摆脱这个声音的干扰。但对焦虑起因的了解,帮助詹妮斯重新审视了自己的行为,她不再尝试让儿子即刻安静下来了。自我反思帮她从自身的情感漩涡中解脱出来,还帮她更清楚地看到:自己的儿子其实是个小可爱,是个很敏感的小家伙,尽管和妹妹的天使型宝宝大不相同,但他也一样出色可爱,都是上天赐予的宝贝。

　　在我的新生儿组织里,与其他初为人母的伙伴分享经历,同样对詹妮斯有所帮助,因为她发现自己并非独自一人孤军奋战。诚然,我见过许多父母,在最初使用 S.L.O.W. 策略时都会遇到困难,因为他们几乎做不到第一步——让他们自己停下来。就算是停下来了也很难做到听一听和看一看,很难做到不受内心强烈情感的支配。

为什么有时很难倾听

　　父母发觉有时难以做到聆听宝宝的啼哭,而且他们所听到的有失客观公正,这基于诸多原因,也许你会对下文提到的一项或几项限制感同身受。假如我所言正确,那你在运用 S.L.O.W. 策略的时候首先会在"听一听"这一关遇到麻烦。亲爱的家长朋友们,要有信心,意识到问题的存在通常是你转变态度至关重要的一步。

　　你的头脑中寄存着他人的观点——这里所说的他人可能是你的父母(像前文谈到的有关詹妮斯的那个事例),可能是你的朋友们,也可能是你在媒体上看到或听到的某位育婴专家。人们还会把以往经历带入现实的育儿经验中,这反过来会促成我们对"模范父母"的认识,我们会假想哪些事情是称职的父母应该做的,而哪些又是他们不该做的(再次阅读前文中介绍什么是好父母的表格,以便重新认识)。这其中包括你小时候是怎样被带大的,你的朋友如何照顾小孩子,你在电视或电影中看到的以及你在书上读过的内容。我们每个人的心中都会装着一些他人的观念,事实上我们完全可以置若罔闻。

小贴士:了解一下你心里存储的此类"应该",并且明白你并非一定要遵从践行。这些也许适合别人的宝宝,适合其他家庭,但不适用于你。

顺便说一下,你的心声也有可能告诉你:"千万别按照一般人的方式去做",但这种情况有限,毕竟没有几个是完全不称职的坏父母。但是不想标新立异的人,往往又会变得呆板教条。比如你的母亲在抚养你时比你现在抚育自己的孩子更严格,她可能更加出人意料地条理化或更有想象力。为什么没擦干身上的水就把宝宝从澡盆里抱出来了?

小贴士:只有在被赋予权利,并能够按照自己内心想法行事时,才能体会到育儿的真实乐趣。因此,时刻睁大眼睛,保持清醒;进行周密的思考;考虑各种观点,考察各类型的育婴方法,然后从中选择适合你自己和家庭的一种。

你将成年人的情感和意图转嫁到哭闹的宝宝身上——宝宝一哭,父母最常问的问题就是:"孩子是不是不高兴了?"又或者对我说:"这个小东西故意哭闹,成心不让我们好好吃饭。"对成年人来说,哭泣是宣泄感情的标志,通常是在悲极、喜极时才发生,或者是在愤怒之极时才有。尽管哭泣对成年人来说经常暗含负面含义,但隔三差五纵情大哭一场是很正常的,而且还有益于健康。事实上,在我们的一生中,每个人都会哭出将近三水桶的眼泪来!但我们大人哭泣的缘由跟正常婴儿的啼哭原因还是存在区别的。宝宝哭闹谈不上伤心难过,他们不会用哭泣来操纵他人。他们无意向你实施报复,也不是有意扰乱你一天的生活或晚间的安排。他们仅仅是个小孩子,而且是相当单纯的小孩子。他们不像我们一样拥有那么多的人生经历。啼哭只是一种方法,借此他们想告诉你,"我要睡觉了",或者"我饿了",又或"我受够了","我有点冷"。

小贴士:假如你发觉自己把成年人的一些情感或意图转嫁于婴儿身上,那么还是把小家伙看做汪汪叫的小狗或喵喵叫的小猫吧。你不会推想它们也痛苦难受吧,你会作如此这般的假想吗?你可能只会认为它们在跟你"说话",也这样对待你的宝宝吧。

健康宝宝的啼哭	
他们可能想表达什么	他们不可能表达什么
我饿了。	我生气了。
我累了。	我很难过。
我受到过于强烈的刺激了。	我感到孤独寂寞。
我想换个环境。	我觉得无聊。
我肚子疼。	我想报复你。
我不舒服。	我想扰乱你的生活。
我很热。	我遭人遗弃了。
我很冷。	我怕黑。
我受够了。	我不喜欢自己的小床。
抱抱我或拍拍我。	我想当别人家的宝宝。

你把自己的动机和问题映射到宝宝身上——伊凡无法忍受从传声器中听到育儿室里发出的一丁点声音,而她的宝宝入睡前总是烦躁不安,每当这时,她会贸然闯进去,对孩子说:"哎呀,可怜的亚当,你自己一个人呆在这里是不是觉得挺孤单?你是不是被吓着了?"问题不在小亚当身上,而在伊凡自己身上。"哎呀,可怜的亚当"其实是在说"哎,我真可怜啊"。丈夫经常出差,每次一个人在家的时候,她都不好受。另外一个家庭中,只要三周大的蒂莫西一哭,唐纳德就会特别担心。他会问:"他是不是发烧了?他把腿抬起来,是不是因为哪里疼啊?"就好像这些推测还不够糟糕一样,唐纳德接下来会进一步预测:"哦,他不会像我一样得了结肠炎吧,那可就糟糕了。"

一个人的情绪问题常常会削弱他的观察能力。了解自身的致命弱点,并有意识地克制不让自己在宝宝哭闹时胡思乱想,这就是避免的方法。你是不是不想一个人呆着?你可能认为宝宝哭闹是因为他感到孤单。你是否患了忧郁症了呢?在你看来,宝宝的每一声啼哭似乎都暗示着疾病。你是不是很容易生气上火?你可能认为宝宝也在生气。你是不是不够自信?在你看来,自己的宝宝可能因为对自己不满而啼哭。你是否因为继续出去工作而心怀愧疚?当你回到家,看到自己的宝宝开始啼哭时,你可能推断她是因为想念你才哭的(参见上面的图表,找出宝宝啼哭的真正原因)。

小贴士：每次都留出一点时间扪心自问一下："我是否真地关注了宝宝的真正需求，或者只是根据自己的情感做出了反应？"

你对哭声的承受力不高——这或许与你的已有观念有关系，詹妮斯的例子便足以说明这一点。但还是让我们选择面对吧，婴儿啼哭的音高会对人的神经产生刺激，我倒不觉得孩子的啼哭有什么不好，可能是因为我成年后大部分时间都在同婴儿打交道的缘故吧，不过，多数父母在最初都把孩子的啼哭当成一件不好的事情。每次为前来参加孕期辅导课程的那些即将为人父母者播放长达3分钟的"啼哭中的婴儿"录像时，我都会观察到这一点。一开始，他们会紧张地笑，紧接着就有点坐立不安了。待录像播放完毕时，房间里至少半数人脸上的表情——通常是爸爸的脸上——明确显示出不一样，即使没有被深深地震动，他们也感到了不舒服。每到那个时候，我就会问："宝宝刚才哭了多长时间啊？"所有人的估测均在6分钟以上。换句话说，每当婴儿啼哭时，多数人都感觉时间翻倍了。

除此以外，有些家长对噪音的忍受能力相对于其他人较低。他们最初只从生理上做出了反应，随后，心理上也会产生反应了。哭声打破成年人的安静环境，新生儿的父母马上就会想："天哪！我该怎么办啊。"无法忍受宝宝啼哭的爸爸们通常希望我赶快"做点什么"。可是，一旦宝宝在清早开始闹脾气，妈妈们同样也会把自己一天的生活形容为"越过越差。"

莱斯利的儿子现在两岁，她向我坦言："伊桑现在会向我要东西了，我的日子也好过多了。"我仍记得莱斯利初为人母时的情形。她那时简直无法忍受宝宝的哭声，并非由于这是一种噪音，而是看到宝宝的眼泪，她的心就碎了，因为她确信儿子的痛苦都是自己造成的。我与莱斯利共同生活了三周，才让她真正地明白啼哭只是伊桑发声说话的一种方式。

顺便提一下，不单只有妈妈会选用喂奶的方法哄宝宝安静下来。刚出生的小斯科特每次哭的时间只要超过几秒钟，他的爸爸布雷特（近来我们曾一起工作过）就坚持让妻子给宝宝喂奶。布雷特不仅对噪音的忍受能力低，而且他还无法控制自己或妻子的焦虑情绪。尽管两人都是高级行政主管，但孩子的降生却让他们对自己的能力越发不自信。此外，他们两人内心深处都认为，斯科特的哭闹是件不好的事情。

小贴士：假如你对噪音极为敏感，那就需要努力提高自己的忍耐力了,这可是你现在必须面对的生活常态。你有一个孩子,这个孩子经常会哭闹,但并不会一直持续下去。你越早懂得宝宝的语言,他们啼哭的次数就越少,但仍旧会不时地哭闹。同时,别把它当成不好的事情。此外,给自己准备一副耳塞或使用随身听,这样虽然不能完全阻隔你听到宝宝的哭声,但至少可以让声音小一点。一个英国朋友就曾经留意观察并告诉我:"与其听宝宝的哭声,还不如让我去听莫扎特的音乐。"

听到宝宝啼哭你会感到尴尬——我必须指出,与男性相比,女性更容易受到这种寻常感受的影响。我在一家牙科诊所候诊室里就看到过这样的情景,当时我大概等了将近 25 分钟,在我对面坐着一位带孩子的母亲,宝宝看上去三四个月大。我留意观察这位妈妈是如何照看宝宝的。她首先给宝宝拿了个玩具,等他玩腻了就又换了一个,一会儿宝宝再次躁动不安起来,她就又给了他一个玩具,这已经是第三个玩具了。我能看出宝宝对玩具的关注时间越来越短,也能看出这位妈妈对眼前的状况有点担心。从表情上判断,她可能在想"哦,不,我知道接下来你要干什么。"果不其然,小宝宝开始表现得不耐烦了,紧接着就大声啼哭起来,这是一种宝宝在累了的时候发出的特殊哭声。此时,这位母亲环视了一下四周,非常不好意思地说:"实在对不住。"

看她这样,我很不好受,于是起身走到她面前向她介绍了我自己。"亲爱的,你没必要道歉,"我对她说,"你的小宝宝仅仅是在说话而已,他正告诉你'妈妈,我还只不过是个小孩子,我已经看烦了。我需要小睡一会儿了!'"

> 小贴士:当你离家外出时,随身携带折叠式幼儿车或有蓬罩的柳条摇篮会是个不错的选择。这样你就可以为累了想睡觉的宝宝提供一个既方便又安全的环境啦。

下面一条同样值得重申,所以我要求出版商用黑体醒目地标示出来,以便提醒所有孩子的母亲(仿效着做张警示牌挂在房间的墙壁上,贴在你的车里和办公室里,并且在你钱包里面放一张):

啼哭的宝宝不等于糟糕的父母

同时要记住,你和你的宝宝是两个独立的人,不要站在你个人的立场上看待他或她的啼哭。他们的啼哭与你无关。

你的分娩过程不顺利。 还记得我在第二章中向你介绍的克洛伊和塞斯吗?由于伊莎贝拉被卡在产道里,克洛伊处于阵痛期长达20小时之久。诞下宝宝五个月后的克洛伊,仍对自己的孩子心存愧疚,或者说她自己认为是这样的。其实,她已经把自己的失望情绪转移给了伊莎贝拉。她心里一直认为在自己家中分娩过程应该很顺利。我发现,类似这种挥之不去的伤感和懊恼情绪在其他妈妈身上也有。她们没把心思放在刚出生的宝宝身上,反倒因为现实与预期不符而陷入长时间的自悲自怜之中。她们时常会重温生宝宝时的情形,她们常有一种负罪感,尤其当宝宝因难产而存在某些问题的时候。但因为没有意识到自己心理的实际状况,她们很难摆脱掉那种情绪。

小贴士:假如你发觉在产下宝宝后两个月你仍然动不动就想起生产过程,或者反复向愿意听你讲的人讲述生产过程,那就尝试换一种新的方法回想或讲述。不要总是感觉孩子可怜,不妨承认自己内心的失望。

我遇到过一位妈妈,她还没从难产的阴影中解脱出来,我建议她跟亲近的家人或好朋友聊一聊,这或许能帮她转变一下看法。正如我对待克洛伊那样,一方面认可她的遭遇,另一方面还要竭力劝她忘掉过去:"我听说了你的经历,但你无法改变现实也无法弥补过去,所以你现在必须往前看。"

提高你的观察能力:从头到脚予以指导

伴随着宝宝啼哭声而来的,还有一些姿势、面部表情和肢体动作。"解读"宝宝几乎需要动用你所有的感觉器官——你的耳朵、你的眼睛、你的手指、你的鼻子——还有你的大脑,思维可以帮你整合所有感受。为了协助父母实施 S.L.O.W. 策略中的"看一看"——这一步可以让他们理解宝宝的肢体语言,我把自己认识的和照看过的众多婴儿的行为在大脑中列了一份清单。除了回想他们哭声的特点,我还让自己回忆他们在饥饿、疲倦、痛苦、过热、过冷或尿裤子时"看上去"如何。我想象着自己在看一部无声录象,这样做可以强迫我将婴儿的面部表情或肢体动作放大,以便于观察。

以下就是我从虚拟镜头中观察到的宝宝从头到脚的表现。需要指出的是,这些是五六个月大的婴儿通过肢体动作所"讲述"的内容。这个时候的婴儿能够更好地支配自己的身体,例如,他们或许会用吮吸手指的方法自我安抚。而且,婴儿的基本交流方式与从前非常相似。还有一点需要说明,如果从现在开始学会观察,等孩子长大以后,你就能准确理解自己的宝宝了,并且还能理解他那独特的"肢体方言"。

肢 体 语 言	信 号 含 义
头 部	
晃来晃去。	累了。
从某个目标上移开。	想换换景色。
转到一边并仰起脖子(嘴巴张开)。	饿了。
在身体处于直立姿势时不断点头,就像人们在地铁里站着打瞌睡似的。	累了。
眼睛	
颜色发红,有血丝。	累了。
慢慢闭上然后猛地睁开,不断重复此动作。	累了。
眼睛睁开,不眨眼,呆望着远方,好像用牙签支撑着上下眼皮一样。	过度疲劳或过度兴奋。
嘴 / 嘴唇 / 舌头	
打哈欠。	累了。
嘴唇缩拢或撅起。	饿了。
似乎想尖叫但又没有发出声音,最后在放声大哭之前会深吸一口气。	呼吸困难或其他不适。
下嘴唇颤抖。	冷了。
吮吸舌头。	自我安慰的一种方式,常被误认为饿了。
舌头朝一侧翻卷。	饿了——典型的动作。
向上卷舌,像条小蜥蜴,无吮吸动作。	呼吸困难或其他不适。

肢 体 语 言	信 号 含 义
面部 作怪相，通常像吃太妃糖一样嘎吱嘎吱地咬或嚼。如果躺下可能开始气喘，翻转眼珠子，露出类似微笑的表情。	呼吸困难或其他不适，或者正在排便。
面部发红，太阳穴静脉凸出。	哭了太长时间，由呼吸不畅、血管扩张引起。
双手／胳膊 小手伸到嘴边，想吮吸。	如果没按照每隔2.5~3小时的频次给宝宝喂奶那便是饿了，否则就是想吮吸。
玩弄手指头。	想换个环境。
乱摇乱摆极不协调，想搔弄皮肤。	太累了，或者呼吸不畅。
晃动胳膊，稍稍颤抖。	呼吸困难或其他不适。
躯干 蜷缩、背部呈拱形，想吮吸乳头或奶嘴。	饿了。
扭动，不停地翻身。	尿布湿了或怕冷，也有可能呼吸不畅。
身体僵直。	呼吸困难或其他不适。
颤抖。	冷了。
皮肤 又潮又湿，汗涔涔的。	过热，或哭泣时间过长，这也会造成消耗热量和能量。
呈现特别的青蓝色。	冷了，或呼吸困难等不适，或哭闹时间过长。
密密麻麻的鸡皮疙瘩，小脓疮，丘疹。	冷了。
腿部 强有力但不协调地踢腿。	累了。
把腿拉回到胸前。	呼吸困难或腹部不适。

出了什么事

S.L.O.W.策略中的最后一步 W（即行动），会引导你综合分析判断出现的状况（参见本章末的表格内容）。据此，你可以评估分析宝宝发出的声音和肢体的动作。诚然，每个婴儿都是与众不同的，但仍然有大量普遍迹象能够揭示宝宝的需要。如果能留心观察，那你就已经开始逐渐理解婴儿的语言了。

其实，我在工作中最令人欣喜的一大乐趣就是目睹家长的成长，并非只是看到他们的孩子在成长。相比而言，一些妈妈和爸爸更难于掌握这些技能。我所接触过的多数家长在两周内就能解读"婴儿的语言"了，而有些人的确需要一个多月的时间。

雪莉——雪莉前来找我，是因为她确信自己的女儿患了腹痛，但随着我们交谈的深入，问题的症结逐渐浮出水面，孩子的问题并不是腹部绞痛。雪莉是"西部最快的牛仔"，我经常这样开玩笑地称呼她。只要玛吉发出一点动静，雪莉就像听到炸弹爆炸一样，立即冲过去将宝宝抱起来，迅速将乳头塞到她的嘴里。

"我可不能让她哭，她一哭我就特别生气，"雪莉坦言，"我宁愿用乳头堵上她的嘴，也不愿意大动肝火。"我还能从此番话里听出雪莉内心的负罪感——一定是我哪里做得不好，或许是我的奶水不够好。有了这些致命的消极情绪作祟，雪莉甚至很难片刻停顿，更不用说去听、去看、去观察了。

为了帮她弄清事实真相，我首先让雪莉坚持写日志(参见第二章末的表格)，这样她就必须准确追踪记录玛吉吃奶、玩耍和睡觉的时间了。我仅需看两天的准确记录，就能发现问题所在。从日志上看，玛吉每隔 25~45 分钟就吃一次奶。她所谓的腹部绞痛，实则是因为摄入了过多的乳糖，这就意味着一旦她采用 E.A.S.Y.模式，并按适当的时间间隔给宝宝喂奶，那问题便会奇迹般地迎刃而解。

"如果你不学着分辨理解宝宝不同哭声的含义，那她就会丧失这种利用不同的哭声向你表达自己需求的能力，"我解释说，"这些原本存在差异的哭声，到那时会同化为一种高音量的'警告式'啼哭。"

首先，我必须要训练雪莉，帮助她辨识玛吉发出的不同哭声。几次教导之后，这位妈妈变得兴奋激动起来。她至少能够分辨出两种哭声了：饥饿时发出的哇哇声平缓且富于节奏，而孩子特别累时发出的哭声就像咳嗽一样很短促，好像是从玛吉的舌根处爆破发声，而且她还会扭动蜷缩身体。倘若雪莉尚未注意到孩子的疲劳而一味地哄她入睡，那宝宝之前的烦躁不安会恶变为放声啼哭。

正如我此前注意到的那样，你自己情绪上的混乱会起干扰作用，就像雪莉之前那样。在使用了 S.L.O.W.策略之后，情况大有改善。我相信她的技能会得到进一步提高。最为重要的是，她现在能从思想意识上把小玛吉当成一个独立的人来对待,孩子也有自己的情绪和需求。

马茜——马茜无疑是我的众多星级学员中的一名。自从学会理解自己的宝宝之后,便像变了个人一样。最初,她是因为乳房红肿疼痛才来求助的,她的儿子听上去吃奶没有规律。

"丹兰在肚子饿了的时候只会哭",我们第一次见面时她对此确信不疑。当听她说宝宝几乎每隔一个钟头就会饿时,我就知道她未能分辨丹兰发出的不同哭声。我直截了当地告诉马茜,她需要让自己三周大的儿子过上有规律的生活,因为这可以让宝宝的一天变得可以预知,这种规律性对她自己也有好处。接下来的一个下午,我和她在一起,有一次,丹兰开始发出了像咳嗽一样短促的哭声。

"他饿了",马茜冲我说。她的判断没有错,儿子吃得很香,可没过几分钟他就开始睡觉了。

"轻轻把他唤醒",我劝说马茜。她看着我,以为我让她折腾一下小家伙。我指导她用手反复抚摸宝宝的脸颊(更多技巧参见第四章中关于如何唤醒吃奶过程中打盹儿的宝宝)。醒来的丹兰于是开始继续吮吸。他躺在妈妈的胸前又足足喝了 15 分钟的奶,直至打了个饱嗝儿。然后我把他抱到地毯上,将一些色彩鲜亮的玩具立着摆放在他视野能及的位置。他饶有兴致地嬉戏了大约 15 分钟,之后开始不耐烦起来。他没怎么哭,看上去好像在抱怨什么。

"看到了吧?"马茜说,"他一定是又饿了。"

"不对,亲爱的,"我解释说,"他只是有点累而已。"

于是我们把他抱到床上(在这里我不多讲,因为到第六章还会谈论送宝宝回房间睡觉的问题)。不到两天时间,丹兰就践行了 E.A.S.Y.模式,改为每隔三小时喝一次奶。与此同等重要的是,马茜彻底变了一个样。她告诉我:"我感觉自己已经学会了一门由声音和动作组成的外语。"她甚至开始为其他宝宝的妈妈出谋划策了。"你的宝宝不仅仅在肚子饿了的时候才会哭,"她告诉一位新生儿母亲,"你必须稍停片刻,留出时间揣测一下他究竟在说什么。"

让自己与婴儿同步

是的，要做到这一点需要一定的实践经验，然而一旦将这方便实用的方法牢记于心，你就会新奇地发现自己回应宝宝的方式与之前截然不同了。S.L.O.W.策略还可以促成你转变观念，它能帮助你把宝宝视作一个独立的个体对待，并且能提醒你聆听婴儿独特的声音。你只需要花上几秒钟的时间提醒自己运用这一策略，但就是这短短的几秒钟，却能让你成为孩子心目中期待的好父母。

在弄清宝宝说些什么并且准备做出回应时，S.L.O.W.这个首字母缩略词同时也提醒你：面对宝宝时，动作应该缓慢轻柔。

为了强调这一点，我经常在新生儿父母辅导班里进行示范：我随便找个人令其躺在地板上，一言不发地走到此人跟前，抓住他或她的腿粗暴地将其抬起猛然用力向头部推挤。所有的人都会笑出来，当然这之后我会解释自己的用意："孩子的感受就是这样！"

我们不要认为在不进行自我介绍时擅闯孩子的世界，或在事先不提出警告的情况下做什么事情，然后再进行解释是件无所谓的事。这并不仅仅是礼貌问题。因此，当听到小宝宝哭闹，并且知道哭泣的原因是由于尿布湿了令其感到不舒服需要进行更换时，那么，请你直接告诉宝宝你要为他做什么，整个过程中一直跟他说着话，换完以后还要对他说："我希望这样能让你更舒服一些。"

在接下来的四章里，我将详细讲述喂奶、换尿布、洗澡、玩耍以及睡觉方面的问题。但无论和宝宝一起，或为宝宝做什么事情，动作都要轻缓一些。

缘 由	听	观 察	其他鉴别方法
疲劳或过度疲劳	起先是古怪不规则的躁动，如果不及时处理，会演变成过累时的哭闹：三声短促高昂的啼哭、一声长且刺耳的啼哭。然后喘两口气，紧接着一声更长更响的。经常哭个没完，如果置之不理，最后会沉沉睡去。	眨眼睛，打哈欠。如果不送他们上床休息，便会出现弓背、蹬腿、胳膊乱晃等生理特征；可能抓自己的耳朵或脸颊，挠脸（一种受刺激后的本能反射）；假如搂抱他，他会扭动身体拼命想钻进你的怀里。倘若他哭个没完，小脸就会涨得通红。	在各式各样的哭声中，这种最容易错判为饥饿时的哭闹。因此需要密切关注啼哭的时间。可能出现在玩耍之后或发生在他人用咕咕声惹逗宝宝之后。身体扭动常被误认为腹痛。
兴奋过度	持续刺耳的哭闹，类似于过度疲劳时的声音。	四肢活动无力；把脸转向暗处；会远离那些试图想和他玩的人。	常出现在婴儿玩耍够了时以及成年人长时间逗哄时。
需要换个环境	古怪的躁动，开始发出厌烦的声音，不是直截了当的哭声。	从眼前的物体上移开视线，玩弄自己的手指头。	如果你改变了宝宝的位置后，情况更加恶化，那他一定是累了，需要小睡片刻。
疼痛/窒息	容易识别的高调尖叫声，事先毫无征兆，哭声间隔内会有屏气动作。	整个身体变得僵硬（出于让气体不通畅而保持环状姿态）；将膝盖拉至胸前；面部因疼痛而扭曲，舌头上卷，像小蜥蜴一样。	所有的新生儿都吞咽空气，这将导致呼吸困难，你会终日听到婴儿喉部末端发出的细微声音，这就是在吞咽空气。倒吸气也可能由不正确的喂奶方法所致（参见第九章内容）。

生气——参见"过度兴奋"和"疲劳"的说明。宝宝不会真生气——这只是大人们的主观反应，他们没有读懂婴儿的真正意思。

缘 由	听	观 察	其他鉴别方法
饥饿	喉部末端发出轻微的类似咳嗽的声音，然后才开始哭，声音开始时短促，接着就稳定下来，哇、哇、哇得很有节奏。	婴儿开始轻舔嘴唇，然后伸出舌头，将头扭向一边，把小拳头伸到嘴边。	最好的鉴别方法是看看上次喂奶的时间。如果按照E.A.S.Y. 模式进行喂养，就不用猜测了（有关喂奶需知的内容请参考第四章）。
太冷	放声啼哭且下嘴唇打哆嗦。	皮肤出现鸡皮疙瘩；有可能发抖；如果感到特别冷（手、脚和鼻子），那皮肤有可能呈现淡淡的青色。	有可能在为新生儿洗澡或换尿布时出现。

缘　由	听	观　察	其他鉴别方法
太热	烦躁的哭声，持久且大声，更像喘气的声音。起初声音较低，大约持续 5 分钟，假如你对此不予理睬，宝宝便会放声啼哭。	感觉身上汗涔涔的；小脸红扑扑的；呼吸不均匀，气喘；面部和上肢可能出现较大的红色斑点。	与发烧有所不同的是这时的哭声更类似于疼痛时的啼哭，皮肤干燥不潮湿（保险起见给宝宝测测体温）。
"你 去 哪里？我需要抱抱。"	咕咕的声响突然之间变成微弱短促的哇哇声，听上去像小猫的叫声。一旦将其抱起便立刻停止哭闹。	四下张望，露出寻找你的神情。	如果判断及时，你无需将宝宝抱起，只要轻轻拍打他的后背，柔声细语地说几句宽慰话就行，这样做更能培养其独立自主的能力。
喂奶过多	喝完奶后烦躁不安，甚至哭闹。	经常吐。	通常在疲倦和受到过度刺激被误认为饥饿时出现。
排便	喂奶时发出的哼哼声音或啼哭。	扭动身体，竭力摆脱；停止吃奶；排便了。	可能被误认为肚子饿了，妈妈这时通常感觉自己"什么地方做得不好"。

第四章

喂奶(E)——这到底是谁的小嘴

当护士告诉你宝宝饿了的时候或许会让你不知所措。

谢天谢地,我阅读了相关介绍,还参加了辅导课程。

——一位三周宝宝的妈妈

物质需要满足之后才能谈精神。

——贝托尔德·布莱希特

妈妈们的困惑

饮食是人类生存的主要途径。对此，我们成年人面临着多种多样的选择，然而无论我们做何选择，每个人总有自己的偏好。比如，我极有可能找出100名反对摄食高蛋白食物的素食主义者，我敢肯定也能毫不费劲地找到另外100名高蛋白食物的大力推崇者。到底谁对呢？究竟谁对谁错都无关紧要。尽管不同的专家在这方面对我们都有所指导，但我们必须自行选择自己的日常饮食。

不幸的是，即将为人母的妈妈们在如何喂养孩子的问题上面临着相同的困惑。鉴于目前在母乳喂养和奶粉喂养这个问题上存在争议，铺天盖地的广告宣传使母亲们原本困难的选择愈发艰难。很明显，有关母乳喂养的书籍或由"国际母乳会"或"美国公共健康服务组织"提供担保和赞助的网站，都在大力提倡母乳哺育，其相关资料都引导你使用母乳喂养宝宝。但你同样也可以在一些由奶粉生产厂家赞助支持的网页上找到与此相悖的言论。让我们面对争议吧：假如你购买了一本关于烹饪的手册，那你从书中怎么也找不到有关如何使用搅拌器的文字说明。

那么身为一个初为母亲的女人，你又会做些什么呢？尽可能做到保持中立，最后再选择适合自己的一种方法。采众家之言集思广益，但也应小心谨慎地选择求教的对象和内容，明察对方究竟在竭力"推销"何物。倘若是朋友，那就向他们取取经，但不要拿那些耸人听闻的故事太当真。诚然，因母乳哺育而导致的营养不良事例的确存在，但也不乏劣质奶粉导致婴儿的健康出现问题，但这些都是极其个别的现象而已。

为了帮助你更加明智地进行选择，在这一章里我将为你提供强有力的信息，虽然不像火箭学或统计学那样追求严谨和精密准确，而这些数据和名词在有关母乳哺育方面的一般性读物中却比比皆是。我竭力奉劝你运用这些知识，以及我所提供的常识性小窍门，当然更重要的还是要凭着你自己的感觉行事。

正确的决定还是错误的原因

令我极为伤心的是,许多妈妈搞不清楚什么是"最好的",什么是"正确的",有时基于错误的理由做出了选择。孩子降生以后,我无数次被冠以哺乳教育家的头衔受邀进行指导,而我所观察了解到的是,母亲们强迫自己选用了母乳哺育的方法,要么是因为配偶或其他家人迫使自己这么做,要么是因为唯恐在朋友面前抬不起头来,又或因为她们此前从书中看到或听别人说过,并且确信除此之外再也没有其他选择了。

劳拉就是一个例子,她因为哺乳不顺利前来办公室找我帮忙。小詹森无法正确地吸吮乳头,劳拉每次尝试着给他喂奶时,他都会哭叫。因为是剖腹产生下了孩子,她产后恢复期的日子相当难熬,不仅乳房红肿,手术的切口也很疼。对此,丈夫德温束手无策,压力大到几近崩溃了。这种滋味对一个男人来说可不好受。

当然,夫妻俩身边的人也都各执己见,上门来访的朋友们会就母乳喂养的问题献计献策。其中一位朋友尤为夸张。你可能会了解那种人,如果你说自己产后头疼,那她会告诉你她也有偏头痛;假使你接受了剖腹产手术,那她会说自己接受过比这更痛苦的手术;倘若你说喂奶会让乳头疼,那她会告诉你自己的乳头都已经感染了。从这位朋友那里,劳拉还是得到了些许安慰。

再就是劳拉的母亲,一位十分严肃苛刻的女性,告诉三个女儿中排行最小的劳拉一定要"克服困难",毕竟劳拉又不是第一个使用母乳喂养的妈妈。年长的姐姐也没有同情怜悯之意,总是说她完全有能力让宝宝吸住乳头。劳拉的父亲不知跑到哪里去了,而母亲则对那些愿意听信她解释的人宣称,父亲由于不忍心看着自己的女儿痛苦,不会再来医院探望了。

大致观察了几分钟之后,我礼貌地要求所有在场的人回避一下,然后我敦促劳拉讲出她的内心感受。

"我做不到,特蕾西,"说着,她的眼泪就涌出来了,"母乳哺育'太难了'",劳拉坦言。怀孕期间她也曾憧憬过,想象着宝宝轻轻吮吸自己的乳头,对新生命的关爱转化为浓稠的乳汁,通过皮肤上的毛孔慢慢流淌出来。然而,现实与劳拉此前的"慈母哺儿"的梦想相去甚远。现在劳拉既内疚又恐惧。

"没什么大不了的,"我告诉她,"是的,这确实让人难以承受,不过的确也是一种责任,在我的帮助下你会应付过去的。"

劳拉听后勉强地笑了笑。为了更好地宽慰她,我告诉其实每个人或多或少都拥有与她相类似的经历。像劳拉一样,许多女性也尚未意识到母乳哺育其实也是一门学问,也有技巧可言,它需要事先准备和实践经验,并非每个人都可以或者应该能够做到。

确定喂养宝宝的方法

◎ 探究奶粉喂养和母乳哺育之间的差异。

◎ 考虑后援力量和你自己的生活方式。

◎ 自我了解——你的忍耐力,你能否接受并坦然面对在大庭广众之下祖胸露乳哺乳的行为。你对自己胸部和乳房的感觉,以及事先形成的对自己母亲身份的认识,这些都会影响你的态度和观念。

◎ 不要忘记你可以改变自己的想法,而且完全可以选择两者兼而有之的喂养方法(参见后文)。

做出选择

首先需要指出的是,母乳喂养要比大多数满怀信心的妈妈想象的更困难。其次,这种方法并非适用于所有的人。正如我告知劳拉的那样,"这不仅仅事关满足宝宝的需求,还要考虑你自身的需要。"如果对不愿意采用母乳喂养的妈妈,或者没有真正花时间去权衡利弊的妈妈施加压力,迫使她采取母乳喂养法,那就得不到什么好效果。

问题的要点在于我们确实要面临选择。无论选择奶粉喂养,还是母乳哺育,决策当事人都可以做得很好。此外还要说明一点,这一选择并非仅仅局限于生理学范畴,同时也是情感上的决策。我强力奉劝女性了解并掌握其中得与失,既为了宝宝好,也要为自己好。我建议你报个辅导班,真正认识了解母乳喂养。找一位选用母乳哺育方法的妈妈,听听她对这一问题的看法。向你的儿科医师求教,或向助产人员或者妇产中心咨询一下,又或查阅一些"哺乳咨询师"或"哺乳教育家"撰写的文字资料。

还不要忘记,儿科专家通常在喂养方法的问题上存在心理倾向,容易对某种方法持有偏爱,因此在确定选项之前,你最好多请教几位。在就喂养方式做出最终决定之前,没有必要偏听一家之言。在洛杉矶,我就认识几位反感奶粉喂养的医师,有些甚至不接治选用奶粉喂养的母亲。到这种大夫那儿,那些打算选用奶粉喂养的女性就会感觉很不自在。反之,如果你要使用母乳喂养宝宝,但碰巧求助的医生对此了解甚少,那你的需求在他们那里也同样得不到较好的满足。

许多育婴方面的书籍都分别列举了奶粉喂养和母乳哺育的优缺点,但我却尝试着以另外一种方式探究这个问题。这种方法看似违背常规,所以在决定采用之前我还是极其谨慎的。正因为这样,我才会把必须考虑的要点一一列出,而且会与你分享我自己对这些问题的观点和看法。

母子关联——母乳哺育的倡导者张口闭口谈"关联",并将此作为推崇母乳喂养的主打招牌。我承认当婴儿吮吸乳汁时,母亲能够体会到一种特别的亲密感,但用奶粉喂宝宝的母亲也同样能感觉到和自己的孩子之间亲密无间。而且,我并不认为妈妈和宝宝之间的关系,是通过母乳喂养这种方法得以巩固维系的。真正的亲密无间,源自你对自己孩子的深入了解。

孩子的健康——众多实验研究大肆鼓吹母乳喂养的好处（前提是妈妈的身体健康且营养充沛）。事实上,人乳中含有大量小吞噬细胞(他可以吞噬并摧毁毒素的免疫系统细胞),既会杀灭细菌、真菌和病毒,也会消灭其他营养成分。母乳喂养倡导者的典型做法,就是大量列举一些母乳能够抵御的特殊疾病,这其中包括耳部感染、链球菌性喉炎、胃肠疾病和一些呼吸道疾病。对此,一方面我承认母乳喂养绝对有益于婴儿的健康;但另一方面,我们万万不可过于极端。常被引用的研究结果表明了统计数据上的可能性:摄饮母乳的婴儿,有时同样会感染上述疾病。除此之外,人乳的成分会发生显著变化,每小时之间、每个月之间以及人与人之间都存在着较大差异。再说,如今的奶粉得以改良,且比以往任何时候都富含营养。就算不能促进婴儿先天免疫能力的提高,但确实能够为宝宝提供助其茁壮成长的 "推荐膳食日摄食量"(同时参见后文中标题为"喂养流行趋势"的表格)。

母亲的产后恢复状况——产后采用母乳哺育对婴儿的母亲存有诸多好处。哺乳过程中分泌的荷尔蒙——催生素——可以加速胎盘分娩,并促进子宫血管的收缩,也就可以最大限度地控制失血。伴随着母乳喂养的持续进行,荷尔蒙会不断分泌,这有助于子宫更快恢复至怀孕期间的大小。还有一个好处,能够让妈妈在生完孩子后更快减少体重,体内分泌乳汁会燃烧卡路里消耗热量。尽管如此,体重下降仍要采取其他措施才行。事实上,处在哺乳期间的母亲需要让自身体重保持在比平常超出 5~10 磅的水平上，因为只有这样才能确保宝宝从乳汁中摄取必要的营养成分。如果使用奶粉喂养，那就不用考虑这一点了。无论妈妈选择用什么样的方法喂养，她们的乳房都会肿痛敏感。奶粉喂养者在等待胸内乳汁干尽的过程中，难免要经历一段时间的疼痛，而母乳喂养者也同样会面临一些其他方面的问题（参见后文中"母乳喂养指引"表格）。

母亲的长期健康问题——尽管尚未被证实，但研究显示母乳喂养有可能会对女性形成保护，避免提前绝经以及乳腺癌、骨质疏松和卵巢子宫癌变的发生。

母亲的体形——宝宝出生之后，母亲通常会说："我想让自己的体形恢复到原来的样子。"这不仅仅是减掉几斤肉那么简单，事关身体形态的问题。对某些女性来说，似乎认为选择了母乳哺育，就一定要"放弃"自己的身体形状。况且，母乳喂养确实会影响大部分女性的胸乳外观，甚至会比怀孕期间的变化还要明显。使用乳房喂奶时，为了更好地分泌乳汁，你的身体在生理方面会发生无法逆转的改变：疏乳管内开始积聚并最终充满乳汁，当宝宝用小嘴含裹乳头时，输乳管窦便会搏动，并会支配你的大脑以便分泌出均量的乳汁（参见后文中"乳房如何分泌乳汁"这一部分内容）。一些胸部原本扁平的母亲，在实施母乳哺育以后都不宜再穿着 T 恤衫了。尽管停止哺乳后胸部还会反弹，但无论如何也变不回原来的样子了。

原来胸部较小的女性，如果哺乳期超过一年，那胸部便会变得像薄饼一样愈加平薄；胸部丰满的女性则可能面临乳房松弛下垂。因此对一名在乎自己体形的女性来说，母乳喂养恐怕难以成为最佳选择。她很可能会听到"这么做是自私的表现"之类的言论，但我们是谁，又有什么权利让她心含愧疚和懊悔呢？

另一影响因素是你在心理上和身体上是否都能坦然接受把乳头放进宝宝嘴里令其吮吸这一问题。有时，女人不喜欢触碰或抓摸自己的乳房，或者她们不愿意让自己的乳头受到刺激。如果一个女人对此感觉不自在，那她在选用母乳哺育时很可能要面临困难。

困难——尽管从定义上看，母乳哺育属于"自然"喂养，但这却是一门颇具技巧性的学问，甚至在刚开始时，要比用奶瓶给宝宝喂奶困难得多。妈妈需要练习这门喂养艺术，甚至在宝宝出生之前就要学习了，这一点实为重要（详细内容参见母乳喂养基础这部分内容）。

方便——我们能听到许多人都说母乳哺养方便快捷。从某种意义上讲,这种说法是对的,尤其是在深更半夜,当小宝宝哭叫时,妈妈只要撩起衣服,露出乳头,就可以喂孩子吃奶了。如果妈妈只选用母乳哺育一种喂养方法,那就用不着准备奶瓶或者奶嘴了。可多数女性也会采用事先吸出母乳的方法,这就意味着她们必须提前把母乳吸出来,当然就少不了跟奶瓶打交道。此外,在自己的空间里哺乳会比较方便,但很多女性在上班的时候就不容易腾出时间找地方吸奶了。最后一点,母乳的温度均衡适宜,但有些知识或许是你有所不知的:冲好了的奶粉无需加热(宝宝对温度看似并无偏好),因此至少那些配方奶粉使用起来几乎跟母乳哺育一样省事。两者在存储方面都有讲究(参见后文中有关储藏母乳以及如何存放冲好的奶粉等内容)。

费用——哺乳第一年,你的宝宝大约需要410公斤食物(即14500盎司,1盎司即1/16磅,等于28.25克),每天大约需要1.12公斤(新生儿对食物的需求量可能会小一些)。母乳哺养无疑是一种比较经济的选择,因为人乳是免费的。即使你将母乳哺育咨询、参加辅导课程、购买各种喂奶辅助性工具和租赁取奶器的费用统统考虑在内,每月总花销也才只有大约65美元,最多只有购买奶粉支出的一半。可供你选择购买的哺儿奶制品大多为粉末状(需要兑水稀释),又或为浓缩液体(需要按照5:5的比例冲释),或是即时冲饮型,每月开支通常约为200美元,甚至更多。为了保持均等,我未将购置奶瓶和奶嘴的花费计算在内,因为许多选用母乳哺育的母亲也会另行购买奶瓶。

爱人的参与——当妈妈用乳房给宝宝喂奶时,爸爸则有一种置身事外的感觉,这一定是女方的缘故。事实上,大多数妈妈,无论选用哪一种喂养方法,都希望自己的爱人能够参与其中,而且他们也应该加入进来。参与并非只是喂养方法,更多的还关系

喂养方法的流行趋势

现如今,母乳哺育渐成时尚,但这并非意味着人工奶制品就"不好"。事实上,在战后10年里,大多数人都认为奶粉是喂养宝宝的最佳饮品,仅有三分之一的妈妈使用母乳喂养宝宝。目前大约60%的母亲选择母乳哺育。尽管哺乳六个月后一部分人会放弃,但她们当中不到半数的人仍会继续采用母乳喂养。谁又知道接下来会发生的事情呢?就在撰写此书之际,科学家们还在进行着实验,试图通过改变基因让奶牛出产人乳,或许将来某一天,满大街都在出售"牛乳"吧。

其实在1999年一篇发表在《营养杂志》上的文章中,就曾提到过"调配生产出来的奶粉可能终有一天会比母亲乳腺分泌的母乳更能满足个别婴儿的特殊需求"。

讲给爸爸听:

　　由于你自己的妈妈或姊妹采用了母乳喂养,因此你认为此乃哺育的最佳方法,并且希望自己的妻子也用母乳喂养宝宝,当然,你也有可能不愿意让她选择母乳哺育。不管愿不愿意,你的妻子是一个独立的个体,她在生活中会面临选择,这只是众多选择之一。就算她希望选用母乳喂养,她也不会因此减少对你的关爱;如果不用这种方法,也称不上是个不称职的母亲。我这么说的意思,不是反对、阻止你们彼此谈及各自的担忧顾虑,但毕竟是她在面临选择,因此,这件事也应该由她本人做决定。

到动机和兴趣。不管妈妈选用奶粉喂宝宝,还是使用母乳喂宝宝,只要她愿意事先将乳汁吸入奶瓶,那她的爱人都可以参与喂奶活动。无论采用哪种喂养方法,爸爸的援助都可以让忙碌的妈妈得到片刻休息。

　　婴儿禁忌——新陈代谢检查是对新生儿进行的例行常规性检查,旨在测试他们是否患有各种疾病。基于该项检查的结果,你的儿科医师有可能会建议你放弃选用母乳哺育。其实,在有些情况下,选择不含乳糖的奶粉喂孩子更为可取。同样,假如婴儿黄疸(由血液中的胆红素增高,肝脏分解出黄色物质所致)症状明显,那么一些医院也会坚持让你选用奶粉喂养婴儿(参见后文介绍)。至于喝奶粉过敏的问题,我倒觉得美国人对此过于在意,往往有些大惊小怪了。一些妈妈会告诉我,她的孩子喝了哪种奶粉会出皮疹,但是,一些接受母乳喂养的婴儿身上也有可能会出现这些问题。

　　母亲禁忌——有些母亲胸部做过手术(参见下表)或身患类似艾滋病之类的传染性疾病,又或曾服用药物、吸食毒品,诸如金属锂或大剂量安定药,这都会影响乳汁质量,总之有些母亲是无法用自己的乳汁哺育宝宝的。尽管有研究显示,乳房大小、乳头形状等身体因素不会影响母乳喂养,但较之他人,有些母亲在采取母乳哺育时会遇到更多的困难,如乳汁分泌速度慢、流量小,乳头不容易被宝宝吸吮等。这其中的绝大多数问题是能够得以解决的,但某些母亲却对此缺乏耐心。

　　综上所述,我的基本论点大致如此,尽管母乳喂养对宝宝确有好处,特别是在其刚刚出生后的第一个月里,但如果这种喂养方式不是母亲自己的选择,或者出于某种原因她们不能使用母乳哺育孩子,那奶粉喂养即可作为上佳选择——对一些人来说,这可谓更适宜的选择。妈妈可能感觉平日繁忙,没有时间使用母乳哺育孩子,或者说她们对母乳喂养的理念不太感兴

如果你的胸部做过手术

◎ 如果是重塑手术或部分切除手术，那就确定一下刀口的位置究竟在两个乳房之间还是在胸骨后侧。要是乳腺分泌管尚可使用，那借用一系列辅助性喂奶工具，你的宝宝还可以吮吸到你的乳汁。借助于此，宝宝能够同时吸裹乳头和吮吸喂奶管。

◎ 找一位哺乳专家咨询，他/她可以帮助你确定宝宝含吮乳头的方法是否正确。如果有必要，她们还可以教你使用一系列的辅助性喂奶工具。

◎ 至少在六周内，每周都给宝宝称一次体重，确保他或她的体重增长较为正常。

趣，特别是那些再度生产的妈妈，因为已经不是自己的第一个宝宝，所以担心此次母乳哺育会导致情感失衡，甚至影响家庭融合，因为她的第一个孩子看到或许会眼馋妒嫉的。

不管情形如何，当女性不愿意采用母乳哺育时，我们需要做的是给予她们支持，不要继续向其施加压力，加重她们内心的负罪感。而且，我们一定不要再拿责任说事，不要再将母乳喂养视为衡量母亲是否负责任的唯一标准。采用任何一种喂养方法都是在承担责任。

从此开心地喂养宝宝

良好的开端是成功的一半(有关首次喂养宝宝的介绍，具体参见后文中母乳哺育及奶粉喂养这部分内容)。在你的家里特别预留出一块空间，做到这一点非常重要，以供宝宝吃奶时使用或者当作远离家庭喧扰的清静地儿，这种安静的地方尤为适合给宝宝喂奶。你可以随心所欲、不必着急。你的宝宝有权安静悠闲地进餐，对此你应该予以尊重，可不要一边打着电话，或一边隔着一定距离和某人聊天，一边抱着宝宝，任凭小家伙自己含着奶嘴或乳头。喂奶也讲究互动；你的注意力必须集中才行。这样你才会了解和认识自己的宝宝，而你的宝宝也会熟悉和了解你。之所以这样做，还有一个原因，那就是随着宝宝一天天长大，他或她在视觉和听觉上越发容易受到外界的影响，注意力不集中会影响他们吃奶。

妈妈们时常会问："喂奶的时候，冲着她说说话没关系吧？"当然没关系，完全可以，前提是要压低声音。语调要轻柔一些，就像共进烛光晚餐时的对话那样。声音不要太大，口气低沉且连续缓和，听上去还要让人感到鼓舞振奋:"来吧,再喝一点,吃得饱才能长大啊。"通常情况下,我会发出甜美的咕咕声或轻轻敲打宝宝的小脑袋。这些小动作不仅能够吸引宝宝的注意力,而且可以很好地预防他们犯困、打瞌睡。看到宝宝闭上眼睛停止吮吸时,我会及时对他说:"你还在吃吗?"或者"来吧,干活的时候怎么能偷懒呢,毕竟这是你现在唯一能够从事的工作啊!"

> 小贴士:婴儿在吃奶过程中可能会犯困打盹儿,这时要想让他们再次吮吸乳汁,你不妨试试下面几招:用你的大拇指轻轻反复揉搓宝宝的手掌心;抚摸他的后背或腋下;或者让手指沿着他的脊柱上下移动——我称这一技巧为"弹钢琴"。千万不要为了让宝宝保持清醒,而在他的额头上敷块湿毛巾,或者抓挠他的脚心让他发痒,这样做犹如藏身于桌下的你突然露出头来说:"你还没把盘子里的鸡肉全部吃光呢,所以让我挠挠你的脚心,好让你把剩下的鸡肉吃完。"如果以上介绍的方法都不管用,那我会让宝宝睡上一个钟头。假若你的宝宝经常在吃奶的时候睡着,而且不容易被再次唤醒,那就求助于你的儿科医师,看看他/她有何建议。

第二章中我曾十分清楚并详细解释过,无论妈妈选用哪种方式喂养宝宝,我向来不提倡即哭即喂的做法。这样做除了会把宝宝惯得总有所求之外,那些不熟悉宝宝发出的不同声响含义的家长还经常把他们的啼哭当作肚子饿了。正因为这样,我们才会遇到许多撑坏肚子的宝宝,而这通常被误视为"腹部绞痛"。反之,如果你采用E.A.S.Y.模式规划安排日常生活,并且每隔2.5~3小时给宝宝喂一次母乳,或者每隔3~4小时给宝宝喂一次奶粉,那你将会有所了解,宝宝在这一时限以外的哭闹不是因为饥饿而是另有原因。

接下来,我将就母乳哺育、奶粉喂

吃奶图

气质性情会影响婴儿的吃奶方式。有一点可以预言:一般情况下,天使型和模范型宝宝很好喂,而易怒型宝宝的吃奶情况也不错。

活跃型宝宝经常情绪沮丧,特别是在使用乳房给他们喂奶的时候。这类婴儿不容许过多的调整和变化。最初给活跃型宝宝喂奶采用什么样的位置和姿势,以后就要保持下去,不宜更换。在给他喂奶的时候,你可不能大嗓门,不要换姿势,也不能从一个房间走到另外一个房间。

暴躁型宝宝耐不住性子。如果你使用乳房给他们喂奶,那他们讨厌等待乳汁缓慢地溢出。有时他们会用小嘴使劲拖拽妈妈的乳头。只要乳汁不是特别充沛,下奶不是特别顺畅,那还是使用奶瓶喂他们比较明智(更多关于使用乳头的说明参见后面的表格)。

养以及兼用这两种方式喂养的细节问题展开论述说明。无论采用什么方式喂养，不妨首先了解一些将会出现的共性问题。

喂奶姿势——不管使用乳房还是使用奶瓶喂奶，你都应该将宝宝舒舒服服地抱在臂弯里，差不多与你的胸部取齐（即使用奶瓶喂宝宝也不例外），这样他的小脑袋就会稍稍被抬高，身体会成一条直线，而且也用不着使劲伸着脖颈吸吮你的乳头或奶瓶嘴了。把他内侧的胳膊拖拉至他的身下，或令其绕过你的一侧身体。注意不要让他的身体倾斜否则他的头部会低于身体，这样不利于他吞咽乳汁。如果使用奶瓶喂奶，那你就应该让宝宝平躺着；倘若采用母乳喂养，那就让他微微侧向你，让他正好面朝你的乳头。

打嗝儿——宝宝无一例外都会打嗝，有时是在喝完奶之后，有时是在日间小睡之后。之所以会打嗝，应该是因为喝奶时喝得太饱，或喝得太快，很像大人在一番狼吞虎咽之后就会打嗝。这是由横隔膜痉挛所致。对此你也没什么办法予以制止。你只要记着一点就行，打嗝来得快，去得也快。

帮助宝宝打饱嗝儿——无论采用什么方式吃奶，所有宝宝在此过程中都会不小心吞咽一些空气。通常情况，你能够听到。有点类似痛苦时发出的呲牙咧嘴或喘大气的声音。吸入气体后，宝宝的肚子里就像产生了一个小气泡，有时会让他觉得吃饱了，其实不然，所以你需要协助宝宝把肚子里的气嗝打出来。我喜欢在用乳房或奶瓶喂宝宝吃奶之前，帮他们打嗝排气，这是因为宝宝即使在躺着的时候也会吞咽一些空气，而且我也喜欢在喂奶结束后再次帮他们打嗝。还有其他的情况，假如孩子中途停止吃奶，并且躁动不安起来，那通常表明他呛咽了少许空气，这时最好暂停喂奶先帮他把嗝打出来。

有两种方法可以帮婴儿把气嗝打出来。一种方法是将宝宝垂直立放在你的膝盖上，用手撑住他下巴的同时轻拍其后背。另一种方法我个人更喜欢用，那就是垂直方向抱着宝宝，让他的胳膊放松且自然悬垂搭到你的肩膀上。他的小腿也应该保持垂直向下，以便让气体通畅地排出，然后轻轻地向上捋抚他的左侧腹部（如果位置偏下，那你轻抚的部位可就是宝宝的肾脏了）。有些孩子仅仅需要你轻轻地抚摸他们，而还有一些孩子则同时需要你轻轻地拍打他们。

假如轻拍和抚摸 5 分钟后，宝宝还没有把气嗝打出来，那你可以相当肯定地推断宝宝肚子里已经没有什么气泡了。倘若令其躺下，而他却开始扭动身体显露不适，那就把他轻轻地抱起来，随后他便会打出一个含有奶香的气嗝来。有时气泡会由胃进入小肠，再进入大肠，这会引起极度的不适，到时候你便可以看出这一点,因为你的宝宝难受得会把腿蜷缩至腹部,开始放声啼哭,而且全身上下紧成一团,有时你也能听到气体穿肠进肚的声音。等空气排出体外之后,宝宝就会得到放松了(有关应付呛气的小窍门参见第九章)。

再谈营养吸收和体重增长——不管宝宝使用什么方式吃奶,初为人母的妈妈通常都会心存担忧和顾虑:"我的小宝宝到底吃饱了没有?"采用奶粉喂养法的妈妈,透过奶瓶能够观察婴儿的吞咽行为。一些使用乳房喂宝宝的妈妈,在乳汁自然分泌流淌时,能够真真切切感觉到刺痛或夹痛,也就因此可以得知自己确实在分泌乳汁了。但是,假如女性没有此种感觉——很多妈妈都没有疼痛感——那我总会这样告诉她们:"你其实可以观察到宝宝在吮吸啊,而且还能听到他吞食乳汁的声音呢。"使用乳房喂奶并且有此担忧的妈妈,也可以"验收"自己的哺乳成果,这一点我会在后面的表格中有所提及。不管情形如何,如果喂奶工作结束后,你能从宝宝脸上看到心满意足的神情,那就表明他确确实实吮食到了适量的乳汁。

与此同时,我还会提醒父母们"有进必有出"。刚出生的宝宝在 24 小时之内会排尿 6~9 次。尿液颜色一般呈淡黄色或几乎没有颜色,而且会有 2~5 次排便,颜色呈黄色或黄褐色,一般为芥末状。

> 小贴士:如果你使用的是那种用完即可丢弃的一次性尿不湿,那宝宝的尿液很大程度会被吸干,你也就很难了解孩子什么时候尿的,或者说不出尿液的颜色来。尤其是在宝宝出生后的最初 10 天里,你不妨在宝宝的尿不湿上垫放一张纸巾,以便证实宝宝确有排尿并且确定宝宝排尿的频次。

最后需要指出,尽管一名正常新生儿的体重在出生后的最初几天会降低 10%,但营养切实被吸收的最佳衡量指标还是体重的增长。在子宫里的时候,宝宝们是通过胎盘获取营养的,而在出生后却不得不独立地通过摄食汲取营养,所以这需要一些时间调整、过渡。尽管如此,在乳汁充沛和热量充足的前提下,大多数足月出生的婴儿在降生后 7~10 天内,体重会回至出生时的水平。有些婴儿则需要更长时间的过渡适应期,但是出生两周后,如果宝宝的体重还未增长回升,为了稳妥起见,你还是求助儿科大夫吧。如果婴儿出生后三周体重还没有回到出生时水平,我们在临床上称之为"营养不良"的婴儿。

小贴士：体重不足 6 磅的婴儿无法承受 10%的体重下降。遇到这种情况，在能喝上母乳之前最好能辅助性地给他们喂食奶粉。

体重增长的正常区间为每周 4~7 盎司（1 盎司≈28 克）。提前告诉你这一点，省得你到时候为宝宝的体重增长担心。吃母乳的婴儿较之喝奶粉的婴儿身体更为瘦小，体重增长也更为缓慢。一些忧心忡忡的母亲会购买或租赁测量标尺。我个人认为，只要定期去医院检查，大可不必如此。宝宝出生后的第一个月，每周为其测量一次体重，此后每月测量一次就已经足够了。就算你手头上有测量标尺，也不要忘记体重是一天一变的，所以不要过四五天左右就给宝宝称量一次。

母乳哺育的基本常识

有些书从头到尾专门讲授母乳哺育。假如你已经下定决心采用母乳哺育，那我敢打赌你家里的书架上一定会有许多本与之相关的读物。需要学习掌握的任何技能都大同小异，关键是要有耐心并辅之以练习。阅读书籍、参加泌乳辅导班或加入母乳哺育的相关援助机构，都是不错的选择。除了要了解你的身体如何分泌乳汁以外（参见下面的表格），在这里我还想谈谈个人认为与之有关的最为重要的一些事情。

怀孕期间便着手练习——母乳哺育方面的困难和问题主要（通常情况下可以称得上唯一的难题）源自不正确的衔吮乳头的方法。凡是我所帮助过的母亲，都不会遇到这一问题，因为在距离预产期 4~6 周时，我就会约见她们，向其解释她们的乳房是如何分

乳房如何分泌乳汁

几乎在宝宝降生那一刻起，你的大脑就会分泌催乳激素——一种刺激并维持乳汁分泌的荷尔蒙。每当宝宝吮吸你的乳房时，就会分泌出催乳激素和一种叫做后叶催产素的荷尔蒙。乳晕，或者说乳头外圈颜色较深的区域表面有些粗糙，足以让宝宝牢牢地衔裹，而且它的质地柔软，因此宝宝也就很容易挤压噙吮。随着宝宝吮吸乳头，输乳管窦——乳晕内侧的棱线就会向你的大脑输送信号："快快分泌乳汁！"输乳管窦于宝宝吮吸之时会富于节奏地舒张和收缩搏动，激活贯连乳头和乳腺泡（你乳房中存储乳汁的细小液囊）的通道疏乳管，乳汁最终流入乳头。乳头俨如一个漏斗，一点一点把乳汁漏入宝宝口中。

泌乳汁的,还给她们做示范:教她们把两片较小的圆形绷带(约克人叫它邦迪创可贴)贴到乳房上,一片贴在距离乳头上方一英寸的地方,另一片贴在乳头下方一英寸的位置。粘贴效果与她们将来抱着孩子喂奶的感觉完全相同。这样做可以帮助她们熟悉喂奶姿势和位置,以便日后正确使用手指挤压乳头。你自己也试试看吧,这需要多多练习才行。

不要忘记,宝宝从乳头吮吸母乳的过程并非手工可以模拟操控的。乳汁只有通过宝宝吮吸引发的刺激才能分泌出来。刺激越强烈,乳汁分泌数量就越多,因此正确的哺乳姿势和吮吸方法至关重要。若能将这两点处理好,那母乳喂养看上去便会"自然而然"了。如果给宝宝喂奶的姿势不规范,而且宝宝不能正确地衔裹乳头吮吸乳汁,那么输乳管窦就无法向大脑中枢传输信号,也就不能分泌母乳哺育所需的荷尔蒙了,最终的结果只能是无法分泌乳汁,母亲和宝宝都会受罪。

> 小贴士:为了保证衔裹、吮吸动作准确无误,你应该让宝宝的小嘴含住乳头和乳晕。正确的喂奶姿势是让婴儿的脖颈微微伸展,以便让他的鼻子和下巴碰到你的乳房,这样,即使你不用手托扶自己的乳房,孩子也一样能够安安稳稳地躺在你的胸前吃奶。假使你的乳房丰满而有所下垂,那可以在乳房下面垫一块软布支撑。

尽早在孩子出生后实施第一次哺乳。初次哺乳非常重要,但称其重要的原因,有可能不像你想象的那样。你的孩子倒不一定肚子饿了,而是因为首次哺乳能够让他在大脑中留下印象,以后他便知道如何正确吸吮乳头了。若有可能,让保姆、哺乳咨询师、好朋友或你的母亲(假设她也曾选用母乳哺育)进入产房,以便帮助你完成首次让婴儿吸吮乳头的工作。如果妈妈顺利自然地分娩生下了孩子,那我会当即尝试着让小家伙吸吮妈妈的乳头,越往后就越难教孩子做到这一点。在出生后的最初一两个小时里,你的孩子最清醒。接下来的两三天,宝宝会处于某种受到惊吓的状态——经过产道来到人世后总会有后续反应——他吃奶和睡觉的行为很可能不符合常规。因此,如果妈妈接受了剖腹产手术,且没有在产后三小时之内及时对孩子实施第一次哺乳的,那么她和孩子都会失去章法。在这种情况下你要耐心花点时间,慢慢训导孩子使用恰当的方法吮吸乳头(我并非建议父母在那个时间把孩子唤醒,喂他们吃奶,除非你的宝宝出生时体重偏低——不足 5.5 磅,约2.49 千克)。

最初的两三天,你会分泌初乳,这种母乳中含有高糖、蛋白质、维他命及低脂肪的东西。它较为粘稠且呈黄色,与乳汁相比更像蜂蜜,富含蛋白质。这段时间你分泌出来的乳汁几乎是纯正的初乳,你可以轮换使用两侧乳房给宝宝喂奶,每侧乳房各喂 15 分钟。当开始分泌乳汁以后,你就可以只用单侧乳房给宝宝喂奶了(参见下表)。

　　了解自己的乳汁以及乳房如何分泌乳汁——最好亲自尝一尝,如果是事先贮存的母乳,你就能确定它是否已经发酵变酸了。留意一下乳汁充沛时乳房有何感觉。伴随着乳汁分泌和流溢,你的胸部通常会有漏出或下涌的感觉。有些母亲的乳汁流溢速度较快,因为一旦乳汁分泌的反射活动被激活,母乳流溢速度就会很快。在刚刚开始喂奶的前几分钟,孩子喝奶时很可能会发出劈啪声和呛奶的声音。为了防止乳汁流淌过快,你可以把一个手指头放在乳头上面,就像抑制伤口流血那样。如果你没感到乳汁流下,也不必惊慌,因为每个人的敏感度都不同。当妈妈的乳汁分泌反射较慢时,她们的孩子看上去便会一副垂头丧气的样子,且有可能为了刺激乳汁快速流淌,而用小嘴拨弄妈妈的乳头。乳汁流量缓慢或许是紧张的表现,试着让自己放松一点,可以在给孩子喂奶之前听听可引发冥想的柔缓乐曲。如果还是不管用,那就借助吸奶器进行人工吸奶,直至你看见乳汁流出来为止,然后再把孩子抱到你的胸前喂奶。这么做恐怕要用 3 分钟的时间,但却可以避免让小家伙在情绪上受挫。

母乳喂养:最初四天

如果宝宝出生时体重达到 6 磅(约 2.72 千克)或者 6 磅以上,我一般会向母亲们提供下面的图表,以指导其完成最初几次使用母乳喂养宝宝的工作。

	左侧乳房	右侧乳房
第一天:全天哺乳,只要宝宝需要即可进行	5 分钟	5 分钟
第二天:每隔 2 小时哺乳一次	10 分钟	10 分钟
第三天:每隔 2.5 小时哺乳一次	15 分钟	15 分钟
第四天:开始使用单侧乳房哺乳且实施 E.A.S.Y 模式	最长 40 分钟,每隔 2.5~3 小时哺乳一次,每次哺乳后换用另一侧乳房	

不要换来换去——许多保姆、医生、还有哺乳专家都会告诉孩子的母亲，每哺乳 10 分钟就换用另一侧乳房，还解释说这样做你的宝宝便会在每次吃奶时都有机会吮吸到双侧乳房了。下表界定了母乳的三个组成部分，参见此表，你便会得知为什么换用乳房喂奶对婴儿不利了。

尤其是在孩子降生后的最初几周里，我们需要确保宝宝能够吮吸到后乳。假如喂奶刚刚进行了 10 分钟，你便换用另一侧乳房，那宝宝充其量只能吮吸到初乳，而根本喝不到后乳。比这更糟糕的是，更换行为最终会向你的身体发出不必继续分泌后乳的信号。

与之相反，如果每次喂奶都能做到中途不调换、持续使用同一侧乳房，那宝宝就可以摄入等量的三种乳汁——营养均衡不失调。此外，你的宝宝还会逐渐适应这样一种喂奶方法。想想看，诞下双胞胎的妈妈只能这样喂孩子吃奶。在喂奶的过程中，突然让两个小宝贝换用另一侧乳房的做法是不是挺可笑？事实上，对于只生下一个孩子的妈妈来说，这种喂奶方法同样不可取。

母乳中含有什么

如果将一瓶母乳静置 1 小时，那它会分离成三部分。从上至下你将看到液体逐渐变得粘稠，婴儿吮吸到的乳汁同样如此：

止渴乳液（最初 5~10 分钟喝到的乳汁）：这部分液体更像脱脂牛奶。我感觉它类似一道汤菜，其中饱含后叶催产素，与做爱时分泌出来的荷尔蒙一模一样，它既会影响妈妈，也会作用于宝宝。妈妈可以完全放松下来，获得类似性高潮结束时的那种感觉而宝宝也会睡着。这部分母乳的乳糖含量最高。

初乳（开始 5~8 分钟之后的乳汁）：更像平时喝的牛奶那样均匀，这部分母乳富含蛋白质，对婴儿骨骼和大脑发育很有好处。

后乳（开始 15~18 分钟之后的乳汁）：这部分母乳粘稠且呈奶油状，并且富含大量乳脂，相当于"餐后甜点"，可以促进婴儿体重的增长。

小贴士：每次哺乳完毕，可标示出下一次喂奶的一侧乳房来，以免忘记。你还会感觉到，分泌出的乳汁尚未被宝宝完全吮吸出来的一侧乳房有点胀胀的。

如果我从孩子出生时就开始帮助其母亲进行第一次哺乳，那我会教她使用单侧乳房连续给宝宝喂三四天。尽管如此，我还是经常接到妈妈们打来的咨询求助电话，她们都曾受到儿科大夫或哺乳教育家要求换用双侧乳房给孩子喂奶的教育。通常情况下，这些母亲的孩子当时只有 2~8 周大。

洋白菜的神话

有传言,哺乳期间的妈妈禁食洋白菜、巧克力、大蒜以及其他刺激性食品,这些会"渗入"她们的乳汁。简直是一派胡言!普通而且品种多样的食物,对乳汁没有任何不良影响。我想起生活在印度的一些母亲们,她们的饮食相当辛辣,恐怕大多数美国人的肚子都消受不起,然而她们和她们的孩子也都未因此遭殃啊。

婴儿不会因为洋白菜或其他类似的食物中毒。他们之所以呼吸不畅,是因为不小心吞咽了过量空气,或许因为你帮他们排气打嗝的方法不正确,又或者因为他们的消化系统尚未发育成熟。

个别情况下,孩子有可能对妈妈的某种摄食比较敏感,常见的有牛乳、大豆、小麦、鱼、玉米、鸡蛋以及坚果中的蛋白质成分。如果感觉婴儿对你摄入的某种食物存有反应,那就先暂时停食2~3周,之后再食用,以便确定其是否安全可食。

不要忘记,运动同样会影响你的乳汁。运动时,你的肌肉会分解产生乳酸,这会引发婴儿腹痛,因此在哺乳前的一个小时不要进行运动。

举个例子吧,在儿子三周大时,玛丽亚对我说:"我家孩子顶多坚持1~1.5小时,就要喝一次奶,对此我都快招架不住了。"玛丽亚的儿科医师对此却并不担心,因为贾斯汀的体重在缓缓增长,尽管很慢但至少有所增加。医生也不在乎贾斯汀每隔1小时就喝一次奶的事实,反正又不需要他来给孩子喂奶!我告诉玛丽亚,使用单侧乳房给宝宝喂奶,但由于玛丽亚的身体已经适应了换用乳房哺乳的做法,我们不得不逐步帮她改掉这一习惯。我让玛丽亚每次喂宝宝吃奶时都首先使用单侧乳房且仅仅哺乳5分钟,然后再换用另一侧乳房完成剩余的哺乳工作。每次喂奶都遵照这种方法,连续实施三天以后,那侧不常用来哺乳的乳房,便会逐渐消除肿胀感。与之同等重要的是,这种哺乳方式还会向玛丽亚的大脑传输一种信号:"从现在起,我们用不着再使用另一侧乳房进行哺乳了。"未被使用的那一侧乳房里的乳汁会再次回流,并存储在玛丽亚体内,以供贾斯汀3小时后再次饮用。到第四天的时候,玛丽亚就可以做到使用单侧乳房喂孩子喝奶了。

不要看着时间给孩子喂奶——母乳哺育跟所用时间和摄入乳汁的数量毫无关联,它只不过是一个认识自己和了解自己宝贝的过程而已。相比而言,母乳喂奶的频次通常稍高,这是因为母乳比奶粉更易、更快被消化吸收。所以,假如你给2~3个月大的婴儿喂奶40分钟,那么3个小时之内他便可以将其全部消化掉(参见本页下表,它会提示你应该给宝宝喂多长时间的奶)。

小贴士:使用母乳喂完宝宝,一定要记着用干净的湿布把乳头擦拭干净。母乳的剩余残留物会为细菌滋生提供环境,而且会导致你的乳房出现鹅口疮，还会让你的孩子患上真菌性口炎。万万不可使用肥皂擦洗，因为这会让你的乳头变得干燥缺少水分。

坚持选用你自己喜好的方式喂养宝宝。在这个国家里，几乎没有什么人能够逼着你使用单侧乳房哺乳。不管选用哪种方法喂孩子，既然决定了，就坚定不移地执行吧。

献给爱人和友人的锦囊妙计：当你的另一半(或者好朋友)第一次采用乳房哺乳时，不妨跟着她一同学习并在接下来的日子里悉心观察，力争做个热心的旁观者。确保孩子使用了较为规范的吸吮方法，但不要太挑剔。就算你并无恶意，也别打着"训导"的名义进行现场指导："对，你做得对……哦，千万别，他的小嘴从乳头上松脱了……看，他又继续了……没错，他的小嘴又一次衔住了乳头，他吮吸乳汁的样子活像一匹大声咀嚼的小马……糟了，又没衔住……再稍微往上抱抱他……对了，就这样，就是这样……哎呀，又没含住！"让自己站在对方的立场上想一想，妈妈此时需要的是充满

喂奶时间多长才好

除非把自己的乳汁吸出来称量(参见表格下方小贴士)，否则你将很难测定孩子究竟摄食了多少数量的乳汁。尽管我本人不提倡看着时间给孩子喂奶，但还是有许多妈妈向我求教给孩子哺乳的大致时长。随着孩子一天天长大，他们吮吸的能力渐渐提高，喝奶所用时间也就越来越短。下面提供的数字仅为估算所得，此外还对每次摄入乳汁的数量进行了估量：

4 周~8 周:最多 40 分钟　　　　(2~5 盎司)

8 周~12 周:至多 30 分钟　　　　(4~6 盎司)

3 个月~6 个月:不超过 20 分钟　　(5~8 盎司)

(注:1 盎司约等于 28.3 克)

小窍门:如果你对自己究竟可以分泌和提供多少乳汁心存疑虑，那就花上两三天的时间进行我所谓的"产量验收"吧——来自祖辈务农者的一个专业术语。每天一次，在喂奶前 15 分钟将你的乳汁挤入奶瓶，然后进行称量。有一点你需要考虑，即孩子用小嘴吸吮你的乳头至少可以比这多吃进去 1 盎司的乳汁。了解到这一点，你便可以很好地估算自己究竟能够分泌多少数量的乳汁了。

爱意的支持和鼓励，她不会希望你像一名体育节目主持人一样，对比赛进行全程跟踪报道和解说。就算没有这种被评判的感觉，单单是学习掌握乳房哺乳这门"艺术"本身，对女人来说就已经够困难了。

寻找一位有经验可信赖的咨询顾问——母乳喂养这一技巧以前都是由妈妈传授于女儿。然而 40 年代末至 60 年代末，奶粉逐步为大众所接受，所以那些原本会沿袭上代人实行母乳哺育的妈妈们都选择了使用奶粉喂养宝

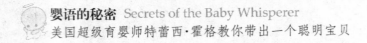

母乳的存放

　　我曾经上门拜访过一位母亲,因为一次突然停电,她之前存放在电冰箱里的 3/4 加仑(一美制加仑约等于 3.79 升)母乳全都变质了。我对她的这种做法大感意外,问她:"亲爱的,你是不是想刷新世界记录啊?你为什么把这么多乳汁一同存放在冰箱里呀?"诚然,提前吸出母乳并将其储藏起来是个相当不错的主意,可你也不能做得太过分呀。你需要将下列要点牢记在心:

◎ 刚刚吸出来的新鲜母乳应该即刻放入冰箱,且存储时间不能超过 72 小时。

◎ 你固然可以把母乳存放在冰箱里长达六个月,但婴儿的需求会在这么长时间里发生变化的。一个月大的婴儿和 3~6 个月大的婴儿对营养的需求存在着差异。母乳的绝妙之处在于它的组成成分会随着婴儿的成长而随之变化。因此,为了确保冷藏的乳汁里富含婴儿所需的营养成分,按每袋 4 盎司计量存放,母乳的数量最好不要超过 12 袋,且四周内必须使用完。首先选用那些存放时间最长的乳汁给孩子食用。

◎ 可以将吸出的母乳存放在消过毒的瓶子里,或者为此专门设计的塑料存储袋里(普通塑料袋内含的化学成分会渗透到乳汁中)。无论使用什么样的存储工具,都应该在上面标注时间和日期。为了避免浪费,每一容器的存放量不妨控制在 2~4 盎司。

◎ 不要忘记母乳是人体分泌的液体。务必记着清洗双手,而且尽量少用手碰触。若条件允许,不妨直接将母乳吸入冷藏袋中。

◎ 想要解冻母乳,可以将装有母乳的密封容器置于温水中 30 分钟左右。千万不要使用微波炉加热,这会破坏蛋白质,进而改变母乳成分。解冻过程中,可以摇晃容器以便混合分离出处于顶层的奶脂。解冻好的母乳应该立即食用或者存放于冰箱,但再次存放时间不能超过 24 小时。你可以把新吸出的母乳与已经解冻好的母乳混合在一起使用,但掺杂的乳汁就不能再放入冰箱贮藏了。

　　宝。这样一来,许多年轻的妈妈就无法向自己的母亲请教有关母乳喂养方面的知识了,因为她们自己的妈妈也是采用奶粉喂养自己的。令人更为难过的是,年轻的妈妈通常会获得一些论点和想法互为矛盾的讯息。比如在医院里,当班的保育员告诉她以后应该采用某种姿势给宝宝喂奶,而下一位值班的保育员则会向其介绍另外一种与之不同的哺乳姿势。诸如此类的冲突,不仅会影响母亲乳汁分泌的数量,还会让她深陷情感层面上的混乱,而且最重要的是,有可能削弱她们哺乳育儿的能力。基于此种迷惑,我为前来咨询求助的妈妈成立了支援团。没有谁能比那些刚刚成功解决此难题的人更有说服力了,他们能为初次遇到哺乳障碍的人提供最切实有效的指导和帮助。如果无人求助,你不妨在居住的社区里找一位哺乳咨询师,让对方传授你一些预防措施,并可以随叫随到地及时帮你摆脱困境。

> 小贴士:明智地挑选你的咨询顾问。对方应该颇具耐心,不失幽默风趣,而且对母乳哺育持有认同感。对那些负面讯息或者耸人听闻的故事,你应该多加以甄别。这让我想起格雷琴,她说自己之所以不选择使用母乳喂养孩子是"因为朋友提醒我宝宝有可能吞咬我的乳头"。

记录母乳哺育日志——一旦顺利度过哺乳的最初几天,适应并过渡为

关于吸奶器的入门指导

将母乳吸出体外并非意味着放弃使用乳房哺乳,而是一种与之相辅相成的辅助性措施。把母乳吸出之后,你的乳房内就不会残留乳汁了,这样一来,即使你一时无法分泌乳汁,孩子也一样可以喝到你事先挤出来的母乳。吸母乳这种方式还可以避免一些麻烦,如乳房肿胀(参见后文)。一定要让哺乳专家向你示范吸奶器的正确使用方法。

何种类型? 假使你的宝宝是个先天发育不成熟的早产儿,那你需要选择强力吸奶器。如果你只是打算偶尔不在宝宝身边的时候使用,那就选择手动或脚动控制的吸奶器。无论上述哪种情况,为了应对吸奶器失效的状况,你都应该学会手工挤出乳汁来。

购买还是租赁? 倘若你准备返回工作岗位,并打算继续使用母乳喂养宝宝一年,那就购买一个乳泵;要是母乳哺育的时间不超过6个月,那就选择租赁。到处都有租吸奶器的,因此只需另行购买新的附件,你就可以与他人分享使用了。你所购买的吸奶器最好还是自己一个人使用。

寻找什么? 无论购买还是租赁,你都要选择发动机带有可调控速度和力度的那种。如果你所选择的乳泵不带这种发动机,那你也只将手指放在软管上手动调试吸奶器运行的时间了,这样不太安全。

何时? 通常情况下,一次哺乳结束之后再过一个小时,你的乳房就能够重新分泌并充满新鲜乳汁了。要想增加母乳分泌量,可以连续两天在哺乳结束后10分钟实施吸奶过程。对于那些继续外出工作的妈妈来说,如果不能按平日哺乳的时间实施吸奶,那至少应该每天在同一时间内吸奶,比如在吃饭的时候腾出15分钟时间进行。

何地? 不要在工作室的卫生间里实施吸奶,那里不卫生。关上你办公室的门或者另行找一个清净的地方进行。我所接诊的一位宝宝妈妈就曾告诉过我,在她的工作单位有一个专门为哺乳期妈妈预备的"吸奶室",里面打扫得干干净净、一尘不染。

使用单侧乳房喂宝宝,我总会建议妈妈们连续追踪记录孩子喝奶的时间、吃奶的时长、使用了哪一侧乳房和其他与之相关的细节。下面是一张日志表格,我曾将其重新打印并分发给前来找我咨询的妈妈们。你完全可以根据个人需求对其进行调整。你会注意到我已经填好了表格的前两行,以示例证。

遵守我的 40 天规则——一些女性用不了几天就能够熟悉和掌握母乳哺育的方法,而另外一些女性则需要更长的时间。假如你属于后者,那我请你镇定下来,不要为此惶惶不安。给自己留出 40 天的时间,在此期间不要设定过高的期望值。诚然,每个人(包括爸爸在内)都希望母乳喂养能够在短时间内步入正轨,正因为如此,仅仅两三天过后,你和你的爱人才会变得不耐烦并且忧心忡忡,然而要想真正达到身心舒畅,并做到正确哺乳则需要更长

一天中的具体时刻	使用了哪侧乳房?	哺乳时长	是否听到吞咽声?	自上次喂奶以来,尿湿了几块尿布	自上次喂奶以来,排便次数及粪便颜色	辅助性喂养内容:水/奶	吸出母乳数量	其 他
上午6:00	☑左侧 ☐右侧	35分钟	☑是 ☐否	1	1 黄色不干燥	无	1盎司 7:15	喝完奶后,看上去有些烦躁
上午8:15	☐左侧 ☑右侧	30分钟	☑是 ☐否	1	0	无	1.5盎司 8:30	喝奶过程中犯困,不得不将其唤醒
	☐左侧 ☐右侧		☐是 ☐否					
	☐左侧 ☐右侧		☐是 ☐否					
	☐左侧 ☐右侧		☐是 ☐否					
	☐左侧 ☐右侧		☐是 ☐否					
	☐左侧 ☐右侧		☐是 ☐否					
	☐左侧 ☐右侧		☐是 ☐否					
	☐左侧 ☐右侧		☐是 ☐否					

的时间。40 天的设定有何特别的用意吗？40 天大约为 6 周左右的时间，就是通常我们定义的产后恢复期(与此有关的内容详细参见第七章)。一些女性朋友需要花更长时间才能让自己进入母乳哺育的状态。就算宝宝掌握了标准规范的衔吮乳头的方法，你的乳头还是有可能出现其他的问题（参见下表），或者说宝宝或许一下子还不知道喝奶是怎么一回事。留出时间，一则让自己休养生息，再则也要允许自己不断尝试并在错误中汲取经验教训。

> 小贴士：一天到晚，你摄入的热量除了为自己的身体之外，还要为了孩子。正因为如此，极为重要的一点便是在哺乳的同时维持自身的食物摄入量，吃饭绝对不能东一口西一口地凑合。饮食要健康均衡，多吃一些富含蛋白质和碳水化合物的食物。此外，由于孩子需要从你身上吸取分泌的液体，所以你每天务必要饮用 16 杯水，此乃推荐饮水量的两倍。

解决母乳喂养过程中所遭遇难题的对策

困　难	症状	对　策
乳房肿胀：乳房充满液体，有时为乳汁，然而有时则是多余液体——血液、淋巴内的液体和水——淤积在血管终端。剖腹产手术之后，极易出现这种情况。	乳房坚硬、发热、胀痛；或许伴有流感症状——发烧、怕冷、夜汗，因为乳头发炎红肿，所以不易被宝宝衔吮。	用一块热湿布敷乳房；进行手臂挥动练习（掷球时的动作），每隔两小时完成五组，于哺乳之前进行，同时旋转你的胳膊和脚踝。假如 24 小时之内症状还没有减轻请咨询医师。
奶管堵塞：乳汁在疏乳管中浓缩凝结，并且持续呈松软干酪状的凝聚物。	乳房局部有肿块隆起，一碰就疼。	若不及时治疗就会引发乳腺炎(参见下文)。热敷乳房，在肿块四周按划圆圈的样子摩擦乳房、轻抚乳头。想象自己正尝试着将一块松软奶酪揉捏成乳汁状（仅仅是想象，你没有必要真得把乳汁从自己的乳房里揉挤出来）。
乳头疼痛	乳头或许有破裂感，一碰就疼并且/或者发红。若此症状长期持续且连续发作，则说明哺乳过程中和多次哺乳间隙，乳头上面起了水泡、灼热、流血和疼痛。	使用乳房哺乳最初几天较常出现，但当宝宝开始有节奏地吮吸乳头以后，这一系列症状就会随之消失。假设持续不适，就说明宝宝尚未学会正确地衔吮乳头。可以向哺乳咨询师寻求帮助。

催生素过量	由于会分泌出"情爱荷尔蒙"——性高潮时分泌出的激素，所以妈妈在哺乳过程中会犯困打盹。	无法真正有效避免，但哺乳期间应该注意休息，这或许可以很好地予以缓解。
头痛	哺乳过程中或哺乳刚刚结束之后出现，脑垂体腺分泌催生素和催乳激素所致。	若症状持续则寻求医疗援助。
皮疹	全身起疹，就像蜂房一样。	对催生素过敏。一般情况下推荐使用抗组织胺药(用于医治变应性反应的多种药物)，但在此之前先找大夫咨询一下。
酵母菌感染	乳房疼痛或者你感觉乳房里灼热发烫；宝宝的小屁股上可能出现菱形皮疹，带有红色斑点。	打电话给医生。你可以采用药敷的方法治疗感染。往宝宝的小屁股上涂点药油或软膏，但切勿往乳房上面涂抹，这有可能堵塞乳腺。
乳腺炎：乳腺出现炎症	在横穿双侧乳房处会出现一条明显的红线；乳房发热；跟患流感时的症状差不多。	立即找大夫诊治。

母乳喂养的两难：饥饿、吮吸欲，还是急速成长

不要忘记，作为一种对身体需求的满足，一天24小时中我们需要给新生儿喂将近16小时的奶，这一点尤其重要。尤其是一些选用母乳哺育的妈妈们，有时弄不清楚这究竟是婴儿"与生俱来"的吮吸欲望，还是真正意义上的肚子饿了。比如使用母乳喂宝宝的戴尔，在给我打电话咨询时，就道出了她的这一困惑："特罗伊看上去经常会肚子饿，所以他只要一哭，我就把他抱在怀里喂奶，他大约吃3分钟，然后就睡着了。因为害怕他没有吃饱，我就尝试着叫醒他。"她的孩子当时三个月大，体重为9磅，我由此判断特罗伊不可能患有营养不良，而是戴尔的判断出现了错误，她一直把孩子先天具有的吮吸能力误以为肚子饿了想吃奶，即使一小时前才刚刚喂过他。孩子躺在她的胸前吃着奶睡着以后，她便拨拉和轻抚他，但还是不能使其再多喝几口，于是她将宝宝放下不再抱他了。问题是二三十分钟过后，宝宝已然经历了一个

睡眠周期(参见第六章宝宝的睡眠)。当她不再怀抱宝宝时,小家伙很可能会在刚刚进入眼球速动睡眠期间(REM sleep)时被唤醒。因为受到干扰,所以接下来他便希望通过吮吸的方式进行自我抚慰,而不是突然之间饥饿起来。因此,遇到这种情况时,妈妈完全可以坐下来,静候着下一个睡眠周期的到来。

这个事例反映出了一个问题,并且是一个较为普遍的问题——戴尔在毫不知情的情况下,无意间把特罗伊调教成了一个"爱吃零嘴、爱开小灶"的孩子了,而在这场母子交战中自己必定为战败方。不妨想一想:你不会在两顿正餐之间再给刚刚学会走路的宝宝吃饼干甜点吧,这是一样的道理。如果婴儿的小嘴一天到晚都闲不住,他就不会正儿八经地好好吃饭了,是吗?每隔1小时或1个半小时就喂他一次,他也不会好好喝奶了。使用奶瓶喂宝宝时,这种情况不常发生,因为妈妈能够真真切切目测到小家伙究竟摄入了多少盎司的乳汁。尽管如此,无论采用哪种喂奶方式,一旦孩子步入正轨,一旦喂奶工作能够有规律地按照每隔3小时进行一次,那你就会知道宝宝其实已经吃饱了,你就不太可能会在给孩子喂奶的时候把他弄醒,因为他正在获取足量的睡眠呢。

运用你的常识

尽管我向你推荐一种预先规划的规律性喂奶计划,但我的意思并非让你丢下进食两个小时后又饿哭了的宝宝不管,不给他喂奶。其实在成长凸显期,他/她需要摄入比平时稍多的乳汁。我是说,假如喂奶挺符合规律,能够按预定的时差如期进行,那宝宝就会很香甜地喝奶,而且其肠胃功能也会运转得很好。

这也不意味着,因为宝宝长得太快而需要你更多的爱抚,或者更多的进食,你应该学会控制。我想要表达的意思是,本人讨厌看到宝宝们因为自己的妈妈和爸爸有想法却未能立即付诸行动而难过的样子。宝宝养成不好的习惯,责任在其父母,而不是小家伙的过错。因此,如果从此刻开始,你能够运用自己的常识,就可以避免让自己的宝宝再次遭遇伤害和不幸了(有关破除坏习惯的详细介绍,参见第九章)。

现在让我们关注另外一种情形,它同样会让使用母乳喂养的妈妈感到困惑——急速成长。例如,你一直都依照相对固定的频次,每隔2.5~3小时给宝宝喂一次奶,但突然之间宝宝看上去格外饿,好像从早到晚都能要奶似

的。他很有可能正在经历急速成长期,这会持续一两天的时间,期间,婴儿需要摄入比平日更多的食物。通常,急速成长期每隔三四周就会出现一次。细心观察,你将发现这种整日的大吃大喝最多持续 48 小时,在此之后,宝宝会再次回归 E.A.S.Y.模式的正常轨道。

无论做什么,你都不要将宝宝急速成长误当做自己的乳汁分泌量减少或彻底干涸。事实上,你的宝宝每天都在成长,他的需求会随之发生改变,且其吮吸欲望的增长自然会向你的身体传输信号:"分泌出更多的乳汁吧!"令人不可思议的是,身体健康的妈妈体内能够分泌出足量乳汁,供宝宝摄饮。如果选择用奶粉喂养,你一直都是每隔 3 小时给宝宝喂一次奶,但小家伙突然之间看上去比平常饿,那你只需为其提供更多的食物即可,所有使用母乳哺育的妈妈,也都可以使用这种方法应对。此外,使用单侧乳房哺乳的妈妈们,当宝宝将你一侧乳房内分泌的乳汁吮吸干净后(这种情况通常发生在他的体重增至 12 磅时),你只需要换用另一侧乳房,这样就可以满足宝宝对乳汁的全部所求了。

倘若你的宝宝只在晚间时分看上去特别饿,那这很可能不是急速成长,而是表明他体内热量不足,此时你就需要调整此前制定的 E.A.S.Y.模式,以便为宝宝提供更多的热量,这个时侯使用"集中喂养"可是个不错的选择(参见第九章)。

小贴士:清晨时分,在好好休息了一整夜之后,乳汁中的奶脂含量最为丰富。如果你的孩子在晚上看似特别饥饿,那不妨在早上储存一些奶脂含量丰富的乳汁,以供宝宝晚间饮用。这样做会为你的孩子提供所需的额外热量,你和你的老公晚上也不用再为喂孩子吃奶而忙碌了,并且最重要的是,这可以打消你内心的疑虑——"我的乳汁能让孩子喝饱吗?"

有关奶粉喂养的基本常识

不管你有何理由,不管你曾阅读过相关读物,还是做过调查研究,只要最终是你自己决定选择使用奶粉喂养宝宝,就没什么问题。你绝对有权利选

母乳喂养中遇到的麻烦		
发生的状况	为什么	如何解决
"我的宝宝经常在吃奶时扭动身体。"	若发生在不到四个月大的宝宝身上，这或许意味着他想大便。他不可能一边吃奶，一边排便。	不要再继续把他抱在胸前，将其放在你的膝盖上让他排便，排便结束后再继续哺乳。
"他经常在吃奶时睡着了。"	宝宝体内的催生素含量可能过高(参见前文中母乳成分表)，或者他爱吃"零食"，而非真正肚子饿了。	想要唤醒昏睡中的宝宝，请参见前文中给出的饮食小窍门。但同时也不妨自问一下："宝宝的日常生活有规律吗？"这是判断他是否属于真正饥饿的最佳方法。如果每隔1小时就要吃奶，那有可能是在"加餐"，而不是正儿八经在填饱小肚子。引导他施行E.A.S.Y.模式吧。
"小宝宝总是用他的小嘴拨弄我的乳头。"	有可能是你的乳汁流速过慢，他等得有些不耐烦了。如果与此同时他还把腿蜷缩至胸前，那可能是呼吸困难，又或者是他根本不饿。	倘若这一情形反复出现，那很有可能是因为你的乳房分泌乳汁的速度过慢。提前做好吸奶工作。倘若是呼吸困难，那就参见试用第九章中介绍的解决方法。要是这些方法都不奏效，那他的心思很可能根本没在吃奶上，别再把他抱在胸前了。
"宝宝看上去好像忘记怎么衔吮乳头了。"	所有的宝宝，尤其是男性婴儿，有时会出现"遗忘"症状——他们的注意力不集中。也可能表示宝宝饿过劲儿了。	将你的乳头送入宝宝的小嘴中，让他含吮片刻，以便吸引他的注意力并提醒他如何吮吸，然后快速把他抱到胸前。如果宝宝太过饥饿，而且你自知乳汁分泌速度不快，那就在让宝宝衔吮你的乳头之前，预先做好吸奶准备。

择用奶粉喂养自己的宝宝。伯妮斯几乎读遍了手头上所有的资料，其中包括一些复杂难懂的医学报告，她对我说："特蕾西，假如我是个软弱的人，那肯定早就陷入内疚的深渊了。因为我对奶粉的了解，有些甚至连保育员都不知道。他们没有办法不尊重我的选择。但我还是为那些不能像我一样坚定的妈妈们感到惋惜。"尽管你有可能不需要，但是与那些批评奶粉喂养的人们进行抗争的最佳武器就是用事实说话。

选择奶粉要阅读配方——时下有大量不同类型的奶粉供你选择，这些奶粉无一例外都是经由 FDA 美国食品及药物管理中心的精细检测之后批准上市的。一般来说,奶粉的基本成分不是牛乳就是大豆。就我个人而言,尽管两者都富含维他命、铁和其他营养成分,但是比起那些以大豆为主要配料的奶粉,我更偏爱以牛乳为主要成分的。两者的区别在于,牛乳奶粉中含有奶油,而大豆奶粉内含菜油。尽管以大豆为基本成分的奶粉中,既不含动物蛋白质,也不含乳糖,据称这两种物质都会引发腹部绞痛和某些过敏症状,但我还是首先推荐你选用以牛乳为主要成分的奶粉,因为没有任何绝对证据证实,以大豆为基本原料的奶粉可以有效避免上述症状。除此之外,以牛乳为主要成分的奶粉中含有一些大豆奶粉中所不具备的营养成分。至于你担心选用奶粉会导致宝宝起皮疹或呛入气体,那不妨想一想即使选用母乳喂养这也是在所难免的,这些症状在通常情况下并非什么不良反应。尽管如此,一些较为明显的症状,如投射性呕吐或腹泻,可能要算作恶性反应了,应该予以重视。

存 储 奶 粉

生产厂家会在其出品的奶粉——有粉状的、浓缩液型的或更为便捷的即开即饮的罐装奶粉上标注日期。尚未开启的罐装奶粉没超过最终食用期之前均可被贮藏。尽管如此,一旦用水将其稀释在奶瓶里,那无论你选用的是哪种奶粉,最多也只能存放 24 小时。多数制造商不提倡对奶粉实行冷藏,如同不赞成使用微波炉加热母乳一样。这样做,就算不会改变奶粉的组成成分,液体受热后也会变得不再均匀,而且有可能烫伤婴儿。宝宝一次没有喝完的奶就不要再继续饮用了。为了防止浪费,在新生儿的胃口尚未出现明显增长之前,每次只给你的孩子选用容积为 2~4 盎司的奶瓶冲奶。

挑选与你的乳头形状最相似的奶嘴。 市面上出售许多各式各样的奶嘴——扁平的、窄长的、短的、圆润的,均配之奶瓶进行销售。一直以来,我都推荐你为刚刚出生的婴儿选购哈伯曼奶瓶。这种奶瓶的末端带有阀门,只有在婴儿用尽全力吮吸之时才能喝到奶汁,这与吸吮乳房极为相似。相比其他也能够用奶嘴较好地调控奶液流量的奶瓶,唯独使用哈伯曼奶瓶时,奶液才会依靠重力的作用,而非宝宝小嘴的吮吸力流出来,从而起到调控奶液流量的作用(参见后文中"混淆奶嘴的误解")。虽然比其他喂奶工具稍微贵了一些,但通常情况下我都建议不满四周大的宝宝选用这种喂奶器。从出生后的第二个月起,换用奶液流速稍慢的奶嘴,第三个月起更换新的奶嘴,第四个

月起一直到宝宝断奶为止,为其选择中等流速的奶嘴。除了需要考虑奶液的流量和流速,假如你打算同时使用母乳喂养和奶粉喂养两种方式,那十分重要的一点就是挑选与你自己的乳头形状最为相似的奶嘴。比如要是你的乳头扁平,那就尝试选用德国产 Nuk 品牌的奶嘴,倘若你的乳头较为坚挺,那么哺儿适(Playtex)、新安怡(Avent) 或者 Nunchkin 品牌的奶嘴可能会是你最合适的选择。

前不久我去拜访了艾琳,一个选择使用母乳喂养的妈妈,当时她正盘算着回到工作岗位上。她购置了八种不同类型的喂奶工具,但小多拉拒绝使用其中任何一种。"她把奶嘴含在嘴里,要么咬住不动,要么嚼来嚼去,"艾琳抱怨说,"每次给她喂奶就像做了一场噩梦一样。"我心想,如若真如其所言,那岂不是有太多的噩梦在等着她吗,因为平均每天她都会给孩子喂 8 次奶。于是我对她说:"先让我看看你的乳头,然后咱俩外出采购。"我们出去购置了跟艾琳乳头形状最为相似的一款奶嘴。接下来的几天,多拉在喝奶时还是有些难为她的妈妈,不过喂奶总算比以前容易了,比起另外八个预先购置的奶嘴来说,选用与妈妈乳头形状接近的奶嘴,宝宝自然比较容易适应。

> ### 需要多大量的奶粉
>
> 与使用母乳喂养相比,如果选用奶粉喂养,其中所含成分不会发生任何改变。但可以理解的是,孩子一天天在长大,需要摄入更多数量的奶液。
>
> 出生~3 周:每隔 3 小时喂食 3 盎司
>
> 3 周~6 周:每隔 3 小时喂食 4 盎司
>
> 6 周~12 周:每隔 4 小时喂食 4~6 盎司(3 个月大时通常需要摄入 6 盎司)
>
> 3 个月~6 个月:每隔 4 小时增至 8 盎司

在购买奶瓶和奶嘴时,同样需要挑选一款带有旋盖的,以便更换使用。我见过一些喂奶工具着实吸引人的眼球,而且上面标注着各种各样天花乱坠的承诺保证——"胜似妈妈的乳房"、"自然倾斜"、"防止呛气"。在看这些广告的时候,可要擦亮眼睛,甄别一款最适合宝宝的产品。

首次喂奶切记要温柔慈爱——你在第一次将奶嘴放入宝宝嘴里之前,不妨先用奶瓶的奶嘴轻轻触抚她的嘴唇,直至她对此有所反应、张开小嘴为止。接下来,轻柔地把奶嘴滑放入她嘴里以便其衔吮。千万不要强行用力把奶嘴塞进宝宝口中。

不要跟那些采用母乳喂养的妈妈进行比较——较之母乳,奶粉需要更长时间被消化,这便意味着饮用奶粉的婴儿通常需要每隔 4 小时,而非每隔 3 小时进食一次。

第三种选择：母乳哺育和奶粉喂养并行

我的态度保持中立，对母乳哺育和奶粉喂养这两种方法都公正看待。在此基础上，我总会告诉孩子的家长，用母乳喂养总比不用强，哪怕只有一点点。有些母亲对我所言感到震惊，特别是那些之前咨询过提倡母乳喂养的医生或机构的妈妈们，她们的观点和立场是唯一的，认为两者之间只能选用一种方法哺育宝宝，二者不可兼用。

"两种哺育方法真的可以兼而用之吗？"孩子的父母问我，"既使用乳房喂宝宝，又使用奶瓶喂宝宝，这样做可能吗？"对此，我的回答自始至终都不曾改变过——"你当然可以这样做。"在这里，我还想说明一下，我这里所说的"兼而用之"一方面指既可以选用母乳喂养又可以用奶粉喂养，同时还可以指在仅有母乳的情况下既使用乳房喂养也使用奶瓶喂养。

不容质疑的是，有些妈妈必定会在选择之初就已然对某种喂养方法存在偏好。伯妮斯在怀孕期间进行了大量的调查，百分百坚定了自己最初的选择——使用奶粉喂养埃文。态度如此坚决，以至于她让妇科医生在第一时间内为自己注射了抑制乳汁分泌的荷尔蒙。与其相反，同样态度坚决的马格瑞特则选择使用母乳喂养宝宝。可是那些夹在两者之间的妈妈，又该怎么办呢？她们当中的一些人因为最初几天乳汁匮乏，不得不给宝宝喂食一些奶粉作为辅助。而还有一些女性，从一开始就选择使用奶瓶和乳房两种工具喂养宝宝，因为她们不愿意让自己的生活受到制约和限制。还有一类人，她们起初只选择了一种喂养方法，但后来又改变主意了，然而信不信由你，有时形势的变化往往会事与愿违。

混淆奶嘴的误解

因为担心婴儿"混淆奶嘴"，所以许多人不会同时使用乳房和奶瓶两种工具喂婴儿吃奶。我相信，这是一个误解。令婴儿感到困惑的可能是乳汁分泌或奶液流淌的速度，而这是能够予以修正补足的。比起用奶瓶吃奶的婴儿，那些通过吮吸乳房摄饮母乳的婴儿，能够调用舌部肌肉，而且他们可以通过改变自己的吮吸方式调整乳汁分泌流淌的速度。但是，使用奶瓶就无法做到这一点，奶液流量和流速由重力决定而非婴儿自身可以掌控的。倘若孩子使用奶瓶喝奶时出现呼吸困难的症状，那最好为其选用哈伯曼奶瓶，因为它只有在孩子用力吮吸时才会流出奶液。

自出生起一直使用乳房喝奶的婴儿,如果还不满三周大,那相对而言还是比较容易让他改用奶瓶喝奶,反之亦然,又或让他交替使用两种方法喝奶。但三周之后,喂养方法上的改变,不管对妈妈来说,还是对宝宝而言,都会变得相当艰难(参见下一表格)。正因为如此,假使你还在为是否仅对宝宝实行母乳喂养一种方法而举棋不定,那不要忘记:一味观望还不如及早行动。

让我们彼此分享一些事例,看看其他的妈妈是如何在两者之中选择最好的方式。

卡莉:需要辅助性的喂养——特别是那些接受过剖腹产手术的妈妈,她们在生产后的最初几天里,可能无法分泌出婴儿所需要的乳汁。缓解产后疼痛较为常见的做法就是为其滴注吗啡,而这会让产妇全身出于"停工歇业期",尽管妈妈自己并未感觉到体内的乳汁已经停止分泌不再流淌了。这种情况会引发悲剧,在继续使用母乳喂养孩子的时候,孩子可能将在接下来的几周严重脱水,更有甚者会因为营养不良而夭折。宝宝虽然在含裹乳头,但什么都喝不到,而妈妈对此却毫不知情。由此可见,查看婴儿尿液和粪便,以及每周为孩子称量体重的做法多么重要。

不幸的是,许多妈妈还不知道,剖腹产后需要等待一周时间,自己的身体才开始分泌乳汁,因此无论你的哺乳姿势多么地正确,无论宝宝衔吮乳头的动作如何规范标准,只要妈妈体内尚未开始分泌乳汁,那宝宝就谈不上茁壮成长。住院期间,当保育员前来通知妈妈需要给婴儿输入葡萄糖溶液,或给宝宝喂辅助性的奶粉时,她或许会推三阻四:"不要给孩子喝奶粉!"她曾经听说辅助添加性质的喂养会"破坏"其自身分泌的乳汁。事实上,亲爱的妈妈们,在你还没有能力分泌足够乳汁之前,别无其他选择。

即使给宝宝喂的是奶粉,我无论如何都会让前来接受训导的妈妈把孩子抱在胸前哺乳,因为婴儿的吮吸动作有助于激活妈妈的乳腺,这是使用吸奶器做不到的。孩子一吮吸你的乳头,你的大脑便会接受分泌乳汁的信号,而人工机械地将乳汁吸出体外只会将贮存在输乳管窦中的乳汁抽空。因此在给婴儿喂食奶粉的同时,你还需要坚持做到每隔 2 小时吸乳一次,以便促进乳汁分泌和流淌。就拿卡莉来说,她通过剖腹产手术诞下一对孪生男婴,产后的最初三天,身体没能分泌乳汁。由于宝宝的血糖指数偏低,我们便直接给他们喂奶粉,但卡莉仍然需要把孩子怀抱在胸前哺乳——每隔 2 小时哺乳 20 分钟——然而与此同时,我们还会给孩子喂食 1 盎司的奶粉。

给孩子喂完奶以后,妈妈还需要使用吸奶器一小时。产后的第四天,卡莉开始分泌乳汁了,我们便不再像之前那样给小家伙喂 1 盎司奶粉,而改喂 0.5 盎司。千万别误解,这样做会让孩子的妈妈精疲力竭。难怪在使用吸奶器的第三天晚上,卡莉无法自制地把吸奶器从房间的一头扔到了另一头。当时,宝宝的爸爸和我眼睁睁地目睹了她的这一情绪失控现象,一番感情宣泄之后,一切还得照旧。直到第五天,这对双胞胎兄弟才停止摄食奶粉,完全改用母乳喂养了。

弗丽达:不愿使用母乳喂养,但还希望宝宝能够喝上母乳——正如前文中我所提到的那样,因为担心自己的体形,尤其是在意乳房的形态,有些妈妈拒绝使用母乳喂养的方法,但她们却知道并了解母乳有益于宝宝的身体健康。比如弗丽达,仅在最初的几天使用乳房给宝宝喂过奶,但她这样做也仅仅是为了刺激乳汁分泌和流淌而已。在此之后,一直到宝宝快满月时,她都一直采用吸奶的方法,那时,她体内的乳汁也快没有了。我也知道一些代孕母亲(代替不孕女子生孩子的女性)会将自己的乳汁挤出来并冷藏好,然后通过快递送至宝宝的养母手上。无论属于哪一种情况,单凭吸奶这一种方式还无法使母乳持续分泌长达五周以上时间。

凯瑟琳:考虑家庭和睦——在怀第三个孩子的时候,凯瑟琳就已经决定对这个即将出世的宝宝实行母乳哺育,在此之前,她使用母乳哺育了前两胎宝宝——现年 7 岁的珊努和 5 岁的埃里克。在医院时,史蒂文没费什么劲就能衔吮妈妈的乳头,可一回到家里,凯瑟琳就再也招架不住了。她面临的最起码的困难,就是每天没有足够的时间用母乳喂养史蒂文,无奈之下妈妈不得不换用奶粉喂养宝宝。大约两周过后,她实在别无他法了,只好打电话向我求助:她盼望着能尽快与史蒂文形成一种亲密的关系,类似于她通过母乳喂养与两个姐姐之间建起来的那种亲昵感,然而所有人都告诉她为时已晚。除此之外,她真切感受到就母乳哺育这一问题引发的争议,已经影响到了家庭生活。"我真正渴望做的是,"凯瑟琳向我吐露,"每天两次使用母乳喂养宝宝,一次是在她清晨睡醒之时,一次则是在另外两个孩子放学回家时。"我向凯瑟琳解释说,乳房其实奇妙无比。如果你一天只是两次使用它给宝宝喂奶,那它只会分泌出满足这两次喂食使用的乳汁数量。要想再次哺乳,让已中止分泌的乳房重新分泌乳汁,凯瑟琳其实只需做好吸奶的准备工作就可以了,每天两次让史蒂文吮吸自己的乳房,六次用吸奶器吸奶就可以了。刚开始的时候,就算史蒂文能够从她的乳房里吸到一些乳汁,但凯瑟琳还是会辅助性地给宝宝补充喂食一些奶粉。直到第 5 天,小家伙在吃完奶之后才显露出比以往更加心满意足的神情,而且通过使用吸奶器,她发现自己可以再次分泌乳汁了。类似凯瑟琳的这种情况,一旦乳汁得以重新分泌,她就无须继续使用吸奶器了。后来,凯瑟琳如愿以偿地跟宝宝建立起了她所盼求已久的亲昵关系,而其采用的方法也并未对其他家庭成员产生不利的影响。

维拉:重返工作岗位——如果妈妈打算重新去工作,那她便不得不提前挤出母乳或改用奶粉喂宝宝。有些妈妈提前一周就会尝试使用奶粉喂宝宝,每天 1~2 次。然而,倘若宝宝之前从未使用过奶瓶,那我建议你提前三周就开始试用。举个例子,维拉在一家大型工业联合体(建有工厂等的场地)从事文秘工作,因此不能继续呆在家里,所以她选择在清晨时分对宝宝进行母乳喂养。白天不在家时,就给宝宝喂食奶粉,如果白天在家,她还是会采用乳房喂宝宝。晚上喂宝宝吃奶的任务,一般交由其丈夫完成。

当妈妈希望拥有更多可供自己支配的时间, 或者当她想外出旅行时,同样会面临类似的问题。一位在家工作的妈妈,如一个画家母亲或者一个作家母亲,也有可能希望提前把母乳准备好,到时候只要委托保姆给宝宝喂奶就行了。

> **小贴士:**在职母亲不管选用什么方式喂养宝宝,她所面临的最大问题就是辛苦和疲惫。在生产完前几周,减轻疲劳的一种方法就是,将星期四当作开始,而不是星期一。

简: 手术使其无法使用母乳喂养宝宝——因为身患严重疾病或接受过手术治疗,从身体健康的角度看,这样的妈妈一般不宜继续使用母乳喂养宝宝。遇到这种情况,世界健康组织建议你求助于其他哺乳期的妈妈向你捐献母乳。不过让我告诉你,这仅仅是个美妙的幻想而已。在宝宝仅 1 个月大的时候,简获知自己不得不住院接受手术治疗,这样一来至少要与宝宝分别三天。我给所认识的身处哺乳期的母亲们逐一打电话,26 人中只有 1 人愿意向其提供自己的母乳,然而数量也只有 8 盎司而已。如果换做你,大概也会认为我是在讨珍贵的黄金,而非母乳!后来,事实证明简完全可以挤出足量的母乳供宝宝饮食,但尽管如此,她还是会给宝宝补充一些奶粉。请相信我,她们的经历绝对算不上是最糟糕的。

实 现 转 变

在最初的三周里,宝宝较容易改变,容易适应使用乳房喝奶与使用奶瓶喝奶之间的转换。尽管如此,假设你一味等待,那么转换很有可能变得越来越困难。之前使用乳房喝奶的婴儿,一开始不愿意换用奶瓶吃奶,这是因为他的小嘴唯一可以感知和预期吮触的是人体的肌肤。改将奶嘴放入口中,他有可能会用舌头绕来绕去,而且也不知道如何衔裹或吮吸。反之亦然。如果孩子不习惯吮吸妈妈的乳头,那他一开始也会本能地不知道如何衔吮奶嘴。

此前接受母乳哺育的婴儿,通常会发动"罢工",拒绝在白天的时候吃奶。等到下班回家,妈妈会盘算着在睡觉之前用乳房好好给宝宝喂一次奶,以弥补白天所缺,宝宝也在心里打着自己的小算盘。内心装着鬼点子的小家伙,会搅得妈妈彻夜不得安宁,经常会吵醒妈妈,试图弥补白天没喝着的奶。他才不管是白天还是晚上呢,他饿了,只想吃奶。

对此,你该做些什么呢?连续两天坚持不让宝宝吮吸乳头,只让他用奶瓶喝奶(如果你希望宝宝换用乳头,而不再使用奶瓶喝奶,那就接连两天不让他吸吮奶嘴了)。不要忘了,婴儿总归还是喜欢重新使用原来的喝奶方法。不管你的孩子习惯于母乳喂养还是奶粉喂养,一旦在他的大脑中形成记忆,那他便没有理由轻易将其放弃而改用他法。

明确一点:实现喂奶方法的转换可不容易。你的宝宝会有沮丧挫败感,而且会经常哭闹。他企图对你说:"你到底往我嘴里塞了什么东西啊?"在喝奶的时候,他甚至会大口吞咽,且发出噼噼啪啪的声响,特别是在换用奶瓶喝奶以后。这是因为他不知如何操控从橡胶奶嘴里喷射出来的奶液。再次提醒你,哈伯曼奶瓶可以有效地解决这一问题。

是否进行安抚——每个母亲都会面临的问题

安抚奶嘴自发明以来已存世好几百年了,当然自有其存在已久的道理。刚刚出生的婴儿唯一能够掌控的身体部位就是他的嘴了。他之所以吮吸,是希望得到口感上的刺激。在过去,母亲们为了满足宝宝这种口感上的刺激,会往他们嘴里塞入碎布头,更有甚者,会把瓷质瓶塞放入宝宝口中。

我们无需对安抚奶嘴持有负面偏见,现如今针对其引发的争议有的是因为使用方法不恰当。如果不能正确地使用,那安抚奶嘴就会变成我所说的依赖物。婴儿对其形成依赖,完全依靠它实行自我安抚。而且就像我前文提及的那样，倘若父母做不到暂缓行动和悉心聆听自己孩子的真正所需，而直接把安抚奶嘴塞进宝宝嘴里，那他们很可能会把宝宝培养成不能开口说话的小哑巴。

为了向宝宝提供足够的吮吸时间，为了能让他们在晚上睡觉或日间小睡之前安静下来，或者有时为了晚上少给他们喂几次奶（我将在第六章中详细介绍），我个人喜欢在其出生后的前三个月使用安抚奶嘴。但三个月之后的婴儿可以更好地支配控制自己的小手，也就可以借用自己的手指或拇指进行自我安抚了。

有关安抚奶嘴的神奇故事很多很多。比如，有些人认为如果为宝宝选用安抚奶嘴，那他就不知道如何吮吸自己的拇指了。这简直是一派胡言！我敢肯定，你的宝宝会逐步把安抚奶嘴淘汰掉，最后还是会吮吸他自己的拇指。我的女儿索菲就是这样的，在放弃使用安抚奶嘴之后又持续嘬了六年大拇指。随着年龄的增长，她只在晚上睡觉的时候吮吸自己的大拇指。噢，对了，忘了告诉你了，她的牙齿并未因此坏掉！

在选购安抚奶嘴时，套用与购买奶嘴时相同的原则：选择宝宝易于适应的形状。现在，市面出售的安抚奶嘴多达三十几种，类型各有不同。面临如此多样的选择，妈妈们一定能够挑选出一款与你的乳头形状最为相似、与你使用的奶瓶最为匹配的塑料奶嘴。

吮吸手指值得称道

吸吮手指是一种重要的刺激口腔、自我安抚的行为。即使孕育在子宫里的宝宝们，也会吸吮手指。在降临人世之后，他们便开始在夜里吮吸拇指或其他手指，通常在身边没有人的时候。问题是，你对吸吮手指抱有成见。或许你在孩提时代曾经因为吃手指受到过责备。父母可能为此打过你的手，并且说这是个"不好的习惯"，又或批评过你（或者其他人）"这种行为很讨厌"。我还听说，有的父母为了不让孩子吸吮手指，竟然给宝宝带上连指手套，或者在他们的手上涂抹难闻的液体饮料，更有甚者把宝宝的胳膊固定住，想方设法不让宝宝吮吸手指。

事实是，无论你喜欢与否，吮吸就是宝宝的行为特征，对此我们应该予以鼓励，要客观看待才行。不要忘记，这可是你的宝宝能够掌控自己身体和情绪的最初征兆之一。当他发现自身长有手指，而且吮吸手指能够改善自己情绪时，一种不可思议的掌控感和成就感便会油然而生。安抚奶嘴的功效大致如此，两相对比有所不同的是，它由大人操控而且经常容易丢失。然而，一个人的拇指每时每刻却都长在他身上——你可不要死钻牛角尖——宝宝如果想把它们藏起来，你自然也不容易找到。我向你保证，一旦她做好准备，最终可以摆脱对手指头的依赖，我的女儿索菲就是个活生生的例子。

别喝了，宝贝，断奶吧！

断奶指两方面事情。与大众普遍持有的错误认识不同，断奶并非指不再饮用母乳。相反，它指的是一种所有哺乳动物都会经历的普遍自然进展：由摄饮母乳或奶粉之类的液体食物过渡为摄食固体食物。通常情况下，宝宝根本无须立即断绝母乳。在你逐步给宝宝喂一些固体食物时，他摄饮母乳或奶粉的数量会相应缩减，因为他们身体所需要的营养已经能够通过摄食其他食物得以满足。事实上，一些宝宝在大约8个月的时候就放弃母乳了，妈妈只需要给他们预备一只小杯子。当然也有一些婴儿对这一改变较为排斥，还想继续躺在妈妈的怀里吃奶。一岁大的特雷弗就是这种情况，尽管爸爸妈妈都已经做好给他断奶的准备了。我告诉孩子的妈妈艾琳一定要态度坚决，当特雷弗拉扯她的T恤要奶吃时，务必要坚定地对他说："不可以，宝贝！"小家伙拉扯妈妈的衣服，吵着要奶喝，也就是几天的事情，过了这段时间就好了。我曾经警告过孩子的妈妈爸爸："你总归要让他难受几天，当然了，孩子总是会缠着你要吃奶。毕竟他吃母亲的奶已经一年了，而且从未用过奶瓶。"尽

怀抱礼节

四个月大时，婴儿的小手就开始不老实了，而且他们会扭动脑袋和身体。在喂奶的时候，他们会伸出小手抓弄你的衣服或项链，而且只要够得着，他们还会用手指戳弄你的下巴、鼻子或眼睛。随着一天天长大，他们可能会养成一些不好的习惯，一旦形成就不好改了。正因为如此，你才应该当机立断纠正宝宝的坏习惯，我称之为"怀抱礼节"。你一定要态度坚定且又不失温和，要让宝宝知道你的忍耐力有限。尽量找一个僻静处喂奶，便于集中宝宝的注意力。

应对胡乱摸索：抓住他的小手，轻轻将其从你的身上移开，或者制止他抓摸物品的行为。冲着他说："妈妈不喜欢你这样做。"

克服注意力不集中：最为糟糕的情形莫过于宝宝在喝奶时注意力不集中，而且总想着把小脑袋扭至另外一侧……可此时妈妈的乳头还含在小家伙的嘴里面。遇到这种情况，先把他们的小嘴从乳头上移开，同时告诉他们："妈妈可不喜欢你这样。"

避免咬：当宝宝开始长牙时，几乎每位妈妈都被他们咬过。这种情况应该避免再次发生，仅此一次而已。别在意自己的做法是否妥当，当即予以制止，并对他说："哎哟，你咬疼我了。不许再咬妈妈啦。"通常情况下这么做就可以，不过如果小家伙还再咬你，那就别再继续把他抱在怀里了。

制止拉扯T恤的行为：那些刚刚学会走路但仍在喝母乳的宝宝，有时为了得到抚慰会这么做。你只要对他们说："妈妈不想让人把T恤掀起来，不要拉扯了。"

管如此,孩子在几天内就妥协了,很高兴地使用小杯子进食。还有一位名叫阿德里安娜的妈妈,在苦苦等待了两年之后,才对自己的儿子说:"不可以了,宝贝。"多数情况下,责任不在孩子身上,是阿德里安娜自己不愿意放弃,她一直都很享受母乳喂养带来的那种母子亲密感(我将在第九章详细介绍有关阿德里安娜的故事)。

大多数儿科医生都会建议,等你的宝宝长到 6 个月大的时候再给他们喂固体食物。我同意这一点,除了一些肥大儿(4 个月时体重便达 17~24 磅)或者患有胃肠疾病——一般是因消化不良引起的胃部灼热的婴儿。6 个月大时,你的宝宝需要通过摄食固体食品来补充体内的铁元素,因为此时他们体内的铁元素已经大量流失了。与此同时,他的吸吮反射——一种被外界物体(比如乳头或勺子)触碰后便会伸出舌头的本能反应能力,此时也已退化消失,所以这时最好能够让宝宝吞咽一些糊状的固体食物。除此之外,6 个月大的婴儿已经可以掌控自身头部和颈部的活动了。你的孩子此时已经能够做出向后依靠和扭头的动作,以此告知你他对某事某物不感兴趣,或已经受够了某种外界刺激。

只要你能够遵照如下三条重要原则,让宝宝断奶其实会变得非常简单:

◎ 刚开始只给宝宝喂食一种固体食物。我偏爱梨这种水果,因为它容易消化。不过,如果你的儿科医生推荐诸如大米麦片粥之类的其他食物,那当然也可以。每天两次给宝宝喂食你为他们选择的新食物,两周之后改换另外一种固体食物。

◎ 每次给宝宝换喂新食物都趁早餐时进行。这样可为你留出一天的时间,观察宝宝在饮用新食物之后是否会出现类似皮疹、呕吐或腹泻等不良反应。

◎ 切勿将不同食物掺杂在一起喂给宝宝吃。做到这一点,便可以有效避免宝宝对某一特殊食物产生过敏反应。

在下面"最初 12 周"的图表中,我详细列举了一些食物和喂食的具体时间。等宝宝长到 9 个月时,我会在食谱中加入鸡汤,把它拌在麦片粥里增加口感,尝起来基本类似于肉酱的味道,或者我会在家里自己动手制作蔬菜泥。不管怎样,我都建议你等孩子一岁大以后再往他们的饭食里添加肉类、鸡蛋或者全脂牛乳。当然,你的儿科大夫有权对此做出决定。

永远不要强迫婴儿食用某些他们不愿意吃的食物。不论对宝宝还是对全家人来说,吃饭都应该是件令人愉悦的事情。正如我在本章开头所言,饮食乃人类生存之本。假如我们足以幸运,那便可以从关爱我们的人那里体会并享受优质食物的美味和质感。此种对美食的品尝从婴儿时期就已经开始了。对食物的热爱是你能赐予宝宝的最美好的礼物。无独有偶,健康均衡的饮食还可以给予她安然度过一整天所需的能量和体力。阅读下一章你将会了解到,这对身体处在成长期的宝宝来讲至关重要。

断奶:最初 12 周

下面给出的这张为期 12 周的饮食安排表,是针对 6 个月大且处于断奶期的婴儿设计的。你还可以像往常一样在清晨时分给孩子喂奶,使用母乳或奶粉都可以,两个小时后再喂他们吃"早餐"。"中餐"不妨在午间进行,而"晚餐"则可于傍晚时分进行。早餐和晚餐都给宝宝喂食母乳或奶粉。不要忘记每个孩子的情况都各有不同,请教你的儿科医生之后再行确定最适合你孩子的食谱。

星期(周数)	早餐	午餐	晚餐	说明
1(6 个月大)	梨 2 茶羹	母乳或奶粉	梨 2 茶羹	
2	梨 2 茶羹	母乳或奶粉	梨 2 茶羹	
3	果汁 2 茶羹	母乳或奶粉	梨 2 茶羹	
4	番薯 2 茶羹	果汁 2 茶羹	梨 2 茶羹	
5 (7 个月大)	燕麦片 4 茶羹	果汁 4 茶羹	梨	为满足宝宝需求可加量
6	燕麦片和梨各 4 茶羹	果汁 8 茶羹	燕麦片和番薯各 4 茶羹	这时,你可向宝宝提供多种食物
7	梨 8 茶羹	燕麦片和果汁各 4 茶羹	燕麦片和梨各 4 茶羹	
8 (8 个月大)	香蕉	从此时起,你可以将前面提到的多种食物混合搭配喂给宝宝吃,如下所示,每周往宝宝的食谱中添入一种新食品,每餐喂食 8~12 茶羹。		
9	胡萝卜			
10	豌豆			
11	绿豆	你可以继续将不同的食物混合喂给宝宝吃,每周向宝宝的食谱里添加一种新食品,每餐喂食 8~12 茶羹		
12(9 个月大)	苹果			

第五章

活动（A）——醒来闻闻尿布

婴儿和儿童也会进行思考、观察和推理。他们会考虑证据，得出结论，进行试验，解决问题并且探索真理。当然，他们并非像科学家那样有意识地进行研究，而且他们所要尝试解决的问题也都是日常生活中关于人、物和文字之类的问题，并非关于行星和原子之类高深莫测的难题。尽管如此，即使最幼小的婴儿，也了解一点这个世界，并且在积极地探索更多知识。

——摘自《摇篮里的科学家》

清醒时分

对新生儿来讲,每一天都充满了奇迹。自从在母亲子宫里形成之日起,他们的成长速度便越来越快,如同其探索和享受身边世界的能力与日俱增一样。不妨想一想:你的孩子在一周大时比出生时已经成长了7倍;满月时较之出生首日的成长速度,快得可以用光年(计算星体之间距离的单位。光每秒钟的速度约为30万公里,一年内所走过的距离叫做1光年,约等于十万亿公里)来计量,依次类推下去。通过婴儿的日常活动,我们基本能看出这些变化来,在这里,我将婴儿的日常活动界定为:婴儿在醒着时从事的并且需要借助一种或多种感官开展和完成的任务(吃奶很显然也是一种活动,它会对婴儿的味觉形成刺激,但因为在上一章中已经讲过了,所以此处不再赘述)。

婴儿的感知能力、认识能力在子宫里时便开始发育。事实上,科学家们推断,婴儿在刚刚出生之时就可以识别自己母亲的声音了,这是因为他们以前听到过妈妈讲话,尽管在子宫里听上去微弱不清,但毕竟已经熟悉了。一旦降生,他们身体的五种感官就会依次得以强化:听觉、触觉、视觉、味觉和嗅觉。给婴儿换尿布或者穿衣服,帮他们洗澡按摩,令其盯着移动的物体看或抓握毛绒玩具,这些在你看来或许算不上什么活动,然而正是通过努力完成这些多样的行为,他们的各项感官才变得敏锐灵活起来,不仅如此,他们还开始自我认识并了解这个世界了。

近来,很多文章都在讨论最大化发掘婴儿潜能的方法。一些专家们建议,为了让婴儿获得率先起步的优势,自出生之日起不妨对婴儿的成长环境进行组织规划。很显然,父母是孩子的第一任老师,在对此深信不疑的同时,我反倒不太关心家长能否传授给婴儿知识,我更多地关注家长是否可以激发孩子与生俱来的好奇心,并且让他们懂得文明。换句话说,帮助他们理解世界的运行方式,教会他们与人沟通和交流。

为了实现这一目标,我会鼓励父母让他们把婴儿进行的每一项活动统统视为培育其安全感以及独立性的机会,这两个目标看似不相关,实则紧密相连。任一年龄段的孩子,心里越感到安全,就越有可能大胆冒险探求未知,也就越有可能在不依附他人援助或外界帮扶的情况下自娱自乐（除非他们身处危难之中）。如此一来，E.A.S.Y.模式中的A——活动环节便向我们提出这样一种似非而是的隽语：活动有助于我们约束婴儿，但同时也有利于我们为其上好第一堂关于自由的课。

你需要为婴儿做的事情比想象中的少，尽管如此，你也不能把这理解成可以将他或她搁在一边置之不理。这意味着你要力争达成一种均衡：一方面要给予孩子需要的指导和支持，同时还要尊重他按照自然发展的轨迹成长。其实就算没有你的帮助，只要没有睡着，宝宝都在聆听、感受、观察、嗅闻或品尝外界事物。特别是在出生后的最初几个月里，这段时间内他们对任何事物都感到好奇和新鲜（而有的婴儿则会对新奇事物感到恐惧），你工作的重中之重便是确保自己的孩子在每一次体验中都会感到舒适，获得足够的安全感，方可继续探索与成长，要想做到这一点就要创建我所谓的"尊重圈"。

勾画尊重的圆圈

无论清晨时分把宝宝抱出小床，给他洗澡，还是跟他玩躲猫猫（把脸一隐一现逗乐小孩的游戏），你都不要忘记婴儿也是一个独立的个体，也需要你的全情关注和真诚尊重，应该被赋予权利按照他们自己的意愿行事。记住这一点至关重要。我希望你能试着想像一下，假想自己在婴儿的四周画一个圆圈，一条虚幻的边界以便为其留出自己的私人空间。未经允许，切勿擅闯婴儿的"尊重圈"，进入之前首先要告知他们你的意图，向其解释你想要做什么。这听上去或许有些惺惺作态或傻里傻气，然而，不妨牢记你所面对的并非仅仅是个婴儿——他也是一个人。如果能将如下几条基本原则（我会在随后的内容中展开详细说明）牢记在心，那你就不用费劲且能自然而然地在宝宝活动时与其保持距离以示尊重了。

◎ 贴近婴儿。你在那一刻给予他全情投入的关注。此时是彼此融合的时间，所以注意力一定要集中。别再打电话了，心里也别老想着待清洗的衣物，又或牵挂必须完成但还没有写完的报告。

◎ 愉悦婴儿的感官功能，但避免过于强烈的刺激。我们国家的文化倡导超越极限和激情亢奋，然而父母无意之间就会激化这一问题，因为他

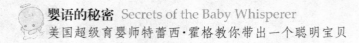

们没有意识到婴儿的感觉器官是多么脆弱，或者说不了解婴儿的实际承受能力(参见下表)。我这么说，不是要制止你冲着婴儿唱歌，不是让你不给他们播放音乐听，不是禁止你拿色彩鲜亮的物体哄他们，更没有让你不给他们买玩具的意思。我是说，最好在有限的活动中能集中精力多关注孩子。

◎ 设法让婴儿所处的环境有趣、愉悦且安全。你无需花费太多，便可做到这一点，只利用你的常识就能办到(参见后文)。

◎ 培养婴儿的独立性。乍一听上去，仿佛有点不合常理——一个婴儿怎么能谈得上独立呢？不，亲爱的家长朋友，我的意思并非让你收拾行囊离开孩子，不管他们。从表面看，他们自然无法一个人过活，但你从此刻起可以帮助他树立敢于挑战的信念、勇于探索的决心以及独立奋斗的意志。正因为这样，当宝宝玩耍时，悉心观察才永远不失为上策。

◎ 跟婴儿讲话时不要忘记双向互动，切勿只顾自己一个人说。对话的开展意味着双向互动，每当宝宝置身一项活动时，你要观察、聆听并且静待他的反应。假如他有意让你参与其中，那你自然应该毫不犹豫地加入。倘若他"希望"换换环境，那你一定要尊重他的这一意愿。要不然，就让他自己去探求。

◎ 参与并启发，但要赋予婴儿主导权。任何情况下，对宝宝都不要勉为其难。不要把他不感兴趣的玩具硬塞给他玩(有关这一问题的详细说明参见后文)。

从清早起床到晚上哄宝宝入睡的这段时间，你不妨牢记上述几项原则。不要忘记，包括你的宝宝在内的任何人，都应该被给予一定的个人空间。接下来，我会手把手指导你照看宝宝的一天，在此过程中，你会了解到这几项原则是如何得以贯彻落实的。

醒醒，小苏西! 该起床啦!

假设当你每天清晨还未从梦境中彻底醒来的时候，你的爱人就走进卧室一把掀起盖在你身上的被子，你又作何感受，你喜欢这种感觉吗？进一步

宝宝比你想象中更懂事

在过去的二十多年间,很大程度上感谢录像机这一神奇发明,婴儿研究者们借此探究了婴儿对事物的应对处理能力。我们曾一度视婴儿为一块"白板",现在我们了解到新生儿自降生之日起便拥有敏锐的知觉,而且具备一系列不断加快发展的能力,使得他们可以观察、思考,甚至进行推理。通过观察婴儿的面部表情,揣摩他们的肢体语言,跟踪其目光转移和吮吸这一生理本能反射(情绪激动兴奋时,宝宝吮吸的力度会有所增加),科学家证实婴儿的能力超乎我们的想象。下面列举了其中的一些科学发现;你将在本章中了解更多其他的科研成果。

◎ 婴儿可以分辨不同的影像。早在 1964 年,科学家们就已经发现婴儿无法持续盯着重复的影像看较长时间,而那些陌生影像则更容易吸引他们的注意力。

◎ 婴儿可以调控情绪。他们能够依据你声音的变化做出不同的反应,或发出轻柔的咕咕声或哭叫声,又或做出有节奏的动作。

◎ 3 个月大的婴儿会对事物有所预期。在实验室里,向婴儿展现一系列可视影像之后,他们能够发觉不同类型的差异,并会移动视线对下一个即将呈现的影像有所期待,这说明宝宝心存预期。

◎ 宝宝具备记忆能力。相关资料记录,5 周大的婴儿具备记忆能力。有一项研究,将一组早在婴儿时期(6 周~40 周)就曾接受过实验,如今刚刚学会走路的宝宝(几乎 3 岁大小)带回首次接受实验的实验室里,再次接受实验,尽管他们尚不会使用语言表达,但当再次被要求完成相同的任务(在有光和无光的环境里抓取物品)时,对实验内容的熟悉显示出他们对此前的经历存有记忆。

设想,除此之外他还冲着你大喊:"快点,该起床啦!"他这么做会不会吓着你?你会不会被他的这种所作所为激怒?如果父母不加注意,使用错误的方式开启崭新的一天,那宝宝跟你此时的感觉是一样的。

温柔地,安静地,且不失关怀体贴地于清晨时分跟你的宝宝打声招呼。我通常会哼着小调走到宝宝身边:"你早,你早啊,漫长的黑夜彻底过去,我们多么开心呀,早上好!"挑选一首你喜欢的小曲,最好是旋律欢快活泼的,只要歌曲内容能显示出此时是清晨即可。给你举个例子,像贝弗莉那样做也行,她选用了那首耳熟能详的"生日快乐歌",还是采用了原来的调子,只不过把里面的歌词改成了"祝你清晨快乐……"哼完早安小调后,我会说:"嘿,杰里米,昨晚睡得还好吗?能够再次见到你,我真得很高兴。你的小肚肚一定饿了吧。"我一边俯身,一边向他发出警示:"现在我可要把你抱出被窝了……我们一起来加油——一,二,三,我们起床了!"晚些时候,在日间小睡之后,我会再添加几句特别的话:"我敢说,睡了一觉后你会更舒服的。你的这个懒腰伸得可真够痛快的!"做法还是一样,在把他从被窝里抱出来之前,提前告诉他一声,跟早晨唤他起床的方法是一样的。

当然,无论你清早采用何种方式跟宝宝打招呼,你所爱恋的小家伙总有自己的小算盘。如同成年人一样,婴儿对起床也有各自不同的想法。有的宝宝在起床时已然挂着微笑,也有的宝宝会撅着小嘴一副气呼呼的模样,还有的宝宝甚至会哭哭啼啼的。有的早早做好准备迎接新一天的到来,也有的需要你给予些许鼓励。

不同类型的宝宝起床时的表现有所不同,根据下列较为详细的分析,你就可以做出相应的预测了:

天使型——总是笑眯眯的,咿咿呀呀地说话。这类宝宝似乎一贯对自身所处的环境感到心满意足。除非肚子特别饿,或者尿布湿透了,否则他们很乐意呆在自己的小床里自娱自乐,一直等到有人来。换句话说,他们似乎不会启动睡醒后三步表现的第一步(参见左表)。

模范型——假如宝宝在启动第一步表现之后未能引起你的重视,接下来为了吸引你的注意,他们会发点小脾气。第二步表现中的刺耳声响带有"快来人啊"的含义。倘若你及时赶到并告诉他们:"我就在你的身边呢,我哪里都没去"。他们就会没事。如果你没有赶到,他们便会启用第三步表现——哭声响亮清澈。

易怒型——这一类型的小家伙,几乎每天睁开眼时都会哭哭啼啼的。因为需要关怀和宽慰,他们在短时间内会依次启动三个表现步骤。只要让他们自己一个人在小床上待 5 分钟,这类宝宝就会变得不耐烦,逐一实施前一、二步表现。如果没能引起你的注

睡醒后的三步表现

有些宝宝清早睁开眼睛就能够跟自己玩耍,就连第一警报预案也从未启用过。他们乐意自己一个人呆在小床里,一直等到有人前来看望他们。而另一些宝宝在短时间内就会依次动用三步警报预案,无论你的反应有多么迅速,都难以应对。

第一步表现:情绪激动、烦躁的同时发出嘎吱嘎吱或躁动不安的刺耳声响,带有"嗨,有人在吗?你怎么还不来看我?"的意味。

第二步表现:喉咙根部一闭一合发出咳嗽般的哭声。停止啼哭后会聆听你的声音,如果此时你还没来到他们身边,他们的哭声或许意味着"喂,快点来人啊!"

第三步表现:用尽全力放声大哭,小胳膊小腿乱摇乱摆。"立刻来人!再不来人,我可真生气了!"

意,那他们的情绪就会失控。

暴躁型——因为不喜欢湿乎乎的感觉,或者说讨厌不舒适的感觉,这类型宝宝同样会在较短时间里完成三个表现步骤。你可千万别指望能够在清晨时分实施哄劝,并博取他们一笑。纵然你为他们表演竖倒立或者翻跟斗,也丝毫不起作用。

活跃型——这类宝宝活泼好动、精力充沛,通常会略过睡醒后的第一步表现,直接过渡到第二步。他们情绪焦躁地扭动身体,并且发出不太响亮的类似于咳嗽的哭声。如果没有人及时来到他们身边,那他们最终会以大哭大闹的方式宣泄不满。

有意思的是,你所观察到的一个婴儿起床时的外在行为表现,通常会伴随他/她的成长得以延续下去。还记得吧？我曾告诉过你,我的女儿索菲是个相当安静、性格温和的小宝宝,以至于许多次,我都在清晨趴到床边看她,唯恐她已经停止呼吸了。这些日子以来,索菲在清晨时刻总表现出很开心的样子。她很容易被唤醒,然后被抱离那张小床。她的妹妹却是个活跃型宝宝,起床的时候通常暴躁不安,需要为其留出一些时间她才能从彻夜睡眠中清醒过来。你可以在清晨时分立即与索菲进行对话,但与此不同,莎拉则喜欢我让她率先开口讲话,而不是由我占据主动宣告新一天的到来。

换尿布和穿衣服

前文曾经说过,我经常让前来参加育婴培训课程的妈妈爸爸平身躺下并闭上眼睛,然后默不作声地从中选择一位家长,把他的两条腿抬起来,猛然用力推至头顶。不用说,对方肯定吓一大跳。其他人在得知我的所作所为之后,感觉特别有意思,都会不约而同地哈哈大笑。但接下来,我会对自己的这一小把戏,也算是个小游戏,做出解释:如果你不打招呼或不做说明,就直接给宝宝换尿布,那他们也会有同样的感受。事实上,你已经对其形成冒犯,擅自闯入了他的"尊重圈"。假使我换用一种方法,提前告诉他:"约翰,我这就要把你的小腿抬起来了"。这样,约翰不仅能够对我碰触他身体的行为有所准备,还可以体会到我顾及了他的感受。对待婴儿,我同样不乏体谅关怀。

研究人员已经发现,大脑需要3秒钟时间感知外界的碰触信号。那么对于一个小宝宝来说,把他的小腿向上抬举,将其下身的衣服脱光,然后在他的小屁股上擦来擦去,会引发他的恐惧心理,更别提用凉飕飕的酒精为其擦拭肚脐眼了。也有研究显示,婴儿的嗅觉相当灵敏,就连刚刚出生的宝宝在闻到酒精棉棒的难闻气味后,也会把头扭至另外一侧。一周大的宝宝便可以运用嗅觉辨识自己的妈妈了。综合以上实验结果,你便会有所意识,当个人空间受到侵犯时,你的宝宝对此会非常敏感,她清楚地知道有事情发生,尽管她可能还无法用语言进行表达。

事实上,大多数宝宝之所以会在为其更换尿布时哭闹,是因为他们不知道在自己身上发生着什么事情,或者说他们不喜欢这样——对此没有一丝好感。我的意思是,将一个小宝宝置于一个易受伤、无遮掩的环境中——两条小腿劈开着,你还能盼着他有什么良好的感觉吗?你在伸展双脚、接受妇科检查时会作何感受?我总是这样告诉自己手下的医生:"我需要清楚了解你们的所作所为。"宝宝们还不会开口讲话,不能要求我们把动作放慢,或者责令我们尊重其私人空间,但他们的啼哭就是在表达这个意思。

每当妈妈对我说"爱德华不喜欢那张给他换尿布的桌台"之类的话时,我就会告诉她:"亲爱的,他并非讨厌那张桌子,只是反感在上面进行的活动而已。或许你很有必要让自己的动作放慢一点,并在此过程中跟他聊天。"此外,换尿布跟进行其他活动一样,你务必要对正在开展的这项活动全身心投入才行。看在老天的面子上,你可别一边用肩膀头和耳朵夹着听筒打电话,一边给宝宝更换尿布。不妨站在宝宝的立场上看待问题,单单想象一下你面向他俯身前倾的样子,就已

布的还是纸的

尽管棉布尿片已然卷土重来,然而绝大多数父母仍然更喜欢选用一次性尿不湿。这关乎一个选择的问题,但就个人而言,我还是更倾向于棉布尿片,因为它们价廉物美,垫在宝宝的小屁股下面更加柔软,除此之外也较为环保。

此外,有些婴儿对一次性尿布中的吸水颗粒过敏,而这又很容易与垫尿布引发的皮疹相混淆。两者的区别在于由尿布引发的皮疹是局部的,通常出现在肛门附近,而由过敏引发的皮疹会遍及整个铺垫尿布的区域,向上则会延伸至腰部。

另外一个需要考虑的问题是,一次性尿布的吸水能力有时过于强劲,能很好地将尿液吸干,以致于似乎只有暴躁型的宝宝才能意识到自己尿裤子了。如果刚刚学会走路的宝宝到了三岁还没有被训练学会定时如厕,那就有可能是因为一次性尿布让其意识不到自己尿尿了。

使用棉布尿片时需要注意一点:你需要密切关注,并随时检查宝宝有没有尿裤子,这样可以有效避免使用尿布引起的皮疹。

经够可怕的了,更别提电话听筒一不小心滑落,砸着宝宝小脑袋的意外事件了。这样做,你只会传递给宝宝一种讯息——"我的注意力并没有放在你的身上。"

　　每次给宝宝换尿布时,我都尽可能保持固定的对话。我俯下身把脸凑到距离宝宝大约 12~14 英寸的位置,上半身保持水平,或避免倾斜,因为只有这样宝宝才能更好地看到我。在整个换尿布的过程中,我一直和他讲话:"现在我要给你换尿布了。让我先把你平躺下,这样我就能给你解裤子啦。"为了让他知道我在做什么,我一直不断地和其交流。"我现在要解开你那个潮乎乎的尿布了。我们开始行动了。哟,快看看你有什么可爱的东西,还真不错呢。现在我要抬高你的小腿。一、二、三,我们一起来加油……我要打开你的尿片了……我看见里面有小臭臭了……我要给你擦干净小屁屁啦。"如果是小女孩儿,我会小心翼翼地从前往后为其擦拭;要是小男孩儿,我会先拿一张棉纸盖住他们的小鸡鸡,免得他们突然撒尿喷我一脸。倘若宝宝开始哭闹,我便会问他们:"我的动作是不是太快了点?下一次,我会慢一点的。"

　　　　小贴士:当宝宝没穿衣服的时候,将你的手轻轻放在其胸前,或者拿一个芭比娃娃或其他分量轻的毛绒小动物放在他们胸前。这个重量虽然不大,但却可以缓解他们的裸露感,还可以避免其受到刺激。

　　我必须另外补充一点,给宝宝换尿布时,你的动作或许需要稍微迅速一些。我曾见过有人用了足足 20 分钟才为孩子换掉拉上臭臭的尿布,这未免耗时太长了吧。我的意思是说,设想一下当时的情况,在喂奶之前给宝宝换过一次尿布,接着给宝宝喂了 40 分钟的奶,喂完后又给宝宝换了一次尿布,如此算来前后用了 1 小时 20 分钟。它们占用了宝宝的活动时间,这不仅因为更换尿布花去了很多时间,还因为此项活动令宝宝感到紧张和劳累,所以宝宝讨厌更换尿布。

　　　　小贴士:在最初的三四周里,为宝宝花钱购置一些价格不高的长款睡袍,将前身裹好系紧带子,光露出后身的小屁股以方便更换尿布。最初一段时间, 你会时不时碰上尿液外漏的情况,手头额外预留几块尿布,不仅可以节省时间,而且可以避免手忙脚乱。

你可能要花上几周时间熟悉和掌握给宝宝更换尿布的方法,但这之后,你应该就能做到在五分钟之内完成更换尿布的任务了。关键在于准备好一切必需品——提前开启润肤油的瓶盖,把擦拭用的布展开,摊开尿布并准备快速将其平移至宝宝的小屁股下面,把"尿布罐"或废纸篓准备好,以便随时丢弃换下来的脏尿布。

　　小贴士:第一次让宝宝躺下为其更换尿布时,把一块干净的尿布平行托至宝宝屁股底下。解开沾有污物的尿布,但先不要着急把它撤换下来,第一步先把宝宝的生殖器和肛门部位擦干净,然后再把脏尿布抽出来,这样干净的尿布自然已经垫在你所需要位置上了。

如果上面提供的所有诀窍都无法让宝宝安静下来,那你不妨尝试着把他放在膝盖上换尿布。不少宝宝喜欢这种方式,而且你也节省力气不用站着给宝宝换尿布了。

过多玩具与刺激过度

亲爱的朋友们,至此你的宝宝已经吃过一次奶了,也刚刚换上了干净的尿布,接下来该去活动活动了。家长们通常对此迷惑不解,他们一方面最大限度地忽视了宝宝游戏时间的重要性,尚未意识到即使宝宝在盯着某种东西看的时候也能学到大量知识,另一方面他们又完全陷入一种疯狂的状态,几乎无时不刻不在宝宝面前哄他们玩,要么拿着玩具,要么摇晃物品。两种极端都有害无益。从我所接触的宝宝家长来看,多数人都更容易走向后一种极端——过度参与,正因为这样,我才会经常接到梅这样的家长打来的电话,梅的女儿塞丽娜已经三周大了:

"特蕾西,你快点帮我分析一下,塞丽娜到底怎么啦?"她反复恳求道。我能听到电话的另一端传来了小宝宝尖声喊叫的声音,还可以听到塞丽娜的爸爸温德尔——一位受到女儿"围攻"正全力让她安静下来的父亲在说话。

"好吧,"我说,"告诉我在她哭闹之前都发生了什么事情?"

"她什么事情都没做,就只是在玩啊。"梅回答说,听起来一副无辜的样子。

"玩什么了？"我需要提醒你一下，我们现在谈论的是一个仅仅三周大的小宝宝，而非刚刚学会走路的小娃娃。

"我们让她荡了一会儿秋千，但不多时她就开始烦躁不安，于是我们把她从秋千上抱下来，放到椅子上。"

"然后呢？"

"然后她还是不乐意，所以我们就又把她抱到地毯上，温德尔尝试着给她念故事听，"她进一步解释说，"现在我们觉得她累了，可她却怎么也睡不着觉。"

其实梅没有提及某些细节，很有可能是因为她感觉无关紧要。他们哄劝宝宝玩的那个秋千有"唱歌"的功能，那张椅子一直在摇晃，地毯上面还悬挂着一个新奇的电子装置，红、白、黑三种鲜亮颜色搭配的挂件在宝宝脑袋顶上转来转去，就像一个正在跳舞的小人。更糟糕的是，爸爸当时还手举着"逃家小兔"的毛绒玩具在小家伙面前晃来晃去。

你一定感觉我在夸大其辞吧？亲爱的朋友，我并没有耸人听闻。我曾在无数个家庭里目睹过类似的场景。

如何判断影响宝宝的外界因素	
听 （听觉干扰）	说话声 嗡嗡/嗯嗯声 唱歌声 心跳声 音乐声
看 （视觉干扰）	黑白卡片 条纹质地的物品 移动的物体 脸 环境
摸 （触觉干扰）	皮肤、嘴唇、头发接触 搂抱 按摩 水 棉球/棉布
闻 （嗅觉干扰）	体味 做菜时的气味 香水味 辛辣刺鼻的气味
尝 （味觉干扰）	牛奶 其他食物
移动 （门厅前厅处）	摇动 携带 晃动 骑行(乘坐折叠式幼儿车，汽车)

"我猜想，你的小宝贝儿受到过于强烈的刺激了，"我柔声细语地告诉她，可怜的小家伙正处在难以忍受的环境中。从她这个小宝宝的视角来看，这无异于迪斯尼乐园一日游啊！

他们反驳我说："可是，小家伙很喜欢这些玩具呀！"

我从来不跟家长们争执，我只是传达自己最为重要的一项原则性建议：将一切摇动的、发出尖利声响的、上下左右摆动的、扭动的、发出响而粗声音的或者震动的物件统统收起。我告诉他们照此原则试行三日，然后观察宝宝是否可以安静下来(除非实施过程中存在偏差,否则一般情况下她都会安静下来的)。

令人感到伤心的是,塞丽娜的爸爸妈妈的确像现如今许多家长一样,已经沦为我国文化的牺牲品。每年约有近四百万新生儿降临人间,婴儿所需要的家居设施已经形成了大规模的完整产业。每年数亿美元的投入就是为了说服我们有必要为宝宝营造适宜的"生活环境",对此,家长们也相当愿意投入。他们认为假如不能时常令宝宝开心,那在某种程度上讲就是在耽误孩子,让孩子得不到应有的智力开发。而且就算他们没有自行施加压力——这在某种意义上已经可以被视为实现不了的奇迹,他们的朋友亦会说:"你是说,没有给塞丽娜购买在门口玩的反弹球吗?"梅和温德尔的朋友在询问此事时不乏带有谴责的语气,就像他们的女儿离开这个东西就缺乏应有的教育似的。这真是一些愚蠢的想法!

理所当然,我们应该给孩子放点音乐,唱几首歌听一听,也需要拿一些色彩鲜亮的物体给他们看,甚至还要给他们买一些颜色鲜艳的玩具。然而,如果我们做得太多或给予他们过多的选择,那宝宝就会受到过度的刺激。从舒适安逸的子宫中出来,对他们来说已经相当不易了。有的宝宝通过狭长产道的挤压才得以艰难问世,还有的则干脆被生拉硬拽地拖出子宫,接着就要接受产房里荧光灯所发出的耀眼光线的刺激。在这个过程中,他们面临着各种手术器材、药物和许多双手的拉扯、碰触和擦洗,而这仅仅发生在其降生后的几秒钟内。正如我在第一章中所说的那样,每一个宝宝都是独一无二的,但几乎每一个新生儿都要无一例外地遭受某种程度上的混乱。对于那些气质性情较为敏感的宝宝来说,出生本身就意味着接受难以承担的刺激和考验。

再加上你家中常见的视觉和听觉干扰——电视机、收音机、宠物、窗外飞驰而过的汽车、吸尘器、割草机以及不可计数的其他各种家用电器。你自己的嗓音有时可能会暗藏焦虑,还有你的父母、岳父岳母的声音,来访客人冲着宝宝发出的咕咕声、私语声和惊叹声。这些刺激对于一个浑身上下连肌肉加神经不足10磅重的弱小身躯来说,实在难以承受。而妈妈或爸爸此时

误解:"让他们适应家中的声响"

父母经常会被告知,让宝宝适应外界的高强度噪音,不失为一个明智之举。我要问问你,假如我趁你深更半夜熟睡之时溜进你的房间,高声地播放音乐给你听,你会欣然接受吗?这是一种不尊重人的行为。难道对待宝宝你就不曾想到这一点了吗?

还站在宝宝面前，让他们玩耍嬉戏，就连天使型宝宝也会被这架势吓哭的。

在"学习的三角"中玩耍

那我所谓的玩耍究竟指什么呢？怎么说呢，这取决于你的宝宝有能力做些什么？如今，多数读物都指出了相关年龄段的宝宝应该玩的玩具，对此我并不赞成。之所以反对，并非因为这类指导没有帮助，了解一些各个年龄段的典型特征有益无害。其实我自己就是按照这一指导思想，规划运营"妈妈与我"教辅课程的。将其按年龄标准划分为新生儿至 3 个月大宝宝的训育课程，3 个月至 6 个月宝宝的训育课程，6 个月至 9 个月宝宝的训育课程和 9 个月至 1 岁宝宝的训育课程。只是在我所接触认识的孩子父母中，有许许多多的家长尚未意识到，即使是正常的宝宝在能力和认知方面也是存有巨大差异的。在我的辅导班里，这种区别屡见不鲜，但总有妈妈对此感到大惊小怪，因为此前她们在相关读物中了解到 5 个月大的宝宝应该学会翻滚了，而自己 5 个月大的小宝贝还做不到这一点，所以内心惶恐不安。"天哪，不会吧，特蕾西，他一定是发育太慢了。"她会告诉我这样说的原因是看到自己的儿子只会躺在那里。"我怎么做，才能帮他学会翻身呢？"

我从不相信施加任何外在压力会起到完善的作用。我总是告诫孩子的父母，小宝宝是个与众不同的个体。书里提供的相关数据不可能将个人的独有个性和人与人之间的差异考虑在内。这类样板或者说参照点，充其量只能看做总纲性的指导而已。你的宝宝在成长过程中会遇到不同于他人的高峰成长期。

除此之外，宝宝也并非小狗，你不要"训练"他们。尊重你的孩子意味着即使在发现他与你朋友的宝宝有所不同，或者其成长轨迹与某些书中描述不符时，你仍然不催促、不强迫，允许他自然成长和自由发展，让他做自己的主人。大自然这位伟大的母亲自有其绝妙且符合逻辑的安排，假如你在宝宝尚未自行做好准备之前就急于助其翻身，那他不会因此较快地掌握翻身技巧。其实他之所以还不会翻身，是因为生理机能还没有发育成熟，暂时不具备足够的能力做到这一点。在尝试推按他的同时，你无意间让他的生活失去常态而存有压力。

从出生开始

即使相关研究人员也不可能知道婴儿初具理解能力的确切时间，所以自孩子降生之时起，你就应该做到以下几点：

◎ 在做任何事情时，都要向其解释你要做什么，或者说明你要为其做些什么。

◎ 告知孩子你的日常活动安排。

◎ 向宝宝展示全家福，并且向其介绍各个家庭成员的全名。

◎ 挑选并让其指认特定的物体。（"看到了吗，这是小狗？""看，又来了一个小宝宝，跟你一样也是个小宝宝。"）

◎ 为宝宝阅读简单的读物，还要让他们看图片。

◎ 给宝宝放音乐和唱歌听（具体指导参见下页表格）。

因此，我才向宝宝的父母提出建议，要求他们始终站在宝宝的"学习三角区"之内——也就是说为宝宝安排一些他们能够自行掌控完成，并且可以从中获取乐趣的体力和脑力活动。举个例子来说，我所上门拜访过的婴儿，在他们的房间里几乎无一例外地存放着大量的拨浪鼓——银制的、塑料的、椭圆形的、小鸭子形状的、还有长条门铃形的。任何一种都不适合用作宝宝的玩具，因为婴儿还不具备抓握能力，结果只能由爸爸妈妈拿着在他们面前晃来晃去，但实际上宝宝是不能自己动手拿着玩的。不要忘记我的一条基本原则：你在宝宝玩玩具的时候不妨站在一旁观察，不要贸然插手参与其中。

为了解你孩子的"学习三角区"，以便确定其范围和内容，你不妨考察一下他当前能达到什么水平——他能做些什么。换句话说，与其参照一些书中就各年龄段孩子给出的硬性指标，还不如实际观察你的宝宝。如果你置身婴儿的学习三角区之内，那你的孩子自然会按照自己的节奏获得知识。

他几乎都在观察和聆听——大约在最初的 6~8 个月里，你的孩子就具有听觉和视觉，并会对身边的环境越来越警觉、越来越敏感。即使他的视力水平只能看到 8~12 英寸（1 英寸等于 2.54 厘米）以内的事物，但他绝对能看到你，或许还会冲你微笑并发出咕咕声。不要吝惜时间，你应该给孩子一个回应。研究人员曾经做过记录，宝宝自降生之时起便可以区别人和其他物体的外貌及声音，而且他们更乐意接收来自人类的信息。生下来没几天，他们就能辨认出自己熟悉的人，能听出自己熟悉的声音了，而且也偏爱注视熟知的事物，而非不熟悉的影像。

如果婴儿没有长时间关注你的脸，那你或许会发现他们还特别喜欢盯着带有线条的图形看。这又是怎么回事呢？在他们看来，直线似乎是不停移动的，因为其视网膜此时还尚未发育成熟，因此你大可不必特意寻找一些有趣的卡片逗其开心, 只要在一张白色卡片纸上用黑色记号笔划几条直线就足够了。这样做可以让婴儿的视野聚焦到一点上,这一点尤为重要,因为他的视力此时仍然模糊不清,并且仅仅是二维的。

如果你想给刚出生的婴儿选购玩具,那"子宫盒"倒是个不错的选择,这个小物件能够模仿宝宝在妈妈子宫里听到的声音, 你可以把它放在婴儿床里, 甚至在宝宝出生之前就可以买回家。尽管如此,我倒建议你只给新生儿选购一两件玩具放在婴儿床里即可。当宝宝的注意力偏离玩具时, 你不妨翻转一下玩具。不要忽视色彩对婴儿产生的强烈冲击。原色(指能够混合生成其他各种颜色的基本颜色之一,染料或颜料中的原色是红、黄、蓝,光的原色是红、绿、紫)可以刺激宝宝,而清淡柔和的颜色则能够让他们安静下来。在一天中的某个时间,选择特殊的颜色会达到预期的效果,比如,在孩子准备小睡时, 你就不能再拿着一张红黑两色的卡片在他面前晃来晃去了。

他可以掌控自己的脑袋和脖子
了——一般在两个月大的时候, 你的宝宝就能转动他的小脑袋,可以从一侧扭到另外一侧,甚至还有可能稍稍抬起(通常长到 3 个月大)。这时他的视力水平也会有所提高,你会发现他在盯着自己的小手看。实验已经显示,即使一个月大的婴儿也可以模仿他人的面部表情。如果看到大人吐舌头,宝宝也会吐舌头;看到大人张嘴,宝宝也会学着张开自己的小嘴。这时是采用可夹式床边音乐摇铃、床边吊饰的良好时机,你可以把婴儿抱离小床,放入装饰好的游戏围栏(供幼儿在其中玩耍的便携式围栏)中。我知道这是大多数父母为宝宝购置的第一件物品,可它对不足两个月大的婴儿来说,基本上就是个装饰品,派不上多大用场。宝宝们喜欢扭转他们的小脑袋(一般倾向于转至右侧),因此不要把各种玩具直接

伴随音乐成长

婴儿喜欢音乐,但也要适合其年龄需要。在每节"妈妈与我"的课程结束前,我总爱播放下面适合不同阶段婴儿的音乐:

◎ 不满 3 个月大:我只播放摇篮曲——音律柔和并且具有安抚功效的音乐,绝不会播放类似儿歌童谣的叮铃声。我选用的是一张名为《献给婴儿的摇篮曲》的专辑,其 CD 和盒带都可以买得到。如果你的嗓音甜美温柔,你完全可以自己唱给宝宝听。

◎ 6 个月大:培训课程结束时,我只会播放一首歌曲,通常是一曲简单上口的儿歌童谣,比如"小蜘蛛"、"公车上的轮子"、"小黑羊"、"我是一只小茶壶"。

◎ 9 个月大:我会从上面提到的几首歌中选择三首,但每一首只播放一遍。

◎ 12 个月大:我会再加一首歌曲,四首歌曲重复播放两遍。这时,在播放音乐的同时可以加入一些肢体动作。

安放在与他视线平行的位置,也不应该将其安装在高于他所在位置 14 英寸的地方。你的宝宝这时(大约 8 周大)已经可以观察三维影像了。他的手脚也都能伸展开了,而且大部分时间都举着自己的小手。有时,他会突然抓住自己的小手,当然这种情形大都十分偶然。此外,他开始有记忆而且能够对接下来发生的事情做出较为准确的预测。事实上,在两个月大的时候,宝宝就可以辨识和回忆前几天见到的人了。再次见到你时,他会高兴地摇摇晃晃,眼睛也会跟着你在房间里走来走去的身影看。

尽管直线可以逗乐新生儿或四周大的婴儿,但等宝宝长到 8 周大时则需要使用带有人脸的图片才能哄他们开心。此时,你可以改造、升级手工自制的闪卡,在上面画一些波浪线、圆圈以及类似小马或笑脸之类的简笔画。你也可以在他的小床上安装一面镜子,这样他一笑,镜子里的他也会笑。尽管如此,你还是不应该忘记,即使宝宝喜欢盯着东西看,他也有厌烦的时候。当他看够了一样东西,而又没有新鲜物件出现吸引其注意力时,宝宝就会变得不耐烦了。对此,你应该提高警惕,如果觉察到他发出一些在焦躁不安时发出的噪音时,你就应该领会宝宝"我玩够了"的意图,不妨在其全力放声大哭之前先采取行动。

他已具备抓握能力——有许多物件——包括他自己身体的诸多部位——都能吸引宝宝的注意力,并且成为他们的抓握对象,这一般出现在宝宝大约三四个月大的时候,而且无论抓到什么东西,都会直接往小嘴里塞。这时,宝宝能抬起下巴,发出咯咯的笑声了。他最喜欢跟你一起玩,但这个时候最好能向其提供诸如拨浪鼓、能发出声响的玩具或泡沫发卷之类可以刺激他做出反应的、手感好的、简易安全的玩具。婴儿偏爱探索,会因激发对方反应的事物而兴奋不已。只要观察宝宝摆弄拨浪鼓时的样子,你就会知道了,此时,他们的眼睛总是睁得大大的。这么大的宝宝能够理解事物的因果关联,因此任何可以发出声响的事物,都能给予他成就感。他的行为较之不久之前更加具有回应性——你时常会被他发出的咕咕声逗开心——而且从现在起会越变越好。他也知道,怎样才能告诉你他玩腻了,他会丢掉玩具,从其喉咙底部发出咳嗽般的哭声,或生气、发脾气时的哭声。

他能翻身了——宝宝在快 4 个月至 5 个月时才逐渐具备将身子滚至一侧的能力,这初步显示了其移动身体的本能。在你尚未意识到这一点之前,你的宝宝已经会向左右两个方向滚动身体,随后你还会发现更多有意思的现象。他仍旧喜欢能够发出声响的玩具,但此时你还可以给他一点日常生活中使用的物品玩,如勺子之类的餐具。这些看似简单的小物件却可以带给宝宝无穷的乐趣。观察他拿塑料餐盘玩的过程,你将看到他转动盘子,这面瞧瞧那面看看,一会儿把盘子推到一边,一会儿又重新把它抓起来。他就像一个小小科学家在不停地探索和发现。他还喜欢玩不同形状的玩具,立方体的、球体的或者三角形的玩具。你可能不会相信,通过用嘴巴体会,他们竟能判断出这是什么玩具,甚至还能够感知出不同玩具之间的差别来。科学实验向我们揭示,宝宝可以使用他们的小嘴分辨物体的不同形状。在实验室中,就连一个月大的宝宝,也能展现出通过感知实现触觉和视觉的统一。如果给他一个表面平滑的奶嘴或者一个表面有粗糙的奶嘴,同时再给他看这两种奶嘴的图片,他会专注地盯着那张和奶嘴形状相同的图片看更长时间。

他可以坐起来了——一般情况下,婴儿在 6 个月大的时候身体和头部的重量才能差不多,在此之前,宝宝一直是头重身轻,坐不起来。一旦宝宝能够自行坐立,他便开始发展更为深层的感知能力了。毕竟在坐立时,宝宝看到的景象与平躺时看到的大有不同,此时的视野会更加宽了。这时,他还能把物体从一只手换至另一只手中,可以用小手指示物体,做出一些肢体动作来。受好奇心的驱使,他会朝着目标物体爬行,但身体的发育状况会在很大程度上限制他的爬行活动。放手让他们自己去探索吧。他们此时已经可以掌控自己的小脑袋、小胳膊和躯干了,但是控制不了自己的小腿。因此,他可以向前倾斜去抓喜欢的东西,但仅仅局限于上半身而已,原因是他的身体仍是头重脚轻。他会伸出小胳膊和小腿乱摇乱摆,就像在空中飞翔一般。在听到宝宝发出激动烦恼的声响时,父母通常会立即采取行动,将宝宝想要的玩具拿给他,而不是一味地等待和观察。我要大喊一声"住手"！不要这么快就把玩具递给他们。后退一步,先给孩子一点鼓励。诸如"干得好,你马上就能抓到了"之类的话可以帮助宝宝树立自信。虽然如此,但你还要依靠自己的判断做到适可而止才好,毕竟你不必将孩子训练为参加奥林匹克的运动员。你只要给予他些许鼓励即可,在看到他用力尝试抓取时,你就可以把玩具拿给他了。

给他一些能强化相同行为的简单玩具,比如那种由按钮或拉杆控制的小丑或者玩偶盒(打开封盖时其中的玩偶能弹跳起来)。此类玩具可是最佳选择,因为宝宝喜欢看到由自己掌控的事物发生变化。你或许总想给这么大的宝宝购置许多玩具,但不妨自我克制一下,不要忘了少则精、多则滥的道理,而且你想买的许多东西并不会让宝宝感到开心。其实,每当听到这个年龄段的宝宝家长说"我家孩子不喜欢这种玩具"时,我都会暗自窃喜。他们根本没有意识到这并非喜欢不喜欢的问题。宝宝根本不知道玩具究竟是怎么一回事,丝毫不了解它们是干什么用的,能够对自己有什么帮助。

他可以移动身体了——通常在8~10个月大时,你的宝宝真正开始爬行了,假如你之前未曾装饰过孩子的房间,那此时是为宝宝重新布置房间的好机会(参见下表),这样你就可以为其提供足够多的机会去探索了。更有甚者,这时候你家的小宝宝可能开始尝试站立了。因为在身体长度或者力度上没有发育到足以支撑小脑袋之前,他的小腿就已经开始爬行了,所以一些宝宝最初是反方向倒着爬,或只在原地打转。而且,好奇心和生理发育在同时进展着。你的宝宝在此之前尚未掌握认知技能,大脑尚不具备处理复杂问题的思维模式,例如,他们不会去想"我想要放在房间那一边的玩具,所以就必须要从这边爬到那边去"。而现在,所有的事情都开始发生了。

一旦他能够关注各种各样的目标物体,你那学习爬行的宝宝便会变得跟小蜜蜂一样忙碌。他不会继续满足于坐在你的膝盖上。虽然他仍喜欢你的搂抱,但前提是他必须先进行探索并且释放出体内的能量。他会采用新的方法发出声响,也会找出新方法制造麻烦。最好的玩具莫过于那些可以拆开再装起来的小玩具。当然,他最初可能会更加擅长拆卸物品。你会发现他总爱解开小玩具,却很少能把它们再装起来。大概在10~12个月时,他便具备相应的灵巧性,可以把铺散开的玩具收拢在一起,甚至还可以把散落在地板上的玩具统统放回玩具箱里。此外,他很可能还会拾起一些小物件,这是因为此时的宝宝正在发展其肌肉运动技能,这使得他能够运用拇指和食指实施钳子般的抓握本领。同样,他还喜欢可以滚来滚去的玩具,那种能够引领他爬行以便抓取的玩具。除此之外,他或许开始对某一特殊玩具产生依附,比如毛绒玩具或者可爱的小毡毯等。

小贴士:确保宝宝玩的每一个玩具都可以被清洗、结实耐用并且无锋利的边缘或易松、易被吞咬的线绳。如果一个玩具能透过卷筒卫生纸中间的孔漏下去,那就说明它的体积过小,不适合当宝宝的玩具,因为它有可能卡住宝宝的喉咙,或不小心塞入他们的耳朵或鼻孔里。

在为这么大的宝宝播放音乐时,你可以随之加入一些肢体动作,以供小家伙模仿。歌曲和旋律可以教宝宝说话,还能提高他们的肢体协调性。此时,不妨选择和宝宝玩躲躲猫的游戏，以便培养他们对物体的持久关注力。这一点挺重要的，因为一旦你的宝宝领会了此项游戏的"意图"，那他就会理解：如果你转身离开到另一个房间去，不是消失得无影无踪，而是会再回来。为了强化他的这一意识，你不妨冲着宝宝说："我一会儿就回来。"你可以选用各式各样的物品充当宝宝的玩具，尽可能发挥你的想象力去挑选玩具。勺子、盆或锅之间相击都可以发出响亮的声音，滤盆在玩躲躲猫游戏时则是一个不错的遮挡牌。

随着宝宝在体力和智力两方面的发展，请你随时牢记他是一个独立的个体。他不同于你姊妹的孩子，也不会进行着与同一年龄段其他孩子相同的活动，有可能比其他宝宝的活动内容更为丰富，也有可能在活动方式上存在不同。与其他人一样，他会拥有自身独特的秉性与特有的喜好。观察他，通过他的所作所为了解他而不是一味尝试着强迫他遵照你的意愿成长。只要他能够远离危险、得到支持和深爱，他就能茁壮地成长为一个令人赞叹的独特小家伙。他时常会活动自己的身体，每天都能学到新本领，从不间断地给你带来接二连三的惊喜。

是否要为宝宝重置房间

为宝宝重置房间是一个较为重要的，在某种意义上说也是个比较复杂的问题。你希望自己的宝宝能够远离各种危险，如中毒、烧伤、烫伤、溺水、自己划破手或从楼梯上面摔下来等，与此同时你还希望保护自己的家以免因宝宝的好奇心遭到破坏。问题在于，你能做到什么程度？为了打消婴儿家长的疑虑，一个新兴行业应运而生。前不久，有个母亲告诉我，她花 4000 美金为宝宝重新布置了自己的家。她们家安置了据称可以对宝宝起到安全防护的设施，几乎为每一个橱柜都安装了挂锁，就算她的儿子再长 8~10 岁，都不一定能摸到某些挂锁！这家公司还劝说这位母亲把门改装到宝宝碰不到的地方。我个人倒是偏爱一些简单易行、经济实惠的方法（参见下表）。例如，我认为腾出一块 3 平方米的空地，在四周挂满枕头或保险杠，这就不失为一个适宜的活动场所。

更重要的是，倘若你从房间里移走太多东西，那会剥夺宝宝探求新知的

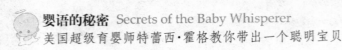
许多机会。同时,你还会失去让宝宝辨识好坏的学习环境。允许我用发生在自己身上的一个小故事为你解释说明这一点。

为宝宝重置房间的实质性要点

重置房间的窍门,就在于从孩子的视野角度(和身高)观测你的房间。宝宝可是会手脚并用地满地乱爬!以下列举的危险事项是你应该避免的。

◎ 中毒。将液态清洁用品统统拿走。把放在厨房灶台和浴室洗涤槽下半部分的其他危险物品也一律移走,改放在位置比较高的储物柜里。就算橱柜的门上了锁,你就能保证那些身体强壮或聪明伶俐的蹒跚学步的孩子打不开了吗?购置一套急救用品。假如你确信自己的宝宝误食了某种有毒物质,在擅自采取抢救措施之前,不妨先给你的家庭医生或 911 拨电话。

◎ 吸入污浊气体。你家里是否检测出有镭射气——一种空气中常见的具有辐射性的气体,也称氡气。安装烟雾、一氧化碳和二氧化碳探测器,而且时常检查电池是否工作。掐灭没有熄灭的香烟,禁止任何人在你的房间或者车内吸烟。

◎ 窒息。将悬挂着的、隐蔽着的细线以及电线,用挂栓或遮蔽胶带(绘画或上漆时用以遮盖不须着色部分用的)处理妥当,固定在宝宝摸不着的地方。

◎ 电击。用物品遮盖室内所有的插孔,并且确保房间里的每一个插座上都装有电灯泡。

◎ 溺水。切勿把宝宝一个人留在水桶里,同时给洗手间里的马桶盖安装上锁。宝宝尚处头重脚轻之时,有可能会一头栽进马桶里溺水。

◎ 烧伤和烫伤。给炉子安装旋钮保护装置。在淋浴龙头上加装防护罩,可以是塑料的(在多数五金店里都可以买到),也可以在旋塞上缠裹毛巾。这样做可以避免宝宝因为不小心碰触热水龙头而烫伤, 也不至于在他的小脑袋碰到水龙头时被流出的热水严重烫伤。为避免宝宝烫伤可将加热器的温度设定为摄氏 40 度左右。

◎ 摔倒和楼梯事故。一旦宝宝变得活泼好动起来,如果你还是把他安置在特定的桌台上为其换尿布,那可要时刻提高警惕。在楼梯的上下两端都安装楼梯门,但也不要因此放松警惕。当宝宝开始学习爬楼梯时,一定要时刻伴其左右,你会发现他更擅长往上爬楼梯,而不是下楼梯。

◎ 婴儿床事故。美国消费者生产安全委员会规定,婴儿床上的板条间隔要在 2.375 英寸以内。不要选用 1991 年之前生产的婴儿床,因为当时还没有通过并开始执行这一标准, 也不要采用老式的婴儿床, 因为上面的板条间隔同样偏大。婴儿床上的保险杠——这项美国人的专利发明第一次问世时,我便大吃一惊。一般情况下,我会让宝宝家长收起来,因为活泼好动的小家伙有可能在翻滚身体时把整个身子都卡在里面,更为严重的是导致窒息。

在女儿还小的时候，我曾重新布置过我的家，清理了所有具有危险性的化学药品，锁上了我不想让她进去的门，而且对其他存在安全隐患的区域都做了特殊的处理。然而，与此同时我还想教会女儿尊重我的个人隐私，不让她随便乱动我的东西。在客厅里一个不太高的架子上，摆放着一排卡波迪蒙蒂瓷质塑像（卡波迪蒙蒂在意大利那不勒斯附近，18世纪时生产这种瓷器）。萨拉刚开始爬行时，对任何事物都感到好奇。有一天我注意到她被那排小塑像所吸引，于是还没等她伸手去抓，我就拿了一个给她，还告诉她："这是妈妈的东西。我跟你在一起的时候，你能拿着它玩，但它不是你的玩具。"

与大多数宝宝一样，萨拉曾试探过我几次。她好几回都径直朝那排小塑像"扑"过去，可是每回在她就要碰触到的前一秒，我都能及时地予以制止，用轻柔但不乏坚定的口吻告诉她："噢，不能动。那可是妈妈的东西——不是你的玩具。"假如她还是执意要动，那我就会用听上去更为粗暴无礼的态度和口气告诫她"坚决不行！"不到三天的时间她就不怎么关注那些小塑像了。我遵照相同的方法步骤"调教"了她的小妹妹索菲。

几年后的一天，朋友带着她的小儿子到我家找索菲玩。朋友家里，低矮的架子上什么也没有，她几乎把自己所有的物件都转放到了宝宝碰不到的地方。不用说你也能猜得到，到我们家之后，这个小家伙早已跃跃欲试地去拿我的那排小雕塑了。我用当时应对索菲的方法对待他，但丝毫不起作用，最后我只能冲着他大声喊："绝对不能动！"口气相当严厉。他的妈妈面露恐惧地看着我，说："特蕾西，我跟孩子她爸从来不对乔治说不。"

"我说，亲爱的，"我告诉她，"或许此刻你应该学着说不了。我可不会任由他在我家到处搞破坏，有些东西连我自己的女儿都知道不能碰，再说这可不是乔治的错，问题出在你身上，是你之前没告诉他，哪些东西是他的，哪些东西是你的。"

这个具有警示意义的故事传达了一个十分简单的道理：如果你为了不让宝宝碰触，将所有东西一概收走，那面对你家里摆放的精美的易损物品，他就永远没有机会学着尊重并与之保持距离了，当然也不知道应该如何在他人家里行事。除此之外，当其他孩子的家长告诫你的宝宝，不能碰触房间里的某些物品或不能去某些地方时，你也不要认为自己被冒犯了。

我总是建议你为宝宝预留出一块安全区域。当宝宝想看什么东西时，就让他看吧。让他去感觉一下，用小手去操作一下，但前提是你要在现场照看着。有意思的是，小孩子不喜欢大人的东西，因为我们的小饰物通常只是摆放在架子上做装饰而已。一旦被允许触碰,宝宝玩一会儿就腻了。他的注意力就会转移到其他东西上,自然就会放下手里的东西了。

> 小贴士:教会孩子不去碰摸一件物品用不了几天时间,但在房间的不同区域,针对不同的东西,你很可能需要不断重复先前的制止行为和步骤。在此教导和学习的过程中,你或许不愿意像我一样冒险行事,因此你不妨收起自己那些贵重值钱的饰物,选用一些不贵重的物件取而代之。

除此之外还要牢记于心,你的小宝宝肯定会把 DVD 机上的小沟槽当做可爱的小盒子,在他看来那是个可以把手指头、薄脆饼干或其他东西放进去的好地方。用不着为此费心劳神,用一个东西把它遮盖住就可以了。或许你应该做好经济方面蒙受损失的准备,因为一些有趣的且能够吸引宝宝注意力的小模型,可能会被他们摆弄坏。例如,大多数孩子都喜欢玩弄有旋钮或按钮的玩具,可以给孩子买电视机遥控器之类的玩具,只要能让他动手操作就行。要知道,他毕竟不是有意毁坏你的家或破坏你的物品,只不过想模仿你而已。

放 松 片 刻

经过吃奶、日间小睡、玩耍等若干日间辛苦工作的环节后,你的宝宝应该享受一下洗澡所带来的休息和放松。事实上,当宝宝长到两三周大的时候,你就会注意到他们一到晚上就会变得比白天更焦躁不安。由于他越来越活泼好动,并且对周围环境愈发关注,因此需要在紧张刺激的一天结束时平复安静下来。洗澡可以被归入五六点钟吃饭后的活动之一,大概在婴儿打饱嗝后十五分钟就可以进行。当然,你也可以在清晨或在一天当中任何一个时段给孩子洗澡。但对我个人而言,理想的洗澡时间是在晚间上床睡觉之前,因为这样最容易让宝宝安静下来。此外,这也不失为父母与孩子相处的特别时机之一,孩子爸爸喜欢分担这样的家务活。

活泼型宝宝在出生后的前三个月讨厌洗澡,暴躁型宝宝也仅仅是在竭力忍受而已。除此之外，其他类型的大多数宝宝都挺喜欢洗澡，前提是你的动作不紧不慢，而且一步一步遵守我的"101 法则"（参见后文）。

第一次为宝宝洗澡大约在其降生后的第 14 天，这时他们的脐带已经脱落，而且如果是男婴，他也已经从包皮环切术中康复过来。在这之前，你可以给宝宝实施"海绵浴"（参见下表有关"海绵浴指南"的说明）。无论使用什么方法，你都不妨站在宝宝的立场上思考问题。这应该是一段充满乐趣和互动的时光，至少会持续 15~20 分钟的时间。就像为宝宝换尿布和穿衣服一样，应该给予他们一定的尊重。不要忘记宝宝的感官相当脆弱，自始至终运用你的常识进行判断，动作应尽可能柔缓一些。

比方说在给宝宝洗完澡穿衣服时，不要猛然把 T 恤套在他的头上，然后再强行将其胳膊从袖子里拉出来。宝宝们的小脑袋比较重。宝宝在 8 个月大时，头部的重量仍占其总体重的 2/3。当你试着给他们穿套头衣服时，宝宝的小脑袋总会垂下来，猛然摔倒在地。而且，当你用力拖拉宝宝的胳膊，想把它们从袖口拽出来的时候，他们都会百般不从，因为她已经习惯了在母亲子宫里呆着的那种姿势，所以她会出于本能蜷缩胳膊，力争让自己的手臂紧靠自己的身体。给宝宝换衣服时，不妨先把袖口套在他们的手腕上，然后用手拉袖子，而不是拽宝宝。

海绵浴指南

◎ 准备齐全所需物品——浴巾、温水、酒精、棉球、软膏和毛巾——放在方便、随时可用的地方。

◎ 时刻把宝宝包裹好，以便让他们保持体温。从脑袋到脚趾，一次只擦洗身体的一个部位，及时拍干后，再清洗另一个部位。

◎ 使用面积较小的擦布轻拭阴部，逐一从外生殖器擦拭至肛门部位。

◎ 使用棉球擦拭双眼，擦完一只眼睛换用另外的干净棉球擦拭另外一只。从鼻窝向外擦拭。

◎ 为了清洁脐带根部（肚脐眼），可使用棉制医用拭子蘸取酒精擦拭。一直擦到最底部。宝宝有时会哭闹，这倒不是因为疼痛，而是因为酒精让他们感觉凉嗖嗖的。

◎ 如果你的宝宝是个小男孩，且接受过包皮环切术，你就要保持手术切口湿润不干燥，为避免尿液侵蚀，可以涂抹凡士林或盖上纱布或者棉球。在刀口完全愈合之前，不要让阴茎处沾上水。

为了避免宝宝和你一起用力造成相互抵触，我强烈建议父母不要为宝宝选购套头的衣衫（如果你已经买了，那不妨参照下表）。购买那种前身带扣，前襟对搭就能包裹全身或肩部带有尼龙搭扣（用于衣物等，由两条尼龙带组成，按压而粘合在一起）的衣物。时刻以简易性和实用性为重，衣服的样式对小宝宝来说反倒是次要的。

穿着 T 恤的两难

我不提倡给宝宝购买那种套头的衣服,但如果你已经买了这种 T 恤,下面提供的方法能最有效避免穿衣时你与宝宝之间的冲突。

◎ 让他面朝上平躺。

◎ 把衣服堆拢在一起,将领口部位撑大,先套在宝宝下巴处,然后迅速越过其面颊套向后脑勺,最后再从头到脚拉平后面的衣服。

◎ 首先把你自己的手穿过袖管伸至袖口,然后抓着宝宝的手将其穿套至袖口,就像穿针引线那样。

假如你的宝宝在洗澡时仍然哭闹,而你已经用心按照使宝宝安全、舒缓和轻松自在的操作步骤进行了,那问题很有可能出在宝宝过于敏感及其独有的脾气禀性上,并非完全是你的责任。倘若宝宝长期处于洗澡的痛苦之中,那最佳的解决方案就是等待几日后再试。假如在洗澡的时候他仍然心烦意乱,可能是你摊上了一个活跃型宝宝,那就很有可能出现这种情况。你可以在最初的一两个月连续对其使用海绵擦浴法——这种方法并无不妥之处。你需要学习解读自己的宝宝。如若他告诉你:"我不喜欢你这样对我,我受不了了",那你必须静观其变,等待一段时间。

101 法则:我的十步指导

如下便是我传授给学员们的 10 条洗澡法则,每一个步骤都不可小视,甚至在开始给宝宝洗澡之前,你就要把所需物品准备齐全(参见下表),因为这样做你就可以最大限度地避免将滑溜溜的宝宝抱出澡盆时手忙脚乱了。顺便提一句,我知道肯定有人曾经告诉过你,选择在厨房的洗涤槽里给宝宝洗澡也是可以的,但我个人更偏向在浴室进行,毕竟那才是用来洗澡的地方。

逐条阅读以下步骤,不要忘记你与宝宝之间的沟通交流必须贯穿整个洗澡过程,要不停地说话。聆听并观察他的反应,而且随时告诉他你要为其做什么。

1. 预设基调——确保房间温暖(华氏 72~75 度,约 22~24 摄氏度)。播放音乐——任何一段节律舒缓轻柔的流行音乐都可以 (这也可以让你放松下来)。

2. 往洗澡盆里注满 2/3 的水——将一瓶盖量的婴儿沐浴液直接倒入水

中,水温应该大约控制在摄氏 38 度,稍稍高过体温。把手伸入盆中没过手腕处,感测一下水的温度,不要用手掌估测水温,因为宝宝的肌肤比你的更为敏感。

3. 把宝宝抱起来——将右手手掌放至宝宝胸前,岔开五个手指以便将拇指和食指放在其胸前,将其余的三个手指头夹放在宝宝的胳肢窝底下(如果是左撇子则与所述相反)。左手轻放至婴儿脖颈和肩部的背面,轻轻地让他的身体前倾以便令其身体的重量转移到你的右手上。这时再把你的左手放在他的小屁股上,将其托举起来,让他的身体向前微倾,以坐着的姿势立在你的左手上。

千万不要以仰卧的姿势把宝宝放下水,这样会让婴儿失去方向感,有点像站在跳板上后空翻跳下水时的感觉。

4. 将宝宝放进浴盆里——按照坐立的姿势慢慢把宝宝放下水,先让他的小脚丫落水,然后是小屁股。接着把你的左手挪至宝宝后脑勺和颈部位置,以便起到支撑的作用。极为缓慢地把宝宝的后背放到水中。此时你的右手就空闲了,正好可以拿起浸湿的浴巾,放在宝宝胸前以便保暖。

5. 不要直接往宝宝身上抹肥皂——千万记住,提前在洗澡水中加入婴儿沐浴露。使用你的手指为其擦拭颈部和腹股沟。将他的小腿稍稍抬起,这样你就能帮助他清洗小屁股了。接下来,可以用小罐舀水自上而下为其冲洗干净身上的泡沫。他没在沙土堆里玩过,所以,亲爱的,宝宝身上并不脏。此时给他洗澡,与其当作爱清洁,倒不如视为培养日常生活习惯。

6. 用一块毛巾为他洗头——多数情况下,小宝宝还没长出多少头发来,就算他们的头发较多,你也不需要使用洗发水来洗。展开毛巾,全面擦洗他的头发。用清水从上至下冲洗,当心别让水流进宝宝眼睛里。

万万不可把宝宝一个人留在浴里。如果你碰巧忘记提前在澡盆里加入婴儿沐浴露,那这一次不妨就用清水给他/她洗,但下一次洗澡时可要记着把所有物品都准备齐全。

洗澡时的必备物品

◎ 平底塑料洗澡盆(比起直接把它放在地上,我倒更喜欢把它放在支架上,一则可以缓解腰部疲劳,再则因为支架上装有抽屉和晾杆,所以可以放置必备的物品以便随时拿取)。

◎ 用以添加温水和更换清水的大壶

◎ 宝宝沐浴露

◎ 两块浴巾

◎ 带兜帽的浴巾或一块大浴巾

◎ 更换的衣物和干净的尿布应该提前准备好摆放在桌台上

---

7. 当心别让水流进宝宝的耳朵里——确保托着宝宝后背的那只手不要浸入洗澡水中太深。

8. 做好准备结束洗浴——用闲着的那只手去拿带有兜帽的浴巾（如果浴巾不带兜帽，那就选用一块面积足够大的毛巾）。用牙齿扯住兜帽(或者大毛巾的一角)，将其他的边边角角披塞到你的胳肢窝下面。

9. 把宝宝抱出浴盆——小心翼翼地让宝宝恢复至洗澡之初的坐立姿势,他的身体重心此时该落在你的右手上,你的右手手指这时候应该岔开托着他的胸部才对。将宝宝举起使其背对着你,让他的小脑袋倚靠在你的胸口正中,恰恰在浴巾兜帽或大毛巾一角的下方。然后将浴巾的其他边角包裹住宝宝的身体,最后用兜帽或预留出来的大毛巾一角搭遮住他的小脑袋。

10. 把他抱到换尿布的桌台上为其穿衣服——宝宝刚出生的最初三个月，一定要正确执行上述各个步骤。重复的行为动作可以让宝宝获得安全感。此时,在直接给宝宝换穿衣服之前,你还可以依据他的性情,决定是否辅以按摩以便令其放松下来。

沟通交流的媒介——按摩

关于婴儿按摩的早期研究,主要针对提前出生的早产儿,结果证实,加以调控的按摩可以加速大脑和神经系统的发育、改善血液循环、强化肌肉力量,还可缓解压力和焦躁情绪。基于此,进一步通过逻辑推理得到的结论便是:正常的婴儿同样会因此有所受益。毋庸置疑,按摩自打问世之日起就被视为改善婴儿健康和促进宝宝成长的优良举措。除了实验提供的客观研究证据之外,我还亲眼见证过,按摩让宝宝体会到了触摸的力量。相比之下,接受过按摩的宝宝们长到蹒跚学步的阶段时,会更加自如地控制自己的身体。我在位于加利福尼亚州的分部开设了婴儿按摩辅导课, 这是最受欢迎的辅导课程之一。毕竟这能够为家长了解宝宝的身体提供机会,可以帮助宝宝放松下来,此外,家长和宝宝均能在这个过程中体会到一种零距离接触的和谐感觉。

同时思考一下宝宝的各种感觉是如何一步一步形成的吧。在他们身处母体子宫里时,他们的听觉就开始形成了,然后才是触觉。宝宝在出生时就能体验温度和短程刺激的变化。他的哭声告诉我们："嘿，我能够感觉到。"事实上，感官的发展先于感情的发展。宝宝会先感觉到热、冷、疼痛、饥饿，然后才了解这些感觉究竟意味着什么。

尽管我曾见过很早开始给孩子按摩的妈妈，但孩子三个月大时才是实施按摩的最佳时机。在你空闲时慢慢地给宝宝按摩一会儿，这样你就可以在此过程中全身心投入了。为宝宝按摩可不能速战速决或三心二意，而且第一次尝试按摩时你也别指望自己的宝宝能老老实实地躺上 15 分钟。不妨现实一点，最初只揉搓 3 分钟，日后再逐步延长按摩时间。我喜欢把按摩和晚上给宝宝洗澡这两项活动放在一起进行，不过还是要看你的时间，你不忙的时候便是为宝宝按摩的最佳时间。

自然地，有些婴儿比其他同龄人更容易接受按摩。相比之下，天使型、模范型和活跃型的宝宝都能比较快地适应，而对待易怒型和暴躁型的宝宝，我们则需要在刚开始的时候慢一点，因为他们需要更多的时间才可以适应刺激，不过按摩迟早能够提高他们对外界刺激的接受能力，过一段时间之后，他们的容忍度也会逐步提高。易怒型宝宝可以从按摩中缓解其敏感的特质，而暴躁型宝宝也能够学着让自己放松下来。按摩甚至可以减轻腹痛婴儿的紧张感——这种紧张感会加剧他们的不适感受。

蒂莫西算得上是一个接受按摩后收效最为明显的宝宝。这个易怒型宝宝最初非常敏感，连给他换尿布都颇费周折。我或者他妈妈每每尝试将他放进澡盆时，小家伙都会哭闹，抵制情绪特别明显，乃至出生后将近六周时间都没能好好洗个澡。蒂莫西的这种脾气性情确实让妈妈安娜感到失望，他的爸爸格雷戈里询问可以做些什么来分担妻子的压力。其实每晚11点时，爸爸都会承担给宝宝喂奶的任务，但白天他一般都不在家。我建议他帮忙给敏感的小宝宝洗澡，通常情况下，我都会劝告爸爸们参与其中。这会为其提供机会接触并了解自己的宝宝，而且与之同等重要的是，让他们承担自己在育儿过程中的一部分职责。

格雷戈里起初轻手轻脚地试着把宝宝放进澡盆，并最终做到了这一点。接下来，我又分派给他另外一项任务：给小家伙按摩。格雷戈里专心地观察我，如何按下文所述一步一步为宝宝实施按摩活动。我们每一步都进行得极为小心，目的是让蒂莫西首先适应我的碰触，然后再适应他爸爸的抚触。

蒂莫西现在快满一周岁了，虽然他仍旧是个性情敏感的小男孩，但较之从前已经有了很大进步。他对外界刺激的容忍能力与日俱增，这其中至少有

按摩必备

你可以选择地板,也可以选择桌台,为宝宝实施按摩。只要找一个自己也感觉舒适的地方进行就可以。与此同时,你还需要

◎ 枕头
◎ 防水垫板
◎ 两条蓬松柔软的浴巾
◎ 婴儿润肤油、植物油或特殊配方的婴儿按摩油(千万不要使用带有香味的精油,这对宝宝的肌肤刺激过强,而且会对其嗅觉形成强烈刺激。)

一部分功劳是他爸爸的,是每晚的洗澡和按摩所带来的直接效果。当然,如果换做是妈妈为他实施按摩,蒂莫西同样也会受益,只不过在照看这个易怒型宝宝一天后,安娜需要在晚上休息,以便自我休整,再说宝宝同样需要跟爸爸有如此亲密的互动,因为在此期间他们都会获得不同类型的自信。这么一来,安娜用母乳喂养孩子建立起来了亲密感,而身为爸爸的格雷戈里也可以通过搂抱和肌肤相亲的方式跟宝宝培养相似的依附感。

按摩 101 法则:仅需 10 步就让宝宝更放松

如同给宝宝洗澡那样,我会向你传授 10 个步骤。参见"按摩必备"表格,以确保将你所需要的一切物品准备齐全。记得不可操之过急,在触抚宝宝之前先告知他你现在要做什么, 并在此过程中逐一向宝宝解释清楚每一个步骤。任何时候,如果发现宝宝流露出不适的表情(你不用等到他哭出声音来,他扭动身体的动作就是在告诉你感觉不舒服),立刻中止按摩活动。首次尝试为宝宝按摩,你可别指望他会老老实实躺在那里,等待你给他做一个周身按摩,这需要时间,每次延长几分钟,逐步提高其忍受能力。刚开始的时候,动作少一些,一次只按摩两三分钟即可。过几周或更长时间之后,再把时间逐渐延至 15~20 分钟。

1. 确保按摩环境适宜——房间要暖和,温度大约控制在华氏 75 度左右(约 23 摄氏度),不能有过堂风。播放旋律柔和的音乐。你的"按摩台"上应该有一个枕头,上面铺一块防水的垫板。最上面应该展放一块蓬松的大浴巾。

2. 做好准备开始按摩——扪心自问一下:"此刻,我的心思是否真的放在孩子身上,是不是应该在更合适的时间来做这件事情?"倘若你确定自己可以做到全情投入,那就把手洗干净,并做几下深呼吸让自己放松下来。接

下来再帮宝宝做好准备。让他平躺，同其交谈，跟宝宝解释清楚："我要给你这个小家伙做按摩啦。"告诉他你要做什么，一边说明一边往手掌心里挤倒少量乳油（一两茶羹的量即可），手心合并迅速对搓，以便通过摩擦生热的方式加热乳油。

3. 获得批准后方可行动——按摩顺序自下而上，先从宝宝的小脚丫开始按摩，然后逐一向上，最后按摩他的小脑袋。在碰触宝宝之前，应先向他解释清楚："我现在要抬高你的小脚丫啦。接下来，我要轻轻抚摸你的小屁股啦。"

4. 首先按摩腿和脚——按摩他的小脚丫可以运用拇指交替法：先用你一只手的拇指向上揉搓宝宝的一只脚，再换用你另一只手的拇指按照相同的方向揉搓宝宝的另外一只小脚丫，轻柔地抚摸他的脚掌、脚跟、直至脚趾。对脚跟进行全面的挤压式按摩，精心向内挤压每一根脚趾，你可以一边做一边唱童谣"这只小猪猪……"，从脚尖一直按摩到脚踝处，像划圆圈一样顺时针转动脚踝。向上按摩至腿部时，轻轻地做"扭绳"的动作：用你的手松散地握住宝宝的腿，上面那只手向左转动宝宝小腿的同时，下面那只手侧向右转，这样做其实是在"扭动"他的皮肤和肌肉，以便促进其腿部的血液循环。遵照相同的方法再按摩另外一条腿，而后顺势将手滑抚至宝宝的小屁股，依次按摩左右两半小屁股，最后再自上而下由腿部按摩回足部。

5. 接下来按摩腹部——把你的手放在宝宝的小肚子上，然后轻轻向两侧滑动。两个拇指同时并放在肚脐处轻轻向外侧按摩。像弹钢琴一样，让手指从腹部"行走"至胸部。

6. 胸部——一边说着"我爱你宝贝"，一边用食指做勾画"太阳和月亮"的动作，先画一个圆圈——代表"太阳"——从宝宝的胸部顶端开始画，一直到肚脐眼的位置。再用右手勾画"月亮"，先从下往上画至胸部（由下自上书写大写字母 C），然后使用左手做同样的动作（由上自下书写大些字母 C）。将勾画"太阳和月亮"的动作重复做几遍，然后再勾画心形。把你所有的手指都放在宝宝的胸前，在其胸骨中央轻柔地个描画心形，最后停在肚脐处。

7. 胳膊和手——按摩胳膊下面的部位。做"扭绳"的动作，然后展开双手按摩双臂。蜷曲每一根手指，与此同时不要忘记哼唱"这只小猪猪"的童谣，只不过这次是在按摩手指头的时候哼唱罢了。最后按照勾画圆圈的形状扭转活动宝宝的小手腕。

8. 面部——按摩面部时动作要格外小心。按摩额头和眉毛，用你的拇指

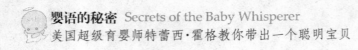

按摩眼球外延区域;沿着鼻梁向下按摩,来回揉抚两颊;再从两侧耳朵揉摸至上下嘴唇;在下巴和耳后根的部位按画圈圈的形状按摩;揉搓耳垂和下巴下方;最后轻轻地帮他翻一下身。

9. 头部和背部——在宝宝后脑勺和肩膀背面按勾画圆圈的方式按摩,由后向前、自上而下轻轻抚摸,沿背部脊柱按摩背部肌肉。用你的双手触及宝宝周身,为其实行全身按摩,从背部顶端向下一直按摩至他的小屁股,最后止于脚踝。

10. 结束按摩——"宝贝,我们做完了。你感觉如何呀?"

假如每次为宝宝实施按摩的时候,你都能够遵循上述各个步骤,那孩子会对按摩活动心存期待的。再次提醒你一声,不要忘记尊重宝宝敏锐的感官。如果他哭了,万万不可继续进行下去,可以隔上几周之后再次尝试。再次试着为宝宝按摩的时长要比前一次更短一些才行。我唯一能宽慰你的是,只要你能够让宝宝适应并习惯这种抚触,从长远来看他将受益于此,非但如此,这项活动还有利于促进他的睡眠。我会在接下来的一章中讲到这个问题。

第六章

睡觉（S）——婴儿都会哭闹

自宝宝降生后两周起，我就再也没有好好休息过。哎，或许不会永远这样下去。我抱着一丝希望，可能等孩子上了大学我就可以彻夜安睡了，不过我知道在孩子处于婴儿期时我是绝对不可能睡个好觉了。

——摘自《夜晚与其他时间的睡眠》

优质的睡眠，健康的宝宝

在出生后的最初一段时间里，睡觉就是婴儿最常做的一件事，远远超过其他事情。有的宝宝在降生后的第一周里，每天甚至可以睡足 23 个小时！正如马斯·斯图尔特所言，睡得多是件好事。睡眠固然对每一个人都很重要，但对宝宝而言则意味着全部。睡眠期间，婴儿的大脑在不停地"生产"新的大脑细胞，而这又是智力、体力和情感发展的必需之物。我们大人在痛快地睡了一觉或日间小憩后就会神采焕发：反应力提高，注意力更为集中，并且状态也颇为轻松自在。事实上，好好睡过一觉的婴儿就如同我们大人一样。宝宝睡得好了，就能吃得香，也能玩得尽兴，体内还会蕴藏大量的能量，而且与周围的人也能很好地沟通交流。

反之，睡眠不佳的宝宝，就会缺少神经系统的资源补给，身体的运转便会缺乏效率。他有可能变得脾气暴躁，不配合大人的关怀。妈妈用乳房或奶瓶给他喂奶时，他也无法集中精力喝奶，更不具备充沛的精力探知眼前的世界。最为糟糕的是，过度疲劳其实会破坏他的睡眠，这是因为不良的睡眠习惯持续太久，从而形成恶性循环。有些婴儿在过度疲惫的状态下根本无法让自己的身体松弛下来或稍微休息一会儿。只有在精疲力竭时，他才能得到休息。婴儿们的烦躁和痛苦令人感到颇为心痛，他们不得已才用高声尖叫的方式宣告其想睡觉的意愿。比这更恶劣的是，即使他们睡着了，也是短暂、时断时续的，有时甚至不超过 20 分钟，因此他们看上去总是有点坏脾气。

此时，一切看起来都那么简单，然而仍有许多人尚未意识到宝宝需要父母的引导才能够养成良好的睡眠习惯。事实上，一些所谓的睡眠问题之所以普遍存在，是因为很多父母没有认识到必须由他们而不是宝宝来掌控睡眠时间。

使局势更加恶化的是外界压力。很多人都在问小宝宝的父母同一个问题："孩子能一觉睡到天亮吗？"如果宝宝四个月大了，那问法或许稍有改变（"孩子睡得好吗？"）。然而对于那些自身睡眠不足的父母们来说，导致他们睡眠不足的关键性因素都大致相同：负罪心理和紧张情绪。有位妈妈在一家育儿网站上发布过文章，她承认因为有太多的朋友在询问宝宝是否会在半夜醒来，以及半夜醒来的频次，所以自己不得不熬夜来观测宝宝的睡眠情况。

此现象为美国所独有，我从未见过哪一种文化有着如此丰厚的兴趣来关注宝宝的睡眠习惯。因此，我愿意在这一章中与大家分享一些关于婴儿睡眠问题的个人看法。其中，许多观点或许跟你之前的所见所闻有所抵触。我会帮助你学会如何识别婴儿在精力耗尽前的疲倦征兆，还会教给你一些在错失辨认良机后的补救措施。我会指导你帮助宝宝入睡，同时还将传授给你若干克服睡眠问题的方法，让你能在睡眠问题成痼疾之前消灭它。

放弃时尚：适宜的睡眠

什么是哄宝宝入睡的最佳方法，以及在无法哄其入睡时应该做些什么，对这些问题每个人都有不同的想法。我不会倒退十年追究那个时候的流行观念，但在 2000 年编写此书时，我却亲身经历两股不同的理论正"捕获"着孩子家长们(以及媒体)的注意力。其中一方赞成一种名为和"父母一起睡觉论"、"与家人同床共枕论"或"希尔斯法"——以其创始人的名字来命名。加利福尼亚州儿科医师威廉·希尔斯博士提出这种理论，认为宝宝应该跟自己的父母睡在一起，直到他自己主动申请一个人睡觉。这一观点的理论依据是有必要培养孩子对睡眠的积极态度(这一点我尤为赞同)，而实现此目标的最佳手段就是在宝宝入睡前抱他、搂他、摇晃他以及给他按摩(这点我未敢苟同)。迄今为止，希尔斯是这一方法的头号倡导者，直言不讳地道出自己对该法的偏好，他在 1998 年接受《儿童》杂志一位记者采访时曾经说过："我真弄不明白，家长们为什么要把孩子一个人留在黑暗房间里如同盒子一样的小床上呢？"

其他一些赞成"全家同床"的人经常会引用印度尼西亚巴厘岛地区的育儿手法，在那里不满三个月大的婴儿不能下床着地(当然，我们并非生活在巴厘岛上)。国际母乳会建议，如果宝宝度过了紧张的一天，妈妈晚上就应该陪同他一起睡觉，给予其所需的抚触和照顾。一切都以"母子间的亲密关系"和"安全感"为重，因此，这些家伙认为父母应该为了孩子而放弃自己全部的时间、隐私或自身所需的睡眠，这样做没有任何不妥。同时，为了实际应用这一理念,一本名为《母乳哺育艺术》的杂志引用了派特·耶尔瑞——一位"全家同床论"拥护者的话,他建议那些对此心怀不满的孩子家长改变他们的观点:"倘若你能够调整思想态度,更加认可并接受'宝宝有可能让你无法安睡'的事实,那你便会发觉,自己可以更享受晚上跟宝宝同处的这段时光,他们需要你的搂抱、需要你给他们喂奶;你还会更享受和蹒跚学步的孩子相处的时光,他们只是不想一个人呆着而已。"

另一极端是"延迟反应法",通常被称作"费波法"——以其推行者的名字而命名。它的首创者理查·费波博士是波士顿儿童医院睡眠紊乱诊疗中心的负责人。他认为不好的睡眠习惯是后天养成的,因此也是可以矫正去除的(对此我极为赞同)。为此,他建议父母在宝宝还没有入睡之前就把他们送回婴儿床,并训导他们学会自己一个人睡觉(我同样赞成这一观点)。话虽这么说,但当宝宝睡不着而啼哭时,他的哭声其实是想告诉你:"快来人,我不想呆在这儿。"费波却建议任由他一直哭下去——第一天晚上哭 5 分钟,第二晚哭 10 分钟,接下来的一晚哭 15 分钟,然后依次延长(这是费波博士的观点,我恐怕不能苟同)。对此,费波博士曾经在《儿童》杂志上做过解释,他当时说:"当一个小孩子意欲从事危险性活动时,我们必须予以制止,并且为其设立他们或许不乐意遵从的限制……告诉他在晚间时分你也有一定的规矩和要求,和白天没有什么不同之处,毕竟他可以从晚间的优质睡眠中最大程度地受益。"

很显然,这两股"思潮"均有可赞之处,支持和维护两派的专家学者们都接受过良好的教育且极具资质。由此引发的大量激烈的争辩时常现于媒体,这一点也是可以理解的。例如,1999 年秋,美国消费品生产安全委员会警示那些支持"同床共枕"的父母,"与婴儿同床入眠,或把宝宝抱到大人床上去睡"的做法,极有可能造成婴儿窒息或受挤压而死。而《母亲》杂志的编辑佩吉·奥迈尔就撰写了一篇言辞激烈的文章予以反驳——"离开我的卧室"。在诸多驳斥论点中,他向 64 位声称自己在睡觉时曾压过宝宝的父母们提出了质疑。他们难道酩酊大醉了吗?还是喝了迷魂汤?类似的争论可不止这一次,有时报纸或育婴专家会撰稿批评"延迟反应法":虽然称不上绝对的残酷无情,但却漠然对待宝宝所需,这时,同样会有一个热情洋溢的父母军团挺身而出,坚决宣称这种方法可以保证他们的身体健康,且能够维护他们的婚姻状况,而且,还会顺便提及他们的宝宝在使用这种方法后已经可以一觉睡到天亮了。

或许你已经成为某一阵营的成员，又或者成为了另一方的拥护者。假如其中有一种方法适合你、适合你的宝宝、适合你的生活方式，那无论如何都要坚持使用。问题在于，很多人都试过了两种方法，却还是打电话向我咨询求助。我经常遇到这种情况，父母中有一方开始热心于实行"父母与孩子同床"的方法，而且还向其爱人"兜售"这一理念。毕竟这一理念不乏吸引人的浪漫情调，在某种程度上是一种看似回归旧时且较为简单的生活方式。和婴儿睡在一起给大人的感觉更为现实，而且这样做会使半夜起床给宝宝喂奶的工作更容易。起初，夫妻二人共同决定不给宝宝购买婴儿小床，然而接下来几个月或是更长时间过后，"蜜月期"便会结束。妈妈和爸爸小心翼翼地不让自己的身体滚压到宝宝，因为太过警醒或者由于对小家伙在午夜时分发出的每一声响都过于敏感，他们根本都睡不踏实。

宝宝可能每隔两个钟头就会醒一次，醒来就指望着有人能关注他们。一些小家伙只需要有人轻轻拍打，或用鼻子擦蹭其小脸就能够再度入睡。还有的宝宝之所以醒来，是因为误以为玩耍的时间到了呢。父母则轮班来照顾婴儿——前一晚和孩子睡在一起，次日再到客房睡一晚，以弥补前一天缺的觉。然而，如果夫妻俩都不能完全按照开始的决定执行，那最初的被说服对象便开始埋怨。显而易见，此时是"费波法"最容易被接受的时候。

于是，父母亲买回婴儿床，并决定让宝宝在自己的小床上睡觉。现在，不妨从宝宝的角度来看看这一具有里程碑意义的转变："我的妈妈和爸爸几个月来一直让我睡在他们的大床上，抱我、哄我，尽量让我开心自在，可是突然之间却戏弄了我。第二天，我就被他们赶出房间，一下子来到了地狱一样的屋子里，周围的环境如此陌生，我感觉自己被遗弃了。我倒不认为这是'监狱'，而且我也不害怕黑暗，因为我这个小宝宝根本不懂这些，但我却在想'他们都去哪里了？原来躺在我身边的那些温暖的身体都去哪里了？'于是，我开始啼哭，因为这是我提出疑问的唯一方法：'你们在哪儿啊？'而且我会一直哭下去，但始终没有人来回答我。最后，终于来人了，他们拍拍我，告诉我要做个好女孩，然后又跑回去睡觉了。可是，在此之前没有人教过我如何一个人睡觉。我只是个小孩子啊！"

我认为过于极端的做法对大多数人来说都不奏效，当然对那些给我打求助电话的家长的宝宝来说，就更没效果了。因此，我提议从一开始就采用一种中立且符合常识的方法，我称之为"明智的睡眠"。

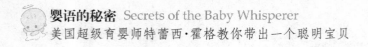
何谓明智的睡眠

明智的睡眠是一种反对极端做法的观点。你会发现，我的观点结合了上述两种理论，但是我认为一味让孩子去哭的理论没有充分考虑宝宝的感受，而全家人睡在一张床上的理论又没有重视父母亲的需求。换句话说，明智的睡眠是一种能照顾全家每个人需求的方法。依我看，宝宝需要学习自己入睡，他们需要在自己的小床上体会到安全感。但是，当他们不高兴的时候，也需要大人们尽快去安抚。如果我们认识不到第二个目标的重要性，那么第一个目标也实现不了。同时，家长们也需要得到充足的休息，也需要有个人的时间和给对方的时间，他们的生活不能完全围着孩子转。不过，他们也需要为孩子贡献出自己的时间、精力和关爱。这两个目标之间并不矛盾。为了达到以上这两个目标，我们必须要理解以下几点，这是明智的睡眠的存在根本。在本章中，当我阐明 E.A.S.Y 中的 S 部分时，你将会了解如何将一个字母转变成行动。

准备好就开始——如果你被与孩子分享睡眠的理论所吸引，那就请你再好好想一想。以后的 3 个月、6 个月，甚至更长时间，你是否都准备好这样做？请记住，你所做的每一件事情都在教育着宝宝。因此，当你为了哄孩子睡觉，把他抱在胸前或者摇晃着长达 40 分钟时，实际上你是在告诉他："这就是你睡觉的方式。"一旦你按照这种方式做下去，那就要做好充分的思想准备，或许以后你会抱着他、摇晃着他更长时间。

独立并非忽略——当我对一个孩子刚出生一天的父母亲说"我希望能帮助他独立"时，他们经常会看着我反驳道："特蕾茜，她才刚出生几个小时而已，怎么能独立呢？"我接着问道："好吧，那你想在什么时候开始才好呢？"这是一个任何人都回答不上来的问题，甚至于科学家们也无从回答，因为我们都不知道一个婴儿真正开始理解这个世界的精确时间，也不知道他什么时候能够掌握与周围世界沟通的方法。因此，我才会说从现在开始。然而，培养孩子的独立性并不是说任他哭泣，而是指要满足孩子的需求，包括当他哭泣时就去抱他，因为毕竟他是想通过哭泣告诉你一些什么。但是，这也意味着一旦满足了孩子的需求，就应该立刻放下他。

观察但不干扰——你可能会想起来，我曾经在如何与孩子玩耍那一部分内容中谈到过这个话题。在睡觉这个问题上，道理也相同。婴儿的每次睡觉过程也应该经历一个可预测的周期(参见后文中的睡觉三步骤)。家长们需要理解这一点，如此才会做到不贸然干预。与其打乱宝宝的自然睡眠过程，我们更需要后退一步，让宝宝自己安然入睡。

不要让宝宝有依赖——依赖是一种策略或干扰，一旦失去孩子会倍感不适。如果我们让孩子认为他总是可以依靠父亲的胸膛，他总会被抱着半个小时或他嘴巴里总可以衔着奶嘴来获得抚慰，那么我们就不可能希望孩子学会如何一个人入睡了。正如我在第四章中介绍的那样，我可以去抚慰他们，但决不能把孩子当作一个哑巴(参见第四章内容及本章中后文介绍)。我认为，为了让孩子安静下来而将一个橡皮奶嘴或母亲的乳头放到孩子嘴里，是一种很不礼貌的行为。而且，当我们做类似的事情，或者以安抚孩子睡觉的名义拥抱他、摇晃他、无止境地搂抱他的时候，我们恰恰造成了孩子的依赖性，剥夺了孩子发展自我调节能力的机会，并且让他无法学会如何自己入睡。

顺便说一句，依赖物和过度物完全不同，后者可以是一个毛绒玩具、一块小毯子，是宝宝接受并喜欢的物品。大多数婴儿在7~8个月之前不会有类似需求，他们喜欢的通常都是父母所给予的。当然，如果你的孩子喜欢抱着一个玩具，那就让他抱着好了。但是，我反对为了让宝宝安静下来而使用任何道具。相反，我们应该让孩子去发现能使自己安静下来的方法。

确定就寝时间和小睡的仪式——晚间就寝和日间小睡每次都必须以同样的方式进行。我一直在强调，婴儿也是善于形成习惯的小生命。他们希望能了解下一步要做什么，研究证明即使刚出生的婴儿，如果对他们进行某种特殊刺激的训练，他们也能预见到即将要发生的事情。

睡 眠 类 型

尽管有三个相应的睡眠阶段，但是了解宝宝的习性也很重要。倘若宝宝的睡眠过程不被成年人所打扰，天使型宝宝和模范型宝宝会比较容易独自入睡。

对于一个易怒型宝宝来说，他很容易被感化，所以你必须要非常敏锐。如果你错过了安慰宝宝的时机，他就会占据主动，变得很难哄了。

一个活泼型的宝宝有时会坐立不安，你可以停止对他的视觉刺激。他累了的时候，常常会瞪大眼睛看着四周，仿佛有一根火柴棍支撑着他的眼睛似的。

一个暴躁型的宝宝也许会有一点烦躁、忙乱，但他通常会很开心地小睡一会儿。

(请参考第二章末对各种类型宝宝的介绍。)

了解你的孩子特有的睡眠习惯——任何一个帮助婴儿入睡的秘诀都有一个缺点，那就是不适用于任何人。因此，虽然我为家长朋友们提供了那么多指导建议，其中包括任何宝宝在最终入睡之前都要经历的三个可预测阶段，但我还是要着重强调了解你的孩子才是首要任务。

睡眠的三个阶段

宝宝每次睡觉都要经历这三个阶段。全部完成这一过程大概需要 20 分钟。

阶段一：给信号。宝宝自己并不会说："我累了。"但他会通过打哈欠或者其他表现疲劳的方法来告诉你他累了（见下一个表格）。等他打第三个哈欠时，就抱他上床。如果你没能这么做，孩子往往会大哭起来，并不会直接进入下一个阶段。

阶段二：进入状态。这时，你的宝宝会有一种固定、专注的眼神，我称之为"七里凝视"，这种情况会持续三四分钟。他的眼睛虽然是睁开的，但其实并没有在看什么，他的心绪早已飞上云端。

阶段三：放任。现在，你的宝宝就像一个在火车上打盹的人——他闭上了眼睛，脑袋耷拉到一边。就在他仿佛要睡着的时候，忽然又会睁开眼睛，脑袋向后仰过去，全身也会跟着颤抖一下。接着，他又会再次闭上眼睛，重复这个过程 3~5 次，直到最后进入熟睡状态。

实际上，最好的方法是做好孩子的睡眠日记。从早上开始，写下每次睡醒的时间以及日间小睡的时间和次数，还要记下孩子晚上入睡的时间和夜里睡醒的时间。坚持记录四天，即使孩子的睡眠变化无常，这么长的时间也足够你了解孩子的睡眠习惯了。

例如，马茜曾很确定地认为自己根本掌握不了 8 个月大的迪伦日间小憩的习惯，她对我说："特蕾茜，他白天从不在相同的时间睡觉。"但是，在记录儿子的睡觉时间 4 天之后，马茜发现尽管迪伦的睡觉时间有点不同，但迪伦总在上午 9 点至 10 点之间睡一小觉，然后在中午 12 点半至下午 2 点之间再睡 40 分钟，在下午 5 点左右又会变得烦躁不安，这时他需要再睡 20 分钟左右。了解到迪伦的这些特点，马茜就能好好安排自己的时间了，这点很重要，同时还能帮助她理解小家伙的情绪。她可以根据迪伦的生物钟来安排他的一天，这样就可以确保迪伦得到充分的休息。只要小家伙一烦躁起来，她就能快速采取行动，因为她知道迪伦什么时候需要去睡一小觉了。

通往梦乡的黄砖路

在《绿野仙踪》一书中，多萝茜沿着黄色的砖路走去，希望能找到回家的方向,你还记得吗?在经过一系列磨难和一段提心吊胆的日子后,她最终发掘出了自己的内在智慧。事实上,我要提醒父母们,良好的睡眠习惯也要靠婴儿自身去发掘。睡觉是一个由父母开始并加强的学习过程。因此,他们必须要教给孩子如何进入睡眠。这就是通往明智睡眠的必经之路。

铺设睡眠之路——由于婴儿具有丰富的预见力以及从重复过程中学习的能力,因此我们必须要在孩子上床睡觉之前或日间小憩之前,坚持做同样的事情、说同样的话,如此才能在宝宝的思想中形成这样的概念:"哦,这就意味着我要去睡觉了。"以同样的顺序重复进行同样的步骤,你可以说:"好了,小宝贝,我们要去睡觉觉了。"或者"到了该上床睡觉的时间了。"当你带他到卧室里去时,要保持安静。如果你希望宝宝能舒服一点的话,就经常查看一下孩子是否需要更换一块尿布。将房间里的窗帘拉上,或者将百叶窗合上。我通常会说:"再见了,阳光先生,等我睡醒后再见吧。"如果已经到了晚上睡觉的时间,外面已经漆黑一片了,我就会说:"晚安,月光先生。"我不喜欢让孩子睡在起居室里或者厨房里,那样太不礼貌了。难道你喜欢把睡床放在百货公司的中央地带,让周围的人从床边来来往往吗?不,当然不会,婴儿同样也不喜欢这样。

沿着小路寻找各种迹象——宝宝也像我们一样,在累了的时候会打哈欠。人们打哈欠是因为身体在疲惫的时候无法有效地工作,肺部、心脏、血液循环系统的氧气供给量不够所导致的。打哈欠是人体获得更多氧气的一种方式(你可以模仿一下打哈欠,会发现自己不得不做深呼吸)。我告诉家长们,在孩子第一次打哈欠时要迅速作出反应。如果不能在第一次打哈欠时作出反应,至少应该在第三次时迅速反应。如果你错过了孩子给出的信号(参见下表),某种类型的宝宝就会嚎啕大哭起来,如易怒型宝宝。

> 小贴士:强调休息可调节心情的重要性。不要让睡觉呈现出惩罚或斗争的迹象。如果你对孩子说:"赶快睡觉去"或者"你现在必须得去睡觉了"。这种语气好像在告诉孩子"你被流放到西伯利亚了"。等孩子长大后,就会形成一种"睡觉不好"的观念,总认为在自己睡觉时错过了有意思的事情。

睡 觉 征 兆

如成年人一样,婴儿在疲劳的时候也打哈欠,注意力也会不集中。随着年龄的增长,他们那不断变化的身体会采用新方式来表达自己的疲倦,告诉你他准备要睡觉了。

当他们能够控制自己的头时——宝宝在昏昏欲睡时,常会将小脸从物体或人身上移开,仿佛要封闭与外界的一切联系。如果被大人抱在怀里,他们会将小脸埋于你的胸前。他们会做一些无意识的动作,垂下自己的小胳膊、小腿。

当他们能够控制自己的四肢时——疲惫时,宝宝会眨眼、抓耳朵、挠自己的小脸。

当他们能够移动时——疲惫的宝宝看上去缺乏协调性,对玩具也失去了兴趣。如果被抱着,他们会弓起后背,向后靠着。在小床上时,他们会蜷缩着身子窝在一角,将头靠在一边。或者,他们会来回滚动,因为不会翻身而被困在那里。

当他们能够爬行或走动时——年龄稍大点的孩子疲惫时,先出现协调性差的迹象。如果继续抱起他们,他们常常会滑下去。如果在走着,他们就会跌倒或撞到其他物品上。他们还不能完全控制自己的身体,因此常常会靠在那个试图放下他的成年人身上。他们可以站在婴儿床上,但是却不懂得如何躺下,除非自己跌倒,这种情况经常发生。

在接近目标时慢下来——成年人喜欢在睡前看会儿书或电视,这样帮助他们从白天的活动中转换一下。婴儿也有同样的需求。在睡觉前洗个澡,或者可以给还不到三个月大的宝宝做按摩,这样可帮助他们做好睡觉前的准备。即使在日间小憩时,我也总是会播放一段柔和的摇篮曲给孩子听。大约5分钟内,我就坐在摇椅里或者地板上,让孩子依偎在我怀里。如果你愿意,还可以给宝宝讲个故事,或者在他耳边喃喃地说些甜蜜的话。不过,这样做的目的并非让他进入梦乡,而是让他平静下来。因此,我会在看到睡前第二个阶段的七里凝视信号时停下来,或者在看到他的小眼睛慢慢闭上时停下来,这就意味着他已经进入第三个阶段了(任何时候开始给孩子讲故事都不会显得过早,但我一般不建议给那些还不到六个月大的孩子在睡觉前讲故事,等孩子能够更好地集中注意力、能更好地端坐着时再开始吧)。

小贴士:当你准备将孩子放入小床里睡觉时,千万不要邀请客人到家中来。这样不公平。你的宝宝会希望参与这些活动。他看到你的朋友们时,会知道对方是来看他的:"妈妈,陌生的面孔在看着我,他们在对我笑,为什么呢?爸爸妈妈是想让我去睡觉,错过这些吗?我可不愿意。"

在宝宝睡着之前将他放到小床上。许多人认为在宝宝没有熟睡时,不能将他放到小床上。这显然是错误的观点。在第三个阶段伊始就将孩子放到床上,是帮助他开发自己入睡技能的最好方法。还有另外一个原因,即如果宝宝在你的臂弯里或摇床上睡着了,一旦被放到小床上就会又醒了,这无异于我在你熟睡时将床搬到花园里去。你会被惊醒,并且暗自纳闷"我在哪里?我怎么过来的?"对宝宝来说也同样,除非他们没有推理能力,不会去想"哦,可能有人在我睡着的时候把床搬到这里来了"。宝宝会觉得迷惑混乱,甚至会恐慌。他们在婴儿床上不会再感到舒适和安全了。

当我把一个宝宝放下时,我总会对他们说同样的话:"我准备把你放到小床上去睡觉了。你知道这样会感觉更舒服些。"我会更近地观察他。在安顿下来前,他可能会感到有点烦躁,尤其在他陷入睡前的第三个阶段中时。这时,有些家长们会贸然去干扰小宝宝。但是,有些孩子自然就会安静下来,即使孩子哭了,轻轻地、有节奏地拍一下他的背就会让他确信自己并不孤单。不过要记住,当宝宝不再烦躁时,立即停止拍打。如果你此时再继续多拍几下,他会把这种轻拍和睡觉联系起来,更糟糕的是,以后会养成睡前需要轻拍的习惯。

　　　　小贴士:我通常建议将孩子后背先放下。不过,你也可以让孩子侧面躺下,两边塞上卷好的毛巾或特殊形状的垫子,这些都可以在商店里买到。如果他喜欢侧躺着睡觉,那么为了让孩子更舒服些,可以让他侧躺着睡一会儿,但是请确保不要让孩子总是侧躺着。

当通往梦乡之路崎岖时,用一个奶嘴来帮助宝宝睡觉。我喜欢在孩子前三个月大时使用橡皮奶嘴,这是一个帮助孩子建立作息规律的时间段。这种方法可以节省妈妈们用乳房抚慰小宝宝的时间。同时,我还会很谨慎地使用橡皮奶嘴,避免使之成为孩子的依赖物。在正确使用的情况下,宝宝们常会用力地吮吸六七分钟,然后就慢下来,最后,他们会把奶嘴吐出来。这是因为他们已经释放了储存的吮吸能量,已经进入了熟睡的梦乡。此时,有些善意的成年人常会走过来,说:"唉,可怜的孩子,你把奶嘴都吐出来了",说着又试图把奶嘴放回到宝宝嘴里。千万不要这样做!如果宝宝需要橡皮奶嘴的抚慰才能睡觉,她会通过发出咯咯声或扭动身子让你知道。

对很多宝宝来说,如果你每次都能按照 E.A.S.Y 中的 S 过程哄宝宝进入

橡皮奶嘴的使用和滥用：昆西的故事

正如我在第四章中提到的那样，在橡皮奶嘴的使用和滥用之间有一条清晰的界限。在婴儿六七周大时，如果还不能在睡着以后主动将奶嘴吐出来，父母亲就要帮他取出来。当宝宝三个月大以后，如果醒来就要他的橡皮奶嘴，那这就属于滥用了。

六个月大的昆西大概就是这种状况。他的父母给我打电话求助，因为他总爱在半夜睡醒，只有那个橡皮奶嘴可以让他安静下来。通过更多的了解，我发现了自己意料之内的事情：当昆西自然地吐出橡皮奶嘴时，大人们又继续将奶嘴放回到昆西的嘴里。当然，他开始依赖这种嘴里衔着奶嘴的感受了，如果没有奶嘴就会影响他的睡眠质量。我对昆西的父母讲了自己的计划：拿走那个橡皮奶嘴。那天晚上，当昆西哭着要奶嘴时，我用轻拍他取而代之。第二天晚上，他需要的轻拍逐渐少了。仅仅用了 3 个晚上，昆西就可以睡得很好了，因为他学会了自我安慰的方法。他开始吮吸自己的舌头。在晚上，他有时会发出像唐老鸭一样的声音；在白天，他就成了一个快乐的小男孩。

梦乡，就会帮助孩子树立对睡眠的正面联系。重复这个过程既能帮孩子树立安全感，又能建立可预见性。你会惊讶地发现，宝宝如此快速地掌握了如何明智地睡觉这一技能。他还会把睡觉当成是一种恢复体力的愉快经历。当然，你的宝宝可能会有过度劳累的时候、因为长牙而疼痛的时候或者发烧的时候，但这些都是特殊情况，非常规状况。

你需要牢记在心的是，宝宝实际上需要近 20 分钟才能睡熟，因此不要贸然去打扰他。如果你干扰了宝宝的入睡过程，他就会烦躁，而你也就破坏了孩子自然的三个阶段入睡过程。例如，倘若孩子在第三个阶段受到了打扰，如一声巨响、狗叫声或关门的声音等，他就会瞬间清醒过来，无法入睡，而你又必须重新从第一个阶段开始哄他了。这和一个成年人在睡梦中被刺耳的电话铃吵醒一样。如果此人被搞得很苦恼，或者受到了过度刺激，将很难再次回到熟睡状态。对你的宝宝来说，也同样。倘若这种状况发生在宝宝身上，他自然就会烦躁起来，整个过程必须要重新开始，他又要再花 20 分钟才能进入睡眠状态。

当你错过最佳时机

刚开始的时候,你并不真正熟悉孩子的哭声和肢体语言,这就不难猜出你可能无法抓住孩子打第三个哈欠的时机。倘若你的宝宝是个天使型的或模范型的宝宝,那还没什么要紧,只要给他们一点点安慰就可以使之安然步入正轨。但是,如果是一个易怒型的宝宝,或者是某种活泼型、暴躁型的宝宝,当你错过第一阶段的时机时,就必须得用一点计谋来处理了,因为宝宝在这个时候通常已经很累了。或者,如我前面介绍的那样,巨大的响声可能会打扰宝宝的睡眠、打断他的睡觉过程,倘若孩子很难过,他就很需要你的帮助了。

首先,我要告诉你在任何情况下都不要做的事情——不要走来走去或者摇晃孩子。永远不要轻率地来回走或者剧烈地摇晃孩子。请记住,孩子已经受到了过度的刺激。正是因为他已经受够了,所以才会哭泣,而哭泣是他唯一能隔绝声音和光线的办法。你就不要再做一些让其更加激动的事情了。而且,这通常会使宝宝开始养成坏习惯。妈妈或爸爸想通过来回走动或者摇晃孩子,使其入睡。然而,当宝宝的体重到了 15 磅以上时,他们就不想再用这样的方法让孩子入睡了,所以,

---

睡眠问题出现的原因

在入睡前若发生下述情况中的一种,就有可能会出现睡眠问题。

◎ 宝宝在吃奶
◎ 宝宝周围有人在走动
◎ 宝宝被摇晃着
◎ 宝宝被一个成年人抱在胸前入睡
……

◎ 宝宝睡着后,父母通常在其发出第一声呜咽时贸然去干涉。宝宝本来可以在没有他们的好心打扰下继续入睡,但他现在却变得习惯于父母亲的帮助和安慰了(详情见后文)。

宝宝就会在这个时候开始嚎啕大哭。他用这样的方式在诉说:"嘿,我们以前不是这么做的,你们通常都会摇晃着我入睡的。"

为了避免这种情况发生,下面介绍几种能帮助宝宝平静下来的方法,并且使其与外界隔绝开来。

襁褓——从母体刚降生到世间时,婴儿不习惯于被放在宽敞的地方。他们不知道自己的胳膊和腿本属于身体的一部分。当他们过度劳累时,你需要

将他们的四肢固定住,因为看见自己的四肢在挥动会让他们更加惊恐,他们会以为有什么人在对他做什么事情,不仅如此,这还会给他那已经超负荷的感觉增添更多的刺激。用襁褓包起孩子,是帮助孩子入睡的一种最古老的方法,虽然看起来显得过时了,但是现代科学都证实了它的优越性。为了正确地包裹孩子,先将一块方形毯子的一角折下来,形成一个三角形。再将宝宝放到毯子顶端,折叠线应正好在宝宝的脖子处。将宝宝的一只胳膊按45度角放在胸前,将毯子侧面的一角轻柔地盖在宝宝的身体上。按照同样方式折叠毯子的另一角。我建议在宝宝6周大之前都用襁褓包裹起来,但是在7周大之后,当宝宝开始试着将自己的小手放到嘴边时,就帮助他把胳膊弯起来,让小手暴露在外面,并且更靠近面部一点。

使宝宝安心——让他们了解你就在身边随时准备帮助他。稳定地轻拍他的背,以平稳的速度模仿心脏跳动的声音。你还可以增加一种嘘—嘘—嘘的声音,这会刺激宝宝想起在母体子宫里时听到的声音。你最好保持低沉、平稳的声音,在他耳边轻声地说:"一切都好",或者"你只是该睡觉了"。当你将宝宝放到小床上时,如果你之前一直在轻拍他,那就继续轻拍下去。如果你之前在发出安慰他的声音,那就继续做下去。这都是一个平稳的转换过程。

隔绝视觉刺激——光线、移动的物体之类的视觉刺激会侵犯疲惫的孩子,尤其会惊扰易怒型的宝宝。这就是为什么在宝宝上床入睡前,我们要让房间暗下来,但是,对某些孩子来说,这样还不够。如果宝宝已经躺下了,那就将你的手放在他的眼睛上方以遮挡光线,不要直接覆盖在宝宝眼睛上。如果你正抱着孩子,那就站到一个昏暗的地方,如果孩子仍然有点焦躁,那就直接站到黑暗的角落里。

不要屈服——孩子困了的时候,正是父母比较难办的时候。这时需要父母付出极大的耐心和决心,尤其是在孩子已经养成坏习惯之后。他们的宝宝一直在尖叫,他们就不停地拍打孩子,而哭声就会更加响亮。受到过度刺激的宝宝会一直不停地哭下去,直到他们高声悲叹着"我实在太累了!"渐近高潮时,他们会停一小会儿,接着又会开始哭起来。通常,这个逐渐提高的过程会进行三次,之后,宝宝才会渐渐安静下来。这样会发生什么事情呢?在第二次达到高潮时,父母就赶过来了。他们不顾一切地想弥补现状——抱起孩子,给他喂奶,还有可怕的摇晃。

如果你妥协了,孩子就会继续依赖你的帮助才能入睡,这就是问题所在。对一个婴儿来说,依赖轻拍才能入睡并不需要花费太长时间,最多几分钟,因为他们有过类似的记忆。如果你从开始就采取了错误的行动,以后每天都要重复这些错误的行为。我常常接到父母亲打来的关于孩子睡眠问题的求助电话,当孩子已经长到 17 磅时,再抱着他入睡就不那么容易了。大约在孩子 6~8 周大时,这样的大问题就会出现了。当他们来电话时,我总会对他们说:"你们需要明白发生了什么事情,是你们给孩子养成了这样的坏习惯。接下来最难办的是:要有信心和毅力帮助宝宝学习一种更好的新方法。"(详见第九章中改变坏习惯这部分内容。)

在此重复:独立并不是忽略

我从来不会对一个正在尖叫哭泣的孩子置之不理,相反,我会设身处地地替他想想。如果我帮不了他,谁能来转达孩子的需求呢?同时,我也不会鼓励你在满足了孩子的需求之后继续抱着他、安抚他。孩子一旦平静下来,马上就放下他。这样,你才会给他这个礼物——独立。

彻夜长眠

如果不说明孩子应该在晚上什么时间去睡觉这个问题,我就写不出关于睡眠的这一章内容了。追随本章内容,你将发现一个表格,里面有婴儿在不同发育阶段的一般表现。请记住,这些内容只是简略的指导,完全立足于简单的数据统计,只有模范型宝宝完全符合这些指导。那些睡眠习惯与此不太相符的婴儿也没有什么错误可言,只不过他有点与众不同罢了。

从现在开始,我要提醒一下各位,宝宝的一天是指 24 小时。他并不了解白天和黑夜的区别,因此夜间睡眠的概念对他来说毫无意义。这是你所期望(或需要)他去做的。这并不是一个自然现象,需要你训练孩子去做,教给他白天和黑夜之间的区别。下面是我为父母们提供的几个方法。

采取拆东墙补西墙的原则——毫无疑问,让宝宝按照 E.A.S.Y 规律生活将有助于提高他的夜间睡眠质量,因为这是一个有条理且灵活的规律。我希望你也能考虑到在给宝宝喂奶和小睡时宝宝的需求,换句话说,你最好能理解孩子的需求。例如,倘若宝宝在上午有一段时间特别烦躁,本来应该进行下一次喂奶了,但他却多睡了半个小时。那你最好能顺应宝宝的需求(到了既定时间,你要唤醒他)。但是,你往往会使用自己的判断力来做决定。在白天时,千万不要让宝宝的睡觉时间超过一个喂奶周期,也就是说,不要超过3个小时,否则他晚上睡觉的时间就会减少了。我可以确信,任何一个在白天连续睡了6个小时以上的婴儿,在夜里的睡觉时间绝对不会超过3个小时。所以,如果你发现自己的孩子正是这种状况,那就能确定他的"白天"正是你的"夜里"。唯一能帮助他转换过来的方法就是唤醒他,因此,拆东墙就意味着要减少宝宝白天睡觉的时间,补西墙就意味着增加他晚上睡觉的时间。

喂饱孩子——这种说法听起来有点肤浅,但是我们能让宝宝彻夜长眠的方法之一就是一定要填满他的胃。因此,当宝宝6周大时,我建议两种喂奶方式:其一,集中喂奶——即在晚上睡觉前每隔2个小时就喂一次奶;其二,在你上床就寝前再给孩子进行梦中喂奶。例如,在晚上6点和8点时,你让他吸吮乳头或奶瓶嘴来吃奶,在晚上10点半或11点时,再让他吃一次奶。梦中喂奶就是说在宝宝睡着的时候给他喂奶吃。换句话说,你将宝宝抱起来,温柔地把奶瓶嘴或乳头放到宝宝的下嘴唇上,让他开始吃奶,小心不要弄醒他。宝宝吃完奶以后,你无须让他打饱嗝儿,直接放下他即可。婴儿通常在这次喂奶时非常放松,他们不会吞咽空气。你不要讲话,不要动他,除非他尿湿了或者排大便了。采用这两种喂奶方法后,大多数宝宝都能好好地睡个安稳觉,因为他们已经为接下来的五六个小时储备了足够的热量和能量。

> 小贴士:让父亲来完成梦中喂奶。大多数男人通常都会在那个时候呆在家里,也有充足的爱心去做这件事。

利用橡皮奶嘴——如果不变成依赖物的话,橡皮奶嘴倒是能对一个在夜间找不到奶吃的宝宝有一定帮助作用。如果一个宝宝重10磅,而且白天每次喂奶时要吃掉大约25~30盎司的食物,或者白天要进食6~8次(白天4~5次,夜里2~3次),那他就不需要额外的夜间喂奶来补充营养了。如果他仍然醒着,那就要利用这个机会对其进行口部刺激。这时,橡皮奶嘴就能派上用场。如果你的宝宝在夜里哭醒要吃奶,可是却在20分钟之内仅仅吃了不到5分钟或者不到1盎司奶,那就给他一个橡皮奶嘴好了。第一天晚上,他可能会在20分钟内一直衔着奶嘴不睡觉。第二天晚上,这个时间可能会缩短到 10 分钟。第三天晚上，他可能会在平常醒来要吃奶的那个时间感到烦躁不安，如果孩子醒了，就给他一个奶嘴。换句话说，你用橡皮奶嘴取代乳头或奶瓶给宝宝做口部刺激，最后，他就不会再为此而醒了。

　　这种情况曾经发生在茱莉安娜的小儿子科迪身上。科迪大约 15 磅重，茱莉安娜仔细地观察了儿子，发现小家伙总爱在凌晨 3 点钟时吃一次奶，已经养成了习惯。科迪会在这时醒来，用奶瓶喝 10 分钟左右，然后再接着睡觉。茱莉安娜给我打来电话，问我是否能过去看看。先看看她的处理是否恰当（尽管我已经从她的介绍中了解了她的处理方法），然后再帮她想办法改掉科迪半夜醒来的习惯。我在茱莉安娜家过了三天三夜。第一天夜里，我把科迪从小床上抱起来，没有给他奶瓶，只用一个橡皮奶嘴代替，他大概吮吸了 10 分钟。第二天夜里，我让小家伙就呆在小床上，给了他一个奶嘴，这一次，他仅仅吮吸了 3 分钟。第三天晚上，科迪在差一刻钟三点时发出了烦躁的声音，但他并没有醒过来。从那以后，科迪会连续睡六七个小时，直到第二天清晨才醒过来。

婴儿的睡眠

　　婴儿睡着的时候，和成年人一样，要经历一个大约 45 分钟的睡眠循环周期。他们先进入一个深度睡眠阶段；接着进入 REM 阶段，这是一个轻度睡眠过程，容易做梦；最后，再进入到有意识的阶段。大多数成年人对这个过程都没有认识（除非某些活灵活现的梦惊醒了我们）。通常，我们只是翻个身之后又睡着了，根本没有意识到自己醒过。

　　某些婴儿也经历过同样的过程。你可能曾经听到过他们发出烦躁的声音——我称之为"幻觉婴儿"的声音。只要在这时没有人打扰他们，他们就会再次进入梦中。

　　还有一些婴儿到达了 REM 睡眠阶段，就不太容易重新入睡了。通常，这是因为他们的父母亲从孩子一出生起就爱在听到声音时鲁莽行动（"哎呀！你睡醒了！"），这样的孩子永远也学不会在自然的睡眠循环过程中调整自己。

　　不要鲁莽——婴儿的睡眠通常都是断断续续的。因此，不要总是一听到孩子发出声音就贸然反应。实际上，我经常告诉家长们不要再用那些监听器，它会夸大孩子发出的唧唧咕咕声和哭泣声。它只会让父母亲变得大惊小怪，自寻烦恼！我在本章中多次重复过，一个人必须要在作出反应和实施救援之间找到分界线。父母有所反应的孩子，长大后会成为一个不惧怕冒险的、无忧无虑的孩子。父母总爱实施救援的孩子，长大后会怀疑自己的能力，永远无法开发出探索世界所需的潜能，也不会感到自由和舒适。

一般的睡眠干扰

在本章末尾,我要告诉大家,尽管上述状况已被阐明,但很多时候,我们却难以避免干扰睡眠的情况发生。正常情况下,即使睡眠质量良好的人也会有辗转反侧、难以入眠的问题。下面就是几种可能出现的情况。

当宝宝开始进食固体食物时——一旦宝宝开始进食固体食物,他们就会因为吞咽的气体而醒来。请你的儿科医生检查一下,什么时候在进食什么样的固体食物时会发生这种情况。询问什么样的食物可能会引进气体或者引起过敏反应。认真做好宝宝的进食记录,一旦发生问题,你的儿科医生就能研究孩子的饮食记录了。

当宝宝开始活动时——那些刚刚学会移动身体的宝宝经常会因为四肢和关节而兴奋不已。你可能也曾经有过类似经历,在闲散了一段时间之后,你可能会在健身房里消耗一下体力。即使在你停止了四肢的运动之后,体内的能量仍在释放,循环系统仍在快速运转。婴儿们也一样,他们还不习惯于运动。有时,他们会摆出一种姿势,而自己又难以恢复原状,从而导致干扰睡眠。他们会稀里糊涂地醒来,因为睡觉的姿势改变了。你只需要走过去,用一种有节奏的低喃声安慰他就好了:"嘘……嘘……你没事。"

当宝宝进入快速成长期——在快速发育阶段中,宝宝有时会因为饥饿醒过来。第一次这样醒来时,就直接给他喂奶。但是在第二天,就要在白天时给他喂更多的食物了。快速成长期可能会持续两天,只要给宝宝多补充热量,一般睡眠中的干扰都会结束。

当宝宝开始长牙时——有时宝宝会因为长牙而流口水、牙龈红肿并且流脓,有时还会发低烧。我最得意的一个家庭治疗办法就是取毛巾一角,充分湿透以后放在冷冻室里,等毛巾凝固后,取出来让宝宝吮吸。我个人不喜欢商店里可以买到的冷冻液体,因为不知道里面究竟是什么东西。在英国,我们用燕麦面包干,一种硬的磨牙饼干,待其融化后就什么也没有了,这些东西十分有趣又很安全,而且在大多数卖英国货的商店里都能买到。在治疗疼痛方面,与小儿泰诺林 (Infants' Tylenol) 相比,我更喜欢用小儿布洛芬 (Infants' Motrin),因为我发现这种药物的药效持续的时间更长一些。

当宝宝的尿布脏了的时候——我认识的一个母亲曾经称之为"有力的粪便",因为大多数婴儿都会在排大便时醒过来。有时,还会让他们感到恐慌。在昏暗的光线下给孩子更换尿片,不要让他完全清醒过来,安慰他,让他继续去睡觉。

小贴士:无论宝宝在半夜什么时间醒过来,无论什么原因,永远不要表现出好玩、友好的样子。用爱心去解决这些问题,但要注意别给宝宝错误的讯息。否则,他们会在第二天继续醒过来,等待着和你玩耍。

我总在提醒那些担心小宝宝睡眠的父母亲,无论出现什么样的问题,它们都不会永远持续下去。如果你能看淡一些,就会少经历一些无眠的夜晚。的确,这也需要有运气:有些孩子的确比其他宝宝更能好好地睡觉。但是,无论你的宝宝是哪种类型,至少你自己应该有足够的休息时间,以应付各种情况的出现。在下一章中,我会强调这一点,还会提供更多让你好好照料自己的方法。

他们需要什么/你能期望什么		
年龄/转折点	每天所需睡眠时间	典型方式
新生儿:除了眼睛之外,什么也控制不了。	16~20 个小时	每隔 3 小时小睡 1 个小时;夜里能睡 5~6 个小时。
1~3 个月大:更警觉,了解周围环境;能够移动头部。	在 18 个月大之前,一直需要 15~18 个小时	三次小睡,每次 1 个半小时;夜里能睡 8 个小时。
4~6 个月大:可以活动。		两次小睡,每次 2~3 个小时;夜里能睡 10~12 个小时。
6~8 个月大:更多活动;能坐、能爬。		两次小睡,每次 1~2 个小时;夜里能睡 12 个小时。
8~18 个月大:总是在活动。		两次小睡,每次 1~2 个小时或者一次长达 3 个小时的小睡;夜里能睡 12 个小时。

第七章

关爱自己（Y）
——该照顾一下自己了

现在，马上躺下！每次拿到这本书时都要这么做。我今天给各位的最重要建议就是：能坐着时千万不要站着，能躺下时千万不要坐着，能睡觉时千万不要醒着。

——薇琪·艾欧文

时要多考虑一下自己。不要把一切都留给孩子，什么也不给自己。你必须要知道自己是谁。你必须要了解自己更多一点，倾听自己的心声，也要关注自己的成长。

——一位母亲

我的第一个孩子

一个人需要去了解另一个人。我能得到宝宝家长的信任,其中一个理由就是我和他们分享了自己初为人母时的经验。我记得第一次生孩子时的恐惧和失望,担心自己是否准备好了,是否能做一个好母亲。我必须要说,我的身后有一个强大的支持后盾——我的奶奶(是她把我抚养大的)、我的妈妈、无数的亲戚、朋友,还有我的邻居们。但是,当分娩的时刻最终到来时,我还是有一点震惊。

当然了,尽管我的妈妈和祖母对我说萨拉非常漂亮,但我自己并不十分确定。我记得当时看了看她,心里在想:"喔,全身都红彤彤的,还有很多的褶皱。"这完全不是我想象中的那个孩子。当时的记忆十分鲜明,即使现在——18年后的今天,我都能马上回忆起当时的情景,能体会到因为萨拉的上嘴唇不像画像中那么完美而产生的失落感。我还能想起她发出的像小山羊一样的咩咩声,睁开眼睛盯着我看了那么长时间。奶奶转过来对我说:"特蕾西,你已经完成了爱的分娩。从现在开始,直到生命终止的那一天,你要一直做一个母亲了。"她的话像冰冷的海水一样将我浇醒:我是一个母亲了。突然间,我有一种要逃跑的冲动,或者至少能避开眼前的这一切。

接下来的日子看似被无尽的摸索和无数的泪水、疼痛所填满。在分娩时,由于摆出了一副青蛙样的怪姿势,我的腿在支撑时受了伤。由于助产士将我的头使劲往胸前按,导致肩膀也疼了起来。出于推动的压力,我的眼眶也疼了起来。更糟糕的是,我的乳房涨得仿佛要爆炸一样。我记得妈妈曾经说过要我马上开始给孩子喂奶,很显然,这个主意让我很害怕。至少,奶奶帮助我找到了一种舒服的姿势,问题是我必须得自己去领会。学着给萨拉换尿片,安慰她,真正和她在一起,同时还要给自己留出点时间,这些事情占据了我的大部分时间。

18年后,许多母亲都在经历着几乎和我完全相同的事情(我猜测,这与18年前我生孩子时也没有什么大的区别)。这并不仅仅是让任何人都虚弱的生理创伤,而且还是一种精力的耗损、情绪上的波动,以及情感上被战胜的破碎感。亲爱的,这些都是正常现象。我并没有提及产后抑郁症(随后将会谈

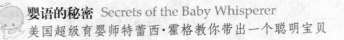

到这个话题），我只是在说大自然给了你用来恢复身体和为了了解孩子而与家人亲密相处的时间。问题是，有些母亲在孩子出生以后很少会花时间照顾自己，如果这不算危险的话，至少也是一种失败的主张。

两个女人的故事

为了证实我的观点，我想告诉大家两个女人的故事，她们是我曾经帮助过的两个女人——达芙妮和康妮。她们俩都是女强人，自己创业多年，颇有成就。两个人都是在三十多岁时，经过不复杂的阴道分娩，顺利地生下了可爱的小天使。不同之处在于，当然也是最重要的，康妮意识到生下孩子后自己的生活将完全改变，而达芙妮却顽固地坚持认为自己应该继续以前的生活方式。

康妮——康妮是一个室内设计师，女儿出生时她已 35 岁。她天生就是个有条理的人（在前文中"放任/规划持续过程"自评中，她大概在 4 处），给自己设定的目标是在怀孕第 9 个月时准备好一切育儿事项。当我按照既定时间到达她那里时，对她说："看看，你都准备好了。我们只需要迎接宝宝的到来就行了。"了解到在宝宝降生之后，自己可能就没有时间或欲望去做饭了，也没时间去做自己喜欢的事情了，康妮买了很多美味的、有营养的方便汤料、酱汁、沙锅菜和其他一些易于用烤箱烹饪的食料放在冰箱里。在预产期临近时，她通知所有客户，公司里有人会处理紧急事件，但是在接下来的两个月里，什么事情也别来打扰她。她和刚出生的宝宝顺利安然地度过了这一阶段。有趣的是，没有人提出反对意见，实际上，他们还认为康妮直截了当的态度很爽快，值得去尊敬。

由于康妮和家人的关系十分亲密，当宝宝出生后，全家人都行动起来了。妈妈和奶奶负责买菜做饭，康妮的妹妹负责生意上的往来电话，甚至还到康妮的办公室去跟踪各个项目的进展。

在安娜贝儿（Annabelle）出生后的第一周，康妮几乎整天呆在床上研究她的小姑娘，去了解女儿。她放慢了日常生活快速的步伐，给自己充足的时间来哺育宝宝。她还接受了需要好好照顾自己的事实。当她的母亲离开时，她把冰箱里又放满了食物。当晚餐需要加热的食物太多时，她还准备了大堆的外卖菜单。

康妮非常聪明地让丈夫巴兹也参与进来。我见到过很多女人总是监督丈夫做事情，在丈夫为孩子换尿片时发号施令，更坏的是，总在抱怨丈夫做错了事情。康妮了解巴兹对女儿安娜贝儿的爱和自己一样。或许，丈夫给女儿换的尿片有点松垮，那又能怎样呢？她总在鼓励丈夫做一个好家长。他们实行了分工，而且互不干涉。最后，巴兹感到自己更像一个真正的父亲，而不仅仅只是个"助理"了。

规范安娜贝儿的生活使康妮能更好地安排自己的时间。诚然，她每个上午都和其他母亲一样地度过：起床后先去看看女儿有何需求，自己再去洗澡、穿衣服，接着就到了午餐时间。每天下午 2 点至 5 点之间，康妮都要躺下，不管是小睡一会儿，还是在看书，或者仅仅是整理思路，她需要有自己独处的时间。她仅仅会去处理那些具有高度优先权的事情，绝不会让其他事情来侵占这段自己的自由休息的时间。有记录需求或者来电话时，她总会说"还可以再等等"。

甚至在我离开之后，康妮也能继续保持自己的休息习惯。她已经准备好接受我的离去了，就像她为其他事情做好准备一样。几周之前，康妮就列好了一长串好朋友的名单，让他们每天轮流在下午 2 点至 5 点之间来照顾宝宝。她甚至已经开始寻找一个新的保姆，以便在自己去工作之后有人来照顾孩子。

在安娜贝儿两个月大时，康妮很轻松地开始回去工作了。起先，她只是花点时间在办公室里与客户联系，确保每个项目进展顺利。她没有在那个时候接受新项目，只是兼职做点事情而已。当安娜贝儿长到六个月时，康妮和新的保姆都很熟悉孩子的需求了，她就开始增加工作时间了。那时，康妮比较了解女儿，也自信有能力做好一个家长，生理上也很适应现在的生活：如果恢复不了过去的样子，至少也会是一个迎接新生活的健康模样。

现在，康妮已经开始全职工作了，每天下午她都会在她的办公室里小睡一会儿。她最近告诉我："特蕾西，做母亲这段时期我最大的收获就是，学会了放慢脚步。"

达芙妮——达芙妮今年 38 岁，是美国好莱坞娱乐界的一个律师，她和康妮完全不同。她并没有直接从医院回家，而是在一小时之后接了个电话才回去。家里到处都是来访者。一个漂亮的、设施齐全的育儿室都已经为宝宝准备好了，但是所有东西都带着原来的包装。第二天，我偶然听说达芙妮要在家中的起居室里召开一个工作会议。第三天，她就宣布"想要回去工作了"。

达芙妮的朋友圈子非常广，她已经和朋友们预定好了一周的午餐，仿佛要证明生孩子完全没有影响她的正常生活。她总是一副目中无人的样子。"特蕾西在这里，我可以出去吃饭了。我已经聘请了一个好保姆。"她和教练约好了一起吃饭，还精心挑选了适合自己的食物，很显然，她非常关心自己的体重恢复状况。她也很想使用美国班霸(StairMaster)牌有氧运动训练器材。这是一个对她生孩子之前的忙碌生活最恰当的隐喻，她总认为爬上成功的阶梯是一种生活方式。

达芙妮仿佛没有意识到自己已经生了孩子。在她的生活中、在她的世界里，人们都把项目当作"自己的孩子"，这种说法比较合理。对于达芙妮来说，生孩子也是一个项目，至少她喜欢用这样的方式来看待生孩子。怀孕对她来说是一个比较困难的阶段，这是一个"发展阶段"，而最终产物——孩子终于降生时，她也准备继续回去工作了。

达芙妮抓住每一个机会离开家，这让人一点也不惊讶。如果有一件事情要做，无论多么无聊，她都会自告奋勇。每次出门，她必定会忘记买(或许原本就没想买)购物单上的一两样东西，这又给了她一个离开家的理由。

最初的那几天，住在达芙妮家里就像呆在龙卷风里一样。她也曾尝试过用母乳喂养孩子，但是当她意识到在开始时至少要用 40 分钟来哺育孩子时，她说道："我想还是用奶粉喂孩子吧。"现在，我把那些适合初为人母者生活方式的哺乳方法介绍给她，也提出要考虑一些其他方面的因素(参见前文中"做出选择"这部分内容)。在这种情况下，达芙妮所考虑的仅仅是给自己更多白天自由活动的时间。"我想回到过去的生活中，"她一再宣称。

而且，她给可怜的丈夫也带去了很多错误的信息，德克很愿意帮助她一起照顾孩子。有时，她也很希望德克能参与其中。"我出去的时候，你来照顾凯瑞，好吗？"她一边说着，一边就溜出门去了。有时，她又在批评德克抱孩子的方式或者给孩子穿错了衣服。"你怎么能给她穿这件衣服呢？"她怒目圆睁地瞪着孩子的外套，言辞犀利，一点也不留情面。"我的妈妈马上就来了。"毫无疑问，德克越来越愤怒，也越来越少地照顾孩子了。

我试着用书上介绍的各种方法让达芙妮放慢节奏。起先，我没收了她的电话。这根本不管用，她有好几部电话，当然也包括手机。在下午 2 点至 5 点期间，我命令她上床休息，可她却利用这段时间让朋友们来电话或者来拜访。她告诉朋友:"我在下午2点至5点期间有空,你们过来玩吧。"或者,她会在此期间安排会议。有一次,德克和我把她的汽车钥匙藏了起来。她发疯似的满屋子找钥匙。我们最后承认藏起来了,她却轻蔑地说:"好吧,我就走着去办公室好了。"

这些状况都是典型的否认现象。在我还剩两天就要离开她家时,如果不是她聘请的即将要取代我的小保姆出现,可能达芙妮还会继续保持原样。突然间,现实像一堆砖头一样向她袭去,她彻底累垮了,变得焦躁不安,终于垮下来了,她哭了。

我帮她认识到她一直在用各种活动来掩饰自己内心里的不安全感。我向她保证,她也能做个好母亲,但是需要时间。因为她没有给自己机会去了解儿子,或者说去了解儿子需要什么,所以她感到自己不称职,但这并不意味着她就是一个不合格的母亲。而且,她很疲惫了,因为她也没有给自己时间去恢复身体。"我做什么都不对,"她靠在我的臂弯里哭泣着,最终承认了内心深处存在的恐惧,"其他人都能做好的事情,为什么我却失败了?"

我当然不是单纯地描绘达芙妮的失败,我在心里还是很同情她的,请相信,我已经见证过无数这样的情景了。很多母亲都在拒绝承认,尤其是那些因为做了母亲而远离过去的繁忙且事业上声望颇高的女性,或者那些组织能力极强的女性。在宝宝降生之后,她们的生活就不协调了。她们宁愿相信生活依旧如过去一样。她们不去感受初为人母时的感觉,也不肯承认早期所产生的恐惧,反而缩减了这些体验。事实上,那些有权力的未来母亲们常常会问:"带孩子有什么难的?"或者是"母乳喂养有什么难的?"等她们生完孩子回到家里,就会发现尽管自己可

借口,借口,借口

从宝宝出生那天起,每一天都要问自己:"我今天为自己做了什么?"有些母亲没有为自己好好计划时间,反倒认为自己很有理由,下面是我针对她们的借口说的话。

"我不能让孩子一个人待着。"让朋友或亲戚来帮忙照看一个小时。

"我的朋友们对孩子都不了解。"邀请他们过来,并教给他们应该怎么做。

"我没有时间。"如果你遵循我的建议,肯定会有时间了。你可能没有分出事情的优先顺序来,可以使用答录机帮忙,不必亲自接电话。

"没有人像我这样来照顾孩子。"废话,是你在掌控周围的一切呀。而且,当你自己筋疲力尽时,其他人还是要插手做事情。

"如果我不在,会怎么样?"那些习惯于掌控一切的女性会惊讶地发现自己不在时,家里也不会出什么大乱子。

"等孩子再长大一点,我就有时间了。"如果现在不为自己留出时间,你就会认为自己不重要,最终就会迷失自我。

以操控资产几亿美元的公司，能管理复杂的程序，但是作为一个母亲所遇到的挑战是自己从未想过的。因此，她们当中有一部分人就会否认现状，并且急于投身于所熟悉的事情和所擅长的事情中。在生完孩子回到家后，与当下自己必须要做的事情、要学习的事情相比，和客户谈生意或共进午餐都是无需耗费精力的事情。

如果一个母亲愿意走向另外一个极端，坚持事事亲力而为，那也无伤大雅。例如，琼在约见我之后就宣称："我想亲自做这些事情。"她尝试了两个星期，然后，我就接到了她绝望的电话。"我累死了，整天和我的丈夫巴里吵架，我感到自己好像无法做好一个母亲。这可比我想象中困难得多，"琼坦白承认道。我解释说，事情本身并非如此困难，只不过她自己承担了太多的工作。我让她在下午时小睡一段时间，这样还可以给巴里一点时间去照顾女儿。

让自己喘息片刻

在孩子刚出生的前几天或前几周，我给家长的一个最重要的建议就是，请记住你是一个很好的父亲或母亲，远远超过想象。大多数家长都没有意识到养育孩子也是一门学习的艺术。他们也看过很多书籍和各种音像资料，认为自己已经完全了解该如何去做了。但是，随着宝宝的降生，不幸的是在学习开始的过程中，他们就感受到了从未有过的混乱。这正是为什么在第四章中我建议采用母乳喂养的母亲要看40天法则，因为，事实上，所有刚生过孩子的母亲都需要一段时间来恢复。不仅是因为生孩子导致的身体创伤，需要时间恢复，她们在小细节上所耗费的精力也超乎想象，身体上会感觉非常疲惫，而且还受到各种情绪干扰。对那些用母乳喂孩子的母亲来说，学习如何喂养时遇到的困难以及母乳喂养中产生的各种麻烦问题，更会加重打击。

即使像盖尔这样一个曾经在护校当过老师且在五个孩子中排行老大的女人，也发现工作的压力和责任之大让她感到惊讶。她曾经照顾过自己的弟弟妹妹，也曾经在朋友们生孩子时过去帮忙。但是，当莉莉出生时，盖尔也垮了。为什么呢？首先，因为这是她自己的孩子并且她的身体状况不太好——她的疼痛、身子的僵硬，还有小便时的灼热痛感。其次，她的荷尔蒙分泌失调了。当面包片稍微有点烤焦时，她就有点生气了；她会因为母亲移动椅子的事而大发雷霆；当她打不开瓶塞时竟然哭了起来。

盖尔悲伤地说："我简直不敢相信自己应付不了这些事情。"

她绝对不是一个特例。另外一个母亲玛茜，在门口遇见我时带着写有一长串问题的清单，回忆起她刚生完孩子的前几天："就像是一部很糟糕的电影。我坐在餐桌前，上身裸露着，因为穿衣服会让我的乳头更加疼痛。我的乳头还在往外滴答乳汁，当妈妈和丈夫在一旁惊恐地看着我时，我大哭起来。我只能说'真烦人！'"

对我来说，恢复体力的最好办法就是睡觉。我让每个母亲都在下午2点至5点期间上床睡觉。如果她们做不到，我就告诉她们至少在刚生完孩子的前6周保证每天有3次小睡，每次至少1个小时。我提醒她们不要将如此宝贵的时间浪费在打电话、做家务或写东西上。如果你只达到所需睡眠的50%，那就不能期望着投入100%的精力。即使有他人相助，即使你不感到疲惫，你的内在创伤也依然没有完全恢复。如果你得不到充足的休息，我保证在6周之后，你就会感到自己像是被公共汽车撞了一样。但是，千万别让我做那个对你说"我曾经告诉过你"的人。

对女人们来讲，和那些有过类似经历的朋友们聊聊天是有好处的，如果你和母亲的关系良好，不妨和你的母亲探讨探讨。她是最好的支持者，也

恢复提示

这些可能都是很基本的东西，但是你要了解很多母亲根本没有将其放在心上：

◎ 吃。饮食要平衡，至少每天要摄食1500卡的热量，如果你用母乳喂养，另外还需多加500卡。不要关注自己的体重。冰箱里永远都要储存足够的食物，或者手头上有方便的外卖菜单可用。

◎ 睡。至少每天下午都要小睡一会儿，如果可能，尽量多休息。让孩子父亲来代替你照顾孩子。

◎ 锻炼。至少在前6周不要使用器械锻炼，可以长距离散步。

◎ 给自己一点时间。让你的丈夫、亲戚或朋友来照看一段时间，这样你就可以真正"卸下重担"了。

◎ 千万不要作出兑现不了的承诺。让其他人了解你至少在1~2个月内没有充足时间。如果你已经安排了过多的约会，也请取消吧："我很抱歉，我低估了生孩子后的生活混乱程度。"

◎ 优先顺序。把不必要的内容从清单上划掉。

◎ 计划。列出可临时照看孩子的人名单；写好菜单；列出需购买的物品清单，这样就可以一周去一次商场。为了参加一些生产前曾参与的活动，如每周一次的读书会，请丈夫、亲戚或好朋友来帮忙照看孩子。

◎ 了解自己的局限。当你累了时，就躺下休息；当你饥饿时，就快去吃饭；当你烦躁时，就离开这个房间！

◎ 请求帮助。没有人能完全自立。

◎ 和丈夫或好朋友单独相处一段时间。不要把每一分钟都花在孩子身上，生活的全部都是孩子，这是不切实际的。

◎ 纵容自己。像往常一样，去做做按摩（找一个熟悉为产妇做按摩的人），做做面部护理，修修指甲。

能提醒你这是个自然过程。对男人们来讲，和朋友们聊这些话题可能不会得到满足。我曾经听几个团队中的父亲们说，新爸爸们总想和他人攀比谁的情况更糟糕。其中一个可能会对另外一个父亲说："这孩子折腾得我半夜还没睡。"对方可能会说："是吗？我的孩子更糟糕，简直让我彻夜未眠，能睡上十分钟已经很不错了。"

无论父亲还是母亲，最重要的是放慢速度，允许自己犯错误，允许自己遇到困难和麻烦。例如，康妮对自己就很宽容，也很有耐心。她意识到了计划和支持的重要性。她并没有急于使用健身器械恢复身材。相反，她采用了长距离散步的方式，既加快了体内的血液循环，又拥有了充足的户外时间。更重要的是，康妮理解产后的生活永远不会一成不变。这并不是一件坏事情，只不过和以往有点不同罢了。

将事情细化也会有所帮助。即使有一大堆衣服要洗，你也不必一次都干完。即使有一大堆礼物放在你面前，而你却未能及时拆完，朋友们也会充分理解。

实际上，当你有了孩子之后，一切都在改变中——你的日常生活，你的优先顺序，你的各种关系网络。无法接受事实的女人们就会遇到各种麻烦。往前看，往前看，往前看——这就是一个顺利的产后恢复总结。前三日也不过就三天而已，前一个月也如此。你在这个长期努力的过程中，既会有好日子过，也会有不好的日子过，对二者都要做好准备。

母亲的多种情绪

通过在门口观察母亲们，我通常就能说出她们的情绪特点来。例如，弗朗辛从表面上看是为了咨询母乳喂养的事情给我打电话。但是，当她开门迎接我时穿着一件皱巴巴的 T 恤，上面星星点点地布满了白色斑迹，我就知道母乳喂养并非她的唯一麻烦了。看到我关注其衣着的眼光，她立即解释说："我很抱歉，今天我真想早点起床，洗个澡，好好打扮一下，因为你要过来。"接着，她又完全没必要地补充说："今天我过得很不好。"

她又在倾诉着："我感到自己像是个两面人，特蕾西。一会儿，对两周大的小宝宝来说，我是这个世界上最可爱、最好的母亲；一会儿，我又感到自己迫切想离开这个家,永远不回来了,因为老有做不完的事情。"

我笑着对她说:"这很正常,亲爱的,你和其他刚做妈妈的人一样。"

她问我:"真的吗?我还以为是自己有什么不对呢!"

与往常对待其他刚做妈妈的女性朋友一样,我让弗朗辛安心下来,前6周是她们情绪最不稳定的一段时期,我们唯一能做的事情就是控制好自己,准备迎接这些不稳定的情绪。因为情绪上的波动,难怪很多母亲都认为自己突然间有了多重性格。

请记住,这些想法都是情绪波动,正是因为情绪上的波动,在一天之中,或者在一周之内,你可能会从内心深处感到自己仿佛拥有了多重性格。

"这个很容易。"——在这时,你感受到自己那纯粹自然的母性,你能快速轻易地了解一切。你相信自己的判断,你有充分的自信,一点儿也不怀疑自己的养育状况。你能够自嘲,也了解母爱并不能时刻让你保持完美。你并不害怕去询问,当你这样做时,也能轻易记住答案,或者能够接受它们以适合自己的状况。你感到一切都很和谐。

"我做对了吗?"——当你感到愚蠢、悲观时,这种忧心忡忡的时刻就来临了。在处理孩子的问题时,你容易激动,总担心会伤害孩子。一点轻微的小事故就能让你难过不已,实际上,你是在杞人忧天。另一方面,或许在你的荷尔蒙分泌过盛,让你容易激动时,你总会去想坏的一面。

"这样不好……真的,真是很不好。"——这时,你不断呻吟悲叹自己分娩的经历以及做母亲的惊险过程,你认为没有人像自己这么悲惨,或者你会想我们为什么要生孩子?对其他人讲述自己剖腹产的经历,讲述宝宝让你彻夜不眠的经历,讲述丈夫没有兑现此前承诺的经历,可能会让你感觉好过些。当人们向你提供帮助时,你就会表现出一副受难者的样子:"没关系,我自己能应付。"

"没问题——我能做好一切。"——那些放弃如日中天的事业而成为母亲的成功女士们,最易碰到这种状况。每当这时,你认为自己能将管理技能应用在宝宝身上,当小宝宝不与你合作时,你可能会感到惊讶、失望或愤怒。亲爱的,你也在否认自己的现状,你认为和孩子相处的生活与宝宝出生之前的生活没有什么两样。

"不过,书上说……"——在迷惑和怀疑的时候,你会阅读手头上所有的书籍、刊物,试图将里面提供的方法应用到孩子身上。为了解决这些杂事,你制订了无数的计划,利用黑板和文件夹。虽然我赞同这样的构想和决定,但是这种方法却不够灵活,它在控制你,而不是指导你。例如,如果一堂"我和母亲们"的课在上午 10 点半开始,而你可能不会准时参加,因为你担心这会打乱自己的时间计划表。

如果你心中一直充斥着"这样很容易"的声音,如果你能时刻自然地感到自己是个母亲,当然很好了,不过,我敢保证,大多数母亲都做不到这一点。你最好能把自己的心声如数记下来,如果你无法记录情绪上的波动,就用笔将其描述来,然后学着处理这些变化。如果一种声音持续袭击你,那就告诉自己一个母亲永远不能有这种情绪,是时候该重新评估自己了。

产后抑郁症或真正的抑郁

我一再反复地说:有点消极是正常现象。分娩后的这一阶段中,女人们通常都会有热潮红、头疼、短暂晕眩;她们可能会感到困倦或欲哭;她们可能还会产生缺乏自信和焦虑的感觉。是什么导致产后抑郁症呢?这主要是因为在怀孕期间,女性荷尔蒙雌激素和黄体酮增长了 10 倍。分娩后,荷尔蒙水平迅速降低,在 72 小时内迅速达到以前水平。人体神经系统分泌出来的荷尔蒙——内啡肽也如此。而这些都是怀孕期间愉快感和舒适感的主要来源。这个因素导致了女人们的情绪产生波动。很显然,初为人母的压力也是其中一个因素。而且,如果你有经前综合征的倾向,即你的荷尔蒙分泌通常会有特殊的波动,在这种前提下,在分娩之后你就会再次体验这种波动。

产后抑郁的日子通常是一波一波的来, 这正是我为何将这种力量称为推动"内心海啸"的力量。一波抑郁可以淹没你那健全的神智和幸福感,短则一小时或一两天,长则持续三个月到一年。产后抑郁发作的日子里,你会粉饰自己对所有事物的感觉,尤其是对你的孩子。可能会有如下的声音在你的头脑中回响:"我给自己带来了什么?"或者"我做不好 _____(你可以随意填充,如换尿片,用母乳喂养,在半夜起床等等)。"

小贴士:如果当你与孩子单独相处时,他哭了,你就会认为自己处理不了这种状况,更糟糕的是,你可能会生气,让他一个人留在小床上,然后离开这个房间。一个孩子永远不会哭死过去,你需要做三次深呼吸,然后再回来。如果你依然焦躁不安,就给亲朋好友打个电话,请求帮助吧。

当你内心深处的海浪再次撞击精神的岸线时,让自己更加看开一些吧。发生的这一切都很正常,顺其自然吧。如果躺在床上能让你感觉好些,那就这么做;如果哭泣、冲着丈夫叫喊能让你好过些,那就这么做。这一切都会过去的。

不过,当你内心的小苦恼或微弱的不安全感加重时,你又如何自知呢?产后抑郁症已被证实是一种心理障碍——一种疾病。通常在分娩后的三天内开始产生,一直持续到第四个星期。然而,我(以及某些熟悉这种情况的精神病医生)认为可能持续的时间还会更长。其症状主要表现为情绪低落、悲伤沮丧、经常哭泣、感到无助无望、失眠、嗜睡、焦虑、疼痛感加强、易激怒、固执、重复出现令人恐惧的想法、食欲下降、自尊心受挫、缺乏热情、与丈夫和孩子保持一定距离、想要伤害自己或孩子的感觉等等。这些症状在分娩后会持续几个月。无论如何,这些症状,以及产后抑郁症更严重的症状都应该受到人们的重视。

研究证明,10%~15%的新妈妈都会患有产后抑郁症。只有千分之一的新妈妈会遭受现实的完全打击,在医学上被称为产后精神错乱。除了荷尔蒙的变化和初为人母的压力之外,科学家们仍然不清楚为什么某些女人在分娩之后会陷入严重的临床抑郁当中。其中一个已被证实的危险因素就是化学物质失衡的病史。有过抑郁症的女人中,1/3 的女人还会经历产后抑郁症的袭击;1/2 的女人在初次生产时患上抑郁症后还会在生二胎、三胎时再次患上产后抑郁症。

更难过的是,很多医生都不了解这个危险。结果是,很多人在抑郁症袭来时都不知道自己身上发生了什么变化。这个问题本应通过信息交流和教育得以避免。例如,依薇特就曾经服用过百忧解(Prozac,是首个上市的SSRIs产品,也是当前抗抑郁药物市场上最成功的产品)来治疗自己的抑郁症。在怀孕期间,她停止了服药,不知道在自己分娩之后情况会恶化到什么地步呢。依薇特并没有感受到对宝宝的慈爱和热情,相反,每当宝宝哭泣时,她都想把自己反锁在浴室里。当她抱怨说"感觉不正常"时,没有人来听她倾诉。依薇特的母亲否定了她那与日俱增的不良感受,对她说:"生孩子就这样。"依薇特的姐姐也随声附和地来教训她:"我们都是这样过来的。"甚至依薇特

抑郁症标准示范问题

摘自汉密尔顿抑郁量表(抑郁严重程度的度量标准):

兴奋:

0=无

1=烦躁不安

2=玩弄手、头发等

3=不能静坐,常动

4=绞手、咬指甲、揪头发、咬嘴唇

焦虑心理:

0=没有困难

1=主观上紧张、易怒

2=为琐事而担心

3=脸上或言谈中明显表露出不安

4=毫无疑问地表现出恐惧

摘自爱丁堡产后抑郁量表 *:

事情向我压来时:

0=不,我向从前那样应付自如

1=不,多数情况下我能处理好

2=是,有时我不能向过去那样应付

3=是,多数时候我根本都处理不了

我非常不开心,以至于无法入睡:

0=不,根本没有

1=不经常

2=是,有时会

3=是,多数时候会这样

★ 获得皇家精神病学院认可,在此摘录。

的朋友们也在说:"你经历的这一切都是正常现象。"

依薇特对我解释道:"我需要有极大的勇气才能去倒垃圾或者洗个澡。我不知道自己怎么了。丈夫也试着来帮助我,特蕾西,但是我只要一和他说话,就会痛骂他一顿,这个可怜的人。"我没有忽略依薇特所说的情绪上的细微变化。当她讲述孩子哭时自己会有什么反应的时候,我尤其关注。"当宝宝哭的时候,我有时也会冲他大喊,'又怎么了?你想让我做什么?你为什么不闭上嘴?'还有一天,我产生了强烈的失败感,我发现自己在摇晃孩子的时候太用力了,这时我才知道自己的确需要帮助。说实话,我真想把他扔到墙上去,现在我终于理解为什么有人会那样摇晃自己的孩子了。"

现在,孩子那种看似让人不安的哭泣已经持续了好几天,而依薇特的感觉远远超出了正常范围。医生建议她在怀孕期间停止服药是正确的,因为药物可能会使胎儿受到损伤。那些容易抑郁的妇女在怀孕期间即使停止服药也会感觉很舒服,因为荷尔蒙和内啡肽的分泌会发挥作用。然而,真正错误和危险的却是,没有人告诉依薇特在分娩之后,当维持她积极情绪的化学物质迅速消失后,会发生什么事情。

结果是,分娩导致依薇特体内的激素水平严重下降,而她的抑郁症状则严重了 10 倍。我建议她直接去看医生。当她重新开始服药后,整个生活都变了样,真正感受到了做母亲的美好。由于她服用了药物,因此不再适合用母乳喂养宝宝,但是与重新找回镇定和自信相比,这一点牺牲也算不了什么。

如果你怀疑自己有产后抑郁症,不妨咨询一下内科医生或精神科医生。在这个国家,精神科医生常常查阅《诊断和统计手册》来判断一个病人是否达到某种抑郁症的标准。然而,尽管这本权威的专业著作隔几年就会更新一次,但直到 1994 年才收录进产后抑郁症。目前这个版本——DSM–Ⅳ中有一段内容讲到不同类型的"情绪紊乱"能够引起"产后突然变化"。医生们也常常依据精神科标准来确定抑郁的严重程度,其中最常用的一个标准就是 23 条汉密尔顿抑郁量表,但这些工具都不是特别为诊断产后抑郁症而设。有些内科医生更喜欢用 10 条爱丁堡产后抑郁量表来诊断,这个标准是二十多年前在苏格兰发展起来的。后者更简单些,在确定那些高危母亲时,这个测量标准的准确率竟然达到了 90%。这两种标准都需要由专业人士应用,并非为患者自测所设计,为了让大家有个概念,我在上表中各自摘录了几条。

在美国,多数专家都认为产后抑郁症容易被漏诊。两个明尼苏达州罗彻斯特马友医学院的学生,在研究了 1997~1998 年之间所有生过孩子的妇女资料后,证实了这一点。1993 年的记录显示,在同一地区被调查的新妈妈中仅有 3% 的人被确诊为产后抑郁症,而当这两个学生请所有到诊所来就诊的初次分娩的妇女都回答了爱丁堡产后抑郁量表中的问题后发现,产后抑郁的发生率却上升到了 12%。

如果你的产后抑郁症状迟迟不退,或者将某一天的痛苦毫无缓解地延续到了第二天,那就赶紧去找专业人士帮忙。得了产后抑郁症也没什么可害羞的,这只是一种生物学现象。这并非意味着你就是一个坏妈妈,这只意味着你生病了,和得了感冒没什么两样。最重要的是,你在得到医疗帮助的同时,还能寻求其他有过类似经历女性的支持。

父亲的反应

在分娩后的这段时期,因为全家人的焦点都放在了新生儿和母亲上身,所以父亲常常会产生悔过。当然,这种情况也是正常现象,毕竟父亲也是人。研究表明,某些父亲甚至还会出现有压力和焦虑的症状。父亲虽然帮不上什么忙,但是对孩子、对家庭新成员所受到的关注、对妈妈的情绪变化、对前来拜访的人或陌生来客都会有一定的反应。实际上,正像母亲会有各种情绪变化一样,我也注意到,父亲在宝宝降生以后也会出现某种"父亲情结"。

"让我来做吧。"——有时,特别是在孩子刚出生的前几周,父亲真会变成一个非常勤快的人。他完全介入到从怀孕到分娩的整个过程中,在孩子出生后又倾力于宝宝身上。他敞开心扉去学习,渴望能听到他人的赞美之词。他有一种与孩子相处的天生本能,你完全能从他的脸上看出与宝宝相处的幸福快乐。如果你的丈夫就是这样,那么,就该恭喜你了。如果你非常幸运,这种情况可能会持续到孩子上大学。

"这不是我该做的。"——这种反应是我们曾经认为的那种"传统"父亲所表现出来的,他纯粹是一个懒散的家伙。的确,他也很爱孩子,但绝不是在给孩子换尿片或给孩子洗澡时。在他看来,这些都应该是女人的工作。在孩子出生后,他可能会立即全身心地投入到工作中,或者他认为自己应该挣更多的钱来养活全家人。无论怎样,他都有切实的理由不去做那些照顾孩子的脏活、累活。在某些时候,当孩子长大些,能与大人互动交流时,他可能会温和些。但是,我敢保证,他绝不会因为你的唠叨或拿他与其他父亲对比而改变自己。(如你对他说:"蕾拉的丈夫给麦肯齐斯换尿布了。")

"哦,不,有问题了。"——当他第一次抱孩子的时候,这个家伙既紧张又笨拙。他可能会与妻子一起去参加所有为准父母开设的辅导班,甚至还建议制订一个能力需求计划(CRP),但是他也仍然担心自己会做错什么。当他给孩子洗澡时,担心会烫伤宝宝;在哄孩子睡觉以后,又担心会出现 SIDS(婴儿猝死综合症);当家里终于安静下来后,他又开始担心自己将来是否能负担孩子上大学的费用。照顾孩子的成功经验能帮助他树立自信心,帮助他们消除上述忧虑。母亲那温柔的鼓励和赞许也会起到一定的帮助作用。

"快看这孩子!"——这种父亲非常骄傲自豪。他不仅想让每一个人都来看自己的宝贝,而且还满足于自己参与其中。你可能会听到他对客人讲:"我的太太在夜里能睡个好觉。"此时,他的妻子或许正在背后怒目圆睁地看着他呢。如果这是他的第二次婚姻,那么即使在第一次婚姻中他很懒散,这次也一定会变成一个专家了,他经常更正妻子的做法:"我以前可不是这么做的。"母亲们,给他一点责任吧,尤其在他看似了解自己正在做什么时,但不要让他超越你的准确直觉。

"这是什么孩子?"——如我前面提到的那样,有些母亲企图否认孩子出生的事实。好吧,亲爱的朋友,父亲们也会有他们的观点。最近,我在医院里照顾内尔,几乎在她刚分娩完 3 个小时,我就直接问她:"汤姆在哪里?"她非常自然地回答说:"他在家里。他要整理一下花园。"这并不意味着汤姆认为照顾孩子不是自己分内的事,而是这个家伙根本不知道孩子已经出生了,而他的妻子也已经有变化了。即使他预见到了这种变化,他也会退缩,宁愿去做自己更擅长的事情。他需要面对现实,像内尔一样鼓足勇气。然而,如果他拒绝,或者如果内尔不给汤姆机会参与其中,他可能会变成那种我经常见的那类男人——窝在起居室里看电视,周围一片狼藉。妈妈可能就要累垮了,因为她一边忙着接电话,一边还要准备晚饭,对他说:"亲爱的,你能去抱抱孩子吗?"丈夫只会抬起头来,说一句:"啊?"

无论一个父亲最初的反应是什么,多数人最终都会发生改变,尽管有时可能会以母亲们并不喜欢的方式在改变。母亲们总问我:"我该如何让他参与更多的工作呢?"这时,她们肯定非常失望,因为根本没有一个好答案。我发现,父亲们通常会根据自己的时间以自己喜欢的方式介入其中。一旦孩子开始会笑、会坐、会走、会说话时,那个曾经卖力工作的人可能就清闲些了,而那个原本不曾照顾过孩子的人则会突然开始照顾孩子了。大多数父亲都喜欢做自己认为最能胜任的具体工作。

"这不公平,"当我建议安吉让丈夫菲尔选择自己想做的家务活时,她冲我嚷道,"我从没选择过自己想做的事情。无论有什么感受,我都在做呀。"

我接受她的说法:"没错,但是你必须要和这个自己选择的男人协调好,如果菲尔不愿意给孩子洗澡,或许他会在晚饭后去洗碗。"

这里所讲的"秘密"也是本书强调的根本:互相尊重。如果一个男人感到自己的需要和愿望被认可了,他会更加尊重你的需要和愿望。但是,起初,你应该在每一次争斗中用点计谋,以便寻得立足之地。

关于我们

当孩子长到三岁时,夫妻间的关系依然会发生变化。在很多情况下,现实与理想之间还存在很大的差距。但是,通常都是一些表面现象下隐藏着的问题导致夫妻关系走向破裂。下面就是一些常见问题。

初学者的恐慌——母亲常感到负担过重,而父亲并不了解该如何去帮助她。当父亲试图去帮忙时,母亲可能又没有耐心,还会冲他大喊大叫。他自然就会退缩。

"他换尿片时总出错,"一位母亲在丈夫走后总这样抱怨。

"因为他也在学习,亲爱的,"我会这么说,"给一个机会吧。"事实上,每个人都是这个事业中的初学者。夫妻双方都处在学习道路上的陡峭路段。我试图提醒夫妻双方回忆他们第一次约会时的场景。难道他们不需要相互了解吗?最后,在日益复杂的家庭关系中,每个人难道不需要去深入了解其他家人吗?对夫妻双方和孩子相处来说,也是同样的道理。

我喜欢给父亲分派一些特殊的工作——购物、给孩子洗澡、夜间起来喂奶,这也让父亲认为自己是此过程中的一分子。毕竟,母亲需要得到尽可能多的帮助。我力劝男人们去做妻子的耳朵和脑子。除了要吸收更多的信息之外,很多女人都遭受着产后健忘症的折磨,这虽然是一种暂时状况,但也足以让她们抓狂。或者,丈夫还可以满足妻子的某些特殊需要。例如,劳拉(你曾在第四章中看到过她的例子)就是一个认为母乳喂养十分有压力的母亲。她丈夫感到自己很没用,好像自己什么也做不了,无法帮助妻子度过这个困难时期。然而,当我展示给杜恩正确的衔乳头的方式,并指导他如何在劳拉遇到麻烦时温和地指导她(这里要强调的是温和的态度),这让他感到自己真正做出了贡献。我还给他一项任务,那就是确保妻子每天都喝掉16杯水。

性别差异——在孩子刚出生的前几周,父亲和母亲之间总会出现各种各样的矛盾,我无一例外地要提醒他们,尽管两个人看问题的角度各不相同,但他们现在要精诚合作。正如我在第二章中提及的那样,父亲应该"稳如泰山",当母亲们需要时,他就要充当那个善于倾听的耳朵,能拥有让她靠

他 说 / 她 说

在任何一对夫妻关系中,每个人都有自己的观点和主张。我经常扮演联合国翻译的角色,告诉其中一个对方想让他/她了解什么。

母亲想让我告诉她的丈夫

◎ 分娩究竟有多大的伤害

◎ 她多么辛苦

◎ 母乳喂养孩子有多么困难

◎ 母乳喂养有多大的伤害(为了证实这一点,我曾经揪着一个父亲的乳头说:"让我这样揪20分钟看看。")

◎ 她之所以会哭泣或者大喊大叫,是因为荷尔蒙失调,而不是因为他

◎ 她无法解释自己为什么会哭泣

父亲想让我告诉他的妻子

◎ 不要批评他做的每一件事

◎ 孩子不是瓷娃娃,不会一碰就坏

◎ 他已经尽力而为了

◎ 她一口否定他关于孩子的主意,让他很受伤

◎ 现在,他为支撑这个新家庭而感到压力倍增

◎ 他也感到疲惫和失望

着哭泣的肩膀,能拥抱她的双臂。通常情况下,夫妻矛盾都是源于两种性别间的差异。我经常发现自己会充当调和者,让金星去了解火星的意思,反之亦然(参见上页表"他说/她说")。当两个人看问题存在差异时,他们要了解这不仅是转换对方的意思,而且双方都不能太自我,这样,夫妻关系就融洽了。他们应该在不同点上寻找力量,因为这样他们的视野才会更加宽广。

生活方式的转换——对某些夫妻来说,最大的障碍就是要学习如何改变制订计划的方式。也许他们有很多亲戚可以帮助解决困难,或者有人帮忙付保姆工资,但是他们并不擅长规划时间来应对第三个人的加入,因为他们之前从没这样做过。迈克和丹妮斯都三十多岁了,他们结婚四年后才要的孩子,这真是一对有实力的夫妻。迈克是一家大公司的上层领导,还是一个一周打三次网球、每周末都要踢一次足球的运动员。丹妮斯是一个电影公司的高级经理,经常从上午8点一直工作到晚上9点,一周还有四天会因运动而超时。毫无疑问,他们经常在外就餐,或一起,或各自。

提醒所有家长!

那个不曾生育过、也没有整日在家与宝宝相处的人,请记住下面的忠告:

要做的

◎ 休假一周以上;如果你做不到,就花点钱请人来帮忙做家务活。

◎ 在没有解决方案之前要学会倾听。

◎ 带着爱心提供支持,不要批评。

◎ 当她说不需要你的帮助时,一定不要当作是拒绝。

◎ 不要等她提出要求才去购物、清扫、洗衣服、擦地板等。

◎ 当她说"我感觉不像自己"时,你要知道其中肯定有原因。

不要做的

◎ 试图去"稳定"她的情绪或"解决"其生理问题——要安然渡过。

◎ 做一个啦啦队长或以恩赐的态度对待她,例如,拍着她的后背说"做得好",仿佛把她当作小狗似的。

◎ 走进自己家的厨房,却大声询问东西放在哪里。

◎ 站在一旁指责她。

◎ 在商店里的熏火鸡卖光了时,就打电话回家问她:"我该买点什么来代替呢?"——你自己好好想想吧

在丹妮斯怀孕9个月时,我们初次相识。在了解了他们的一周生活之后,我对这两个人说:"我要在此澄清一件事。有些东西可以付出,但并非全部都要付出。为了在宝宝出生之后获得你们想要的生活,你们必须要做好计划。"

让人高兴的是,迈克和丹妮斯坐下来,开始详细罗列他们的需要和希望。在最初的几个月里,为了适应新的家长身份,他们能各自放弃什么呢?从

精神健康的角度来看,什么才是最明显的需求?丹妮斯决定减少工作时间,虽然她只给了自己一个月的恢复期。而迈克也决定向公司额外请假。他们起先都对自己做了严格的要求,对某些夫妻来说,很难做到这样。但是,当丹妮斯意识到养育孩子很费力时,她又给自己延长了一个月的假期。

夫妻关爱 101

◎ 一起安排时间——散步、晚上约会、去冰激凌店等。

◎ 计划一个不带孩子去的旅行计划,即使你们根本就无法做到。

◎ 隐瞒给对方带来惊讶的信息。

◎ 送一个意料之外的礼物。

◎ 将一张充满爱心的小卡片送到办公室,对她/他诉说自己的感激和爱恋。

◎ 彼此尊重,真诚相待。

竞争——这是我所见过的一种很有问题的夫妻关系。乔治和菲莉丝都四十来岁,他们收养了一个刚满月的孩子——梅莉。之后,两个人就开始比赛,看谁能让宝宝吃得更多,谁能让宝宝安静下来。当乔治给宝宝换尿片时,菲莉丝就在一旁说:"你的速度太慢了,还是让我来吧。"当菲莉丝给宝宝洗澡时,乔治又会在一旁指指点点:"洗她的头,小心点!你把肥皂弄到她的眼睛里了。"他们各自阅读了很多关于育儿的书,然后就引用书里的话去说给对方听,他们不是在讨论哪种方法对宝宝更好,多数时候是在说:"瞧,还是我说的对。"

因为梅莉一直在尖叫着大哭,乔治和菲莉丝赶紧给我打了电话。那时,这两个人都认为孩子得了疝气,但是他们却互相不赞同对方的做法。无论其中一个想到什么样的解决方法,另外一方总会提出批评意见。为了改善这种状况,我向他们解释说,我认为这并不是疝气,并向他们说了我对此事的看法。梅莉一直不停地哭,是因为没有人在听她说什么。爸爸妈妈只是一味地忙于和对方竞争,他们根本没有观察孩子。我建议按照 E.A.S.Y 的方式来抚养梅莉,还提供给他们一些小窍门以便慢慢地进行,这样才能真正去了解女儿有何需求(参见第三章内容)。在这对夫妻的例子中,或许更重要的是我建议他们把照顾梅莉的工作分配一下,我告诉他们:"现在,你们各自都有了分内的事情,你们之间谁也不要越权,谁也不要对另一个人做的事情指责或批评。"

无论原因是什么,如果两个人各持己见,事情就很难办了,势必会造成夫妻生活中方方面面的麻烦。他们可能会经常为琐事争吵;他们也会拒绝相互协调与合作。而且,甚至还有可能会影响他们的性生活,尽管已经停止了几个星期或几个月,但最终很有可能会越来越差。

性和突然压力过重的夫妻

我们来探讨一下关于"他说/她说"这个话题。父亲最先要说的就是性这个话题，而母亲通常将此话题列在最后。事实上，当女性分娩后做完首次妇科检查回到家里时，丈夫最先要问的问题就是："他说我们可以做爱了吗？"

不仅如此，妻子本身也被这个问题所困扰着，因为丈夫不是在询问她的感受或者用鲜花来打动她，而是想借助第三方的意见来判断自己的性生活，似乎外界的意见会动摇她一样。如果在提出这个问题之前她就对性生活不感兴趣，那么她可能会变得更加坚决。

于是，她深吸了一口气，回答道："不，还不行。"话里的意思是医生说她还没有准备好，而不是她自己的意愿。有些女性还以和孩子睡在一起作为借口。其他人还会选择从老掉牙的"我头疼"到"我很累了"、"我很疼"、"我可不想让你看到现在这样的体形"等各种借口。所有这些理由都包合多种意思，但是一个对性生活产生恐惧的女人，就爱穿戴上这样的盔甲。

在向我咨询过的人中，不乏一些父亲。"特蕾西，我该怎么办呀？我很担心，以后我们俩可能永远都不能做爱了。"有些人甚至还乞求我："特蕾西，你和她谈谈吧。"我试图让他们明白，只不过6周而已，没必要大惊小怪的，这通常是女性进行第一次产后检查的时间。这段时间也是侧切或剖腹产手术后所需要的愈合时间，但是并不是所有的女性都能在这6周内恢复好，或者你的太太在心理上还没有做好性生活的准备。

产后体操

我曾经说过女性在产后6周内最好不要运动，但是在这里我要介绍一种产后三周就可以进行的运动，大致如下：挤压，坚持，一，二，三！

骨盆底肌运动，也经常被称为"凯格尔健肌法"（指妇女轮番紧缩放松阴部肌肉之法，以利于顺利分娩），是以医生的名字命名的。他发现阴道内的纤维组织能加强支撑尿道、膀胱、子宫、直肠和阴道的肌肉组织的强度。你先做一下排尿的动作，然后突然停止——你感觉到在运动的那块肌肉就是你要拉紧和放松的肌肉。我建议每天进行三次训练。

起先，这可能会是一个挑战。你可能会感觉不到肌肉的存在，甚至于你可能还会感觉到一点点疼痛。慢慢来，刚开始时你可以将膝盖并拢。为了检测你是否利用了正确的肌肉，可以将一根手指伸入阴道内，你就会感觉到挤压了。当你可以较好地训练时，试着将两腿分开做。

　　而且,生完孩子以后,人们的性生活也会发生变化。如果我们不事先警告那些准父母,就显得不公平了。那些直接想要性生活的男人们,没有认识到女人由于生孩子所发生的生理变化:她的乳房会胀痛,阴道拉长,阴唇也被拉伸了,由于荷尔蒙水平降低还会导致阴道干涩。母乳喂养也对此有一定影响。如果女性之前喜欢让乳头受到刺激,那她现在可能会感到疼痛,或者会产生厌恶感,因为她的乳头现在属于孩子了。

　　产生了这么多的变化,人们对性生活的态度怎么能不改变呢?恐惧感也是罪魁祸首之一。有些女人还担心由于"拉伸太长"而无法获得或给予对方快感。还有些人害怕疼,这就让她们更加紧张,甚至于一听到做爱的建议就感到害怕。当女人达到性高潮时,她的乳房会因受到刺激而向外喷射乳汁,这时她可能会比较难堪,或者担心配偶讨厌这种反应。

　　有些男人的确有过这种经历,被妻子的乳汁浇灌可不是什么性感的事情。根据男人本身的特征,以及他们如何看待怀孕前的妻子,男人可能不那么喜欢妻子现在的母亲身份,甚至在抚摸妻子时也会很激动。实际上,有些男人承认他们在看到妻子生产或给孩子哺乳的情景后,就会改变自己的想法。

　　那么,夫妻俩该怎么办呢?也没有什么具体的措施,但是我可以提出一个建议:双方共同努力来减轻压力。

　　公开地讨论——与其隐藏自己的感情问题,不如承认自己的切实感受(如果你找不到合适的词语表达,请参考后面的表格,其中一些普遍关注的问题可能正符合你的情况)。例如,有一天,艾琳哭着用车载电话打给我:"我刚刚做了产后6周的检查,医生说我可以过性生活了。吉尔一直在等着医生给我们开通绿灯放行,我不能让他失望。他对孩子实在太好了。我欠他的太多了,不是吗?我该怎么对他说呢?"

　　"首先,我们先来了解一下事实,"我建议。我从以前的谈话中了解到,艾琳的生产过程很漫长,而且她还做了侧切手术,"先说说你现在是什么感觉?"

　　"我担心做爱会让我更疼,坦白说,特蕾西,我甚至都不敢想他来抚摸我,尤其是触摸下面。"

　　当艾琳听到很多女性都有类似问题的时候,就释然了。"你必须要告诉他自己的担心和感受,亲爱的,"我告诉她,"我可不是性方面的医生,但是你认为自己在性生活方面亏欠吉尔的心理是不对的。"

现在,这个故事中最有意思的是,吉尔是我的一个学员——"父亲和我"培训课的学员,在那里,性可是一个热门话题,而且还一语双关。在那之前的一周,我已经给学员们解释过,男人应该诚实地面对自己的欲望,但是也同样需要理解女人的正确观点。我又补充了一条,女人在生理上做好准备与心理上做好准备之间存在着很大的区别。吉尔十分认同这个观念,他需要和艾琳谈一下,去了解她的感受,更重要的是,要好好对待自己的妻子,让妻子了解自己有多么欣赏她,多么爱她,多么想和她在一起。这是一种可以让人信赖的关怀,女人们会认为它比"被说服"更性感。

看看生孩子之前的性生活——有一天,当我去探望米姬、基思和他们那三个月大的女儿帕米拉时,想到了这一点。我曾经在帕米拉刚出生时照顾了她两个星期。

当妻子去厨房泡茶时,基思将我拉到一边。"特蕾西,自从帕米拉出生后,米姬和我根本就没做过爱,我快忍受不住了,"他很信赖我。

"基思,请允许我问一句,你们在宝宝出生之前性生活频繁吗?"

"不太频繁。"

我对他说:"那么, 亲爱的, 如果你们的性生活在宝宝出生之前就不频繁,那么在这之后肯定也不会好到哪里去。"

这次对话让我想起了一个笑话,有一个男人问他的医生,是否可以在手术之后继续弹钢琴。医生说:"当然可以了。"那个男人很开心地说:"太好了,我以前从没弹过。"抛开这些笑话,夫妻双方都需要正确面对现实中自己对性生活的期望。对于那些在孩子出生前一周做爱3次的夫妻来说,产后对性生活的影响的确很大,而那些每周一次甚至一个月才做一次的夫妻,则不会受到多大影响。

保留你的优先权——夫妻双方共同选择, 对目前的你来说最重要的是什么,并且在几个月内还可以反复考虑。如果你们双方都认为做爱很重要,那就为此腾出时间和空间来。可以计划每周约会一次,找个保姆来照顾孩子,你们就可以离开家了。我总会提醒团队里的男人们,女人们对浪漫的概念经常与性无关。"你可能需要的是干柴,而她则需要沟通、交流、烛光晚餐与合作。如果你不需他人提醒就能主动去洗,她可能会认为很性感!"我说。而且,我的奶奶总说:"甜言蜜语从来就比醋劲大发更让人愉悦。"给她买束花,小心呵护她。然而,如果你的妻子从生理上和心理上都没做好准备,最好还是不要这样强求。压力对性生活没有好处。

小贴士：妈妈，当你和爸爸晚上出去约会时，千万不要谈论宝宝。你们已经把小宝宝留在家里了，就别再想了。除非你想让爸爸心里产生怨恨，否则就从心里彻底把宝宝留在家里好了。

降低自己的期望值——性生活让人更亲密，但是并非所有的亲密关系都必须有性生活。如果你尚未准备好去做爱，就去寻找其他渠道来增进亲密感。例如，两个人手牵手去听音乐会。或者考虑一个"出去"的方案，在外面你们可以亲吻一个小时。我总在告诫男人要有耐心。女人们通常都需要时间。而且，一个男人也不应该单方面勉强女人做爱。实际上，我建议男人们设想一下哪些是必须要的，然后尽量再减少一些。我的意思是，在当前的情况下，他们会在多久之后开始渴望性生活？

回去工作，不带负疚感

一个女人可能会因为生孩子而离开高层工作岗位、舒适的办公室工作、志愿者的位置，甚至是自己心爱的业余爱好，通常在一段时间(有些女人产后可能需要一个月，还有些女人可能会需要几年)之后，她们就会在心里产

产 后 性 生 活	
女人的感受	**男人的感受**
极度疲惫："性生活就像是另外一件烦心事。"	挫折感："我们还要等多久？"
过分紧张："好像每个人都需要我。"	拒绝："为什么她不想和我做爱？"
负疚感：她们剥夺了孩子和配偶的权利。	嫉妒："她对孩子比对我更关心。"
害羞："如果孩子在隔壁，我觉得自己像小偷。"	怨恨："宝宝占据了她所有时间。"
不感兴趣："我一点儿也不想这件事。"	生气："她还会恢复到正常生活中吗？"
自卑：她们认为自己的乳房太大而且怪异。	迷惑："去问问她是否想做爱，可以吗？"
小心谨慎："如果他吻了我的脸，说'我爱你'，或者将他的手放在我的腰上，这好像才是我想要的——这是做爱的第一步。"	受骗上当："她说如果医生认为可以了，我们就会有性生活，可是这都过去好几周了。"

生下面的疑问："我该怎么办？"当然，有些女人在怀孕期间就已经做好了事业上的计划，已经想好何时回去工作或者继续进行自己已经从事的事业。还有些人则随机应变，视情形而定。无论怎样，她们都要处理下面两个问题："我该如何不带负疚感地回去工作呢？"和"谁来照顾孩子呢？"至少我心里认为第一个问题更简单些，所以我们先来探讨第一个问题。

负疚感是做母亲后的最大难题。我的祖父曾经说过："生活不是在彩排，寿衣上也没有口袋。"换句话说，就是你什么也带不走，因此，负疚其实是在浪费你那宝贵的时间和生命。我不知道什么时候、在哪里或者为什么美国人发明了负疚感，但是这似乎在美国很盛行。或许这是美国人完美主义中的一部分，但是在我看来，无论你怎么做，总会觉着受谴责。我的辅导班里有一些女学员常常因为自己仅仅是个"妈妈"或"家庭主妇"而感到沮丧。但是那些有工作的妈妈们，无论从事着高级管理工作，还是仅仅从事着仅能支付帐单的卑微工作，都对自己感到不满意，只不过原因不同罢了。"我的妈妈认为我去工作是件很讨厌的事情，"一个女学员曾经这样说，"她告诉我，我错过了孩子生命中最美好的时光。"

那些决定外出工作的女性常常在做出决定之前要考虑很多方面的因素，这些因素中都不乏爱孩子这一事实。但是，也会考虑到经济上的需要、情感上的满足和自尊心。一些妈妈认为如果不去做点自己的事情（无论是否有报酬），她们就会疯掉。我鼓励她们去关爱自己的孩子。但是，这并不等于她们不能追求自己的梦想。工作也不会致使女性成为一个坏妈妈，反而会让她们更有自信地说："事情本来就该如此。"

显然，有些女性是因为经济原因才去工作，还有些人是为了获得自我满足感。无论是否涉及报酬问题，关键是这些女人正在从事着养活自己的事业。和那些终日操持家务的妇女相比，她们无须感到抱歉。记得有一次我问我的母亲："你是否也曾经想出去做点事情？"她怒气冲冲地看着我，说："做什么？我在管理这个家。你说的'做点事情'是什么意思？"我永远也不会忘记这个教训。

事实上，即使父亲在家里承担了很多工作，母亲仍旧要肩负着养育孩子的重任，特别是那些单身母亲，晚上根本不可能奢望着还能有一个人回来帮你。很多母亲都希望至少能接个电话、和朋友们出去吃顿饭、感到自己除了做母亲之外还有其他身份等，这些愿望一点也不过分。然而，由于你被各种意见炮轰着、被责任压制着、最主要的是自己还迷惑着，所以你很容易就会陷入负疚感的漩涡。我接到无数疲惫至极的母亲来电,她们在两个极端之间挣扎着——专心带孩子和放任自流。她们对我说:"我很爱孩子,我也想尽力做个好母亲。但是,难道为此非要我放弃自己的生活?"

> 小贴士:当你感到负疚时,可以对自己说这个口号:"给自己留点时间并不会伤害我的孩子。"

如果你没有在这段时间内做些滋养精神的事情,那你的生活中就全都是孩子的事情了。你应该面对:你可以跟孩子一起做很多事情,你也可以拥有很多能获得喜悦的交往。与其感到负疚,还不如全力寻找解决目前问题的方法,无论做什么都可以。如果你想或者需要一天工作12小时,那就计划好,让你在家里的时间更有意义。例如,当你和孩子在一起时,不要去接电话。把电话线拔掉,或者干脆使用自动答录机接电话。不要在周末工作。当你在家时,就把心思也放在家里,而不是挂念着工作上的事情。如果你心不在焉,宝宝会感觉出来。

现在,该轮到下一个大难题了——究竟谁能来照顾孩子。答案分有偿帮助和无偿帮助两种,我将一一讲述。

创建支援团——邻居、朋友和亲戚

我遵循了传统的40天静卧的产后恢复期,在萨拉出生后的6周里,我只需要好好照顾孩子就行了。我的奶奶、妈妈、家族里其他女性亲戚和邻居们都来帮忙,家务事就全交给她们了,一日三餐也全都由她们负责。我自己一点压力也没有。在我又生索菲时,这群人又来帮忙照看三岁的萨拉,因此我也就有时间来了解她的小妹妹了。

在英国,这样的情况很典型,生孩子似乎成了大家的公事。从奶奶到隔壁邻居的阿姨等等,每个人都会参与其中。我们还会受益于家庭健康援助组织中关爱人类健康系统的专业帮助,不过,还是那群女人们的关系网络(亲朋好友)给予了最大的支持和帮助。她们会提供很多小窍门,毕竟她们经历过生孩子的过程,也最有资格为新妈妈提供帮助。

在许多民族中都有支援团存在的传统，还有一些宗教仪式来帮助女人们度过怀孕到生产的这一阶段，除此之外，他们还非常尊敬女人从这一阶段走向母亲时代所伴随的脆弱。准妈妈无论从精神上还是生理上都得到了支持，有人给做好可口且营养丰富的饭菜，妈妈完全从各种家务活中解脱出来，以便于充分自由地照顾小宝宝和恢复自身的体力。有时，在某些阿拉伯地区，婆婆还被指定来喂媳妇吃饭，并好好照顾她。

可悲的是，在美国很少有生活在都市里的女人受到这种待遇。刚成为妈妈的女人们很少能得到邻居的帮助，而亲戚们通常也住得比较远，甚至都不在一个国家。如果某个女人足够幸运，某些家庭成员至少会来探望一下，有几个好朋友可能也会带着简单的甜点或热菜热饭来看望。如果新妈妈是某个宗教组织或社区机构里的成员，其同伴可能也会提供一些帮助。无论怎样，最重要的是要学会创建自己的支援团，如果人数不多的话，至少应该有一个人能够为你鼓劲打气，能够让你轻松下来。

对不同的家庭成员进行关系评估。你和自己的母亲亲近吗？如果是，没有人能比她更了解你了。她肯定会非常喜爱自己的外孙，所以她会发自内心地让孩子得到安全的照顾。同时，她也有丰富的经验。当我在一个有奶奶或爷爷帮忙的家庭里工作时，感觉非常好。我给每个人都安排了工作，从打扫地板到给信封贴邮票这样的事都有一一分工，因为新妈妈不应该为这些事情分心。

然而，如果新妈妈与家庭成员之间的关系不那么友好，这种理想的画面就要改变了。父母亲通常会横加干扰或者妄自评定年轻一代的做法。尤其在母乳喂养这个问题上，奶奶也许

维护你的支援团

有关无偿帮助的内容：

◎ 不要期望人们能了解你的心思——主动请求帮助。

◎ 尤其在分娩后的前6周内，请他人帮助去购物、做饭、买吃的、打扫房间、洗衣服，这样你才能有时间和孩子在一起，才能去了解孩子。

◎ 现实点。只有在人们能够提供帮助时，才去请求——别让一个经常忘事的父亲空手去超市购物，最好给他一张详细清单；别请求你的母亲在她通常去打网球的时间里来照顾小宝宝。

◎ 写下孩子的作息规律，以便他人了解孩子喜欢什么，能够顺利照顾小宝宝。

◎ 当你要小睡休息时，只能说抱歉了，因为你需要休息！

和新妈妈一样没有经验，可她却会很巧妙地指责："为什么你抱着孩子那么长时间？"或"我从不这样做。"在这种情况下，新妈妈又怎么可能开口寻求帮助呢？你已经在负担着难以承受的压力了。我并非要你将父母拒之门外，但

是不依靠她且清楚了解她的弱点,应该是个好主意(请参见上页表)。

新妈妈们经常向我求助如何处理那些对方主动提供的建议,尤其是那些刚刚开始交往的人。我建议她们正确地看待这些建议。这是一个敏感期,你们刚刚建立起联系。如果有人提供了与自己做法完全不同的窍门或实践经验,即使是好意提供帮助,你也会认为这是一种批评。因此,在你快要发火之前,先考虑一下其根源。人们愿意向你提供帮助,并且希望与你分享好的观点是你的幸福。你可以倾听他人的各种建议——妈妈的、姐妹的、姑姑的、姨的、奶奶的、你的儿科医生的,还有其他女性同胞的。你完全可以悉数接纳,但使用与否的最终决定权在你手里。请记住:养育孩子并非是一场口水战。你不必去争执什么,也无须辩护什么。毕竟,你养育孩子的方法与我自己养育孩子的方法肯定有所不同。因为这样,每个家庭才会那么与众不同。

> 小贴士:可以对那些主动提供建议的人说:"这听起来挺有意思,但好像更适合你的家庭。"但是,你心里可能在说:"我会用自己的方法去做。"

聘请一个保姆而不是笨蛋

我不想在本章中把自己描述成一个盲目热爱英国的爱国者,但是将美国与英国相对比,这个国家在保姆行业的确存在着太多的缺陷。在英国,成为一个保姆或一个家庭女教师,是受人尊敬的职业,有严格的法律限制。要想成为一个保姆,必须得在正规的保姆学校培训三年。来到美国后,我很惊讶地发现,连修剪指甲都需要有执照,但照顾小宝宝就没有什么限制。因此,寻找保姆的工作就必须要由父母或中介机构来完成。因为我经常和刚生完孩子的家长们一起工作,所以常常参加挑选保姆的工作。我能说的是,这是一件很难的差事,而且压力极大。

> 小贴士:至少给自己两个月的时间,理想状态下应该是三个月,来寻找一个合适的保姆。如果你计划在生完孩子的6~8周后继续回去工作,那么你就必须得在怀孕期间开始寻找保姆了。

寻找一个合适的保姆是个很费力气的过程。但是，孩子是你最宝贵的，也是无可替代的财富，请个合适的人来照顾他应该是你的首要责任。倾注你全部的精力和洞察力来挑选吧。下面几点是你在挑选过程中需要注意的事项。

你需要什么？——显然，第一步应该是评估自己的状况。你需要一个全天住在家里的保姆，还是一个兼职的？如果是兼职的，是否需要她在固定时间来工作，还是随时恭候你的需要？同时，还要考虑自己的局限性。如果有人来和你一起住，你家里某些区域是否有禁止入内的限制？让她自己单独吃饭，还是和你的家人共同就餐？当孩子睡觉时，你希望她消失吗？你是否给她提供一个单独的房间？一台单独的电视机？无限制的电话和进入厨房的权利？是否允许她使用娱乐场地，如健身房或游泳池？家务活在她的工作范围内吗？如果是，都要干哪些活？很多有经验的保姆除了给孩子洗衣服之外，其他家务活都不干，有些人甚至还会拒绝做任何事。她需要有读写能力吗？至少，她必须能够阅读说明书，能够写便条，能够填写"保姆日记"（参见本章最后一个表格）。但是，你是否还要求她具备在电脑上打字的技能呢？你需要她会开车吗？她是否必须得有自己的车，或者她可以使用你的车？你希望找一个会急救术或CPR（心肺复苏术）的人吗？是否需要她具备营养学知识？在开始寻找保姆之前，你考虑得越细，就越能在面试时做好充分准备。

> **小贴士**：将你希望保姆完成的工作内容详细写下来，这样，你就比较清楚自己想要什么了，当适合的保姆打来电话时，你就能按照细节问题一一与之沟通。不仅要写下对孩子的责任、对家庭的责任，还要写下期望的薪水、休息日、限制、假期、奖金和加班情况等。

中介或许能、或许不能帮上忙——的确有很多声望不错的中介机构，但是他们通常按照保姆年薪的25%收取佣金。好的中介当然可以仔细审查保姆，能够节省你的时间，淘汰掉那些不合适的应征者。然而，有些不可信任的机构却害人匪浅。他们根本不会仔细审查推荐信，有些人甚至还会在应征者的资历和资格方面撒谎。寻找信誉良好的中介机构也需要考虑口碑相传的事实。你可以询问朋友们有何经历。如果你认识的朋友中没有从中介机构寻找过保姆，那就去参考一下育儿杂志或黄页电话本。询问他们每年都成功介绍过多少保姆，上规模的中介机构大概一年能成功介绍1000~1500个保姆。询问他们的收费情况以及服务内容——是否包括广泛的背景调查？如果保姆不能胜任工作,怎么办?是否有保证书?如果他们没有找到合适的人选,你一定不要付钱。

面试时密切观察——寻找保姆在这份工作中想得到什么。她符合你的要求吗?如果不符合,讨论一下不同之处。她还需要得到什么样的训练?让她谈一下以前的工作以及为什么要离开(参见保姆的危险信号)。她对感情、纪律、来访者有何看法?尽量弄清楚她是一个能独立做主的人,还是一个需要你指导的人。无论怎样,都要看你想从保姆那里得到什么。如果你想要一个助手,可是却找来一个自作主张的人,当然不会高兴了。在照顾孩子之外,保姆是否还需要具备你所需的技能,如开车、为了建立良好的工作关系所具备的个性。寻求对方的健康状况。如果你还养有宠物,那么过敏可能也是个需要考虑的问题。

她是你要找的那个人吗?——情投意合也很重要。这就是为什么朋友们喜欢的保姆未必合你的心意。因此,问问自己:"我心里是否有一个特殊类型的人呢?"要记住,世上没有完美的人,除了传奇型的人物玛丽·波平斯(Mary Poppins)之外。在所有要考虑的因素中,你还需询问她的年龄和灵活性。如果你的家里有很多楼梯,或者是一个四层的楼房,你需要找一个相对更年轻、更灵活的人,特别是当你家里还有另外一个会走路的小孩子时。或者,基于其他一些原因,你可能更希望找一个年龄稍大点、更稳重的人。你要寻找的人是否需要有特殊的民族背景,要和你相同,还是不同?请记住,保姆自身也会带着她特有的文化传统,她对喂养、对纪律、对如何表达感情等也有自己的看法,这些可能会与你的看法截然不同。

你是否调查过她的背景——要求应征者至少提供四个前雇主的推荐

保姆的危险信号

◎ 她最近的工作经历过多。 或许她经常更换工作,或许她和雇主关系不好。总之,要是她在三年内只有一、两个长期工作的话,通常说明她有一定的能力和责任心。

◎ 她最近没有工作。 这说明她最近可能生病了,或者其他人不愿意雇佣她。

◎ 她讲其他母亲的坏话。 我曾经面试过的一个保姆就一直在讲其雇主的坏话,因为她每天都要工作到很晚。为什么她不和自己的雇主谈论这个问题呢?

◎ 她自己也有一个蹒跚学步的孩子。 她孩子身上的细菌可能会由她带过来,或者她自己也可能会碰到紧急事件,在你需要她的时候会断然离开。

◎ 她需要一张绿卡。 如果你想帮助她,这也是一个无法解决的问题。但是,如果你不理会这个问题,你的保姆随时有可能被遣送回去。

◎ 你从直觉上感到不好。 请相信自己的感觉。不要雇佣任何一个让你感到不舒服的人。

信,同时还要求提供她的交通事故记录,从这上面就能看出她的责任心如何了。给每个推荐她的人打电话询问,但是最好亲自去拜访至少2个她的前雇主。如果有人提供了一封好评的推荐信,那么最好能亲自去面谈。

做一次家访——一旦你缩小了选择范围,就可以安排去她家看看。如果可能的话,见见她的孩子们。尽管这并不能说明她和你的孩子相处的情况如何,特别是当她的孩子都已长大时,但是你至少能感觉到她的爱心和她的清洁标准。

想清楚自己的责任——这是一种合作关系,你不是找了一个奴隶。合约双方都很清楚保姆的工作职责,所以不要让其承担额外的责任。例如,倘若你不是雇她来干家务活的,你就不应该期待她在做自己分内之事时来帮你做这些。给她提供各种资源,方便她能更好地工作——说明书、零钱、日常联系电话号码、紧急情况下要用的电话号码等。请记住,她也有自己的需求——在休息时间内和家人、朋友共处。如果她来自外地,那就提供给她当地的教堂、社区中心或健身俱乐部之类的信息,方便她创建自己的社交圈。你也不想让她孤单地只有工作吧。如果你认为整天围着孩子转很无聊,那就能够更好地理解保姆心中的不愉快了,她也被工作剥夺了与其他成年人交流的机会。

经常评估她的表现,及时纠正错误——保持良好关系最重要的是双方要坦诚相待。对保姆来说,至关重要。要求她每日填写我称之为"保姆日记"的表格,这样你就会了解自己不在时都发生了一些什么事情。这样,如果你的孩子夜里表现反常或者有某种过敏反应,那你就会立即知道是什么原因造成的了。无论何时,你最好能坦白直接地给她提建议,或者要求她用不同的方式来做某事。请你私下与保姆进行沟通,在说话的时候请小心谨慎。与其说"我不是告诉过你不要这样做吗",还不如换种方式,用更积极的语气和态度来传达同样的信息,"这种给孩子换尿片的方式,才是我希望你做的。"

控制你自己的情绪变化——让他人来照顾孩子所产生的说不出来的担心,常常让你对保姆的行为有看法。嫉妒是最常见的一般反应。甚至在我自己的母亲照顾萨拉时,我也有点嫉妒她们之间的关系。我听到很多回去工作的母亲说,虽然她们很高兴找到了一个既值得信赖又很能干的保姆,但是一想到孩子的第一次微笑、第一次学走路的样子都是在保姆的关注下完成的,心里就很难过。我的建议是向你的丈夫或好朋友诉说这样的感受。要知道,有这样的感觉也没什么可羞愧的,几乎所有的母亲都体验过。只是,你要记住自己是孩子的母亲,这个身份无人可替代。

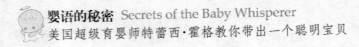

保姆日记

　　要求你的保姆做好这份简单记录，当你不在时，什么时间发生了什么事情。下面是范例。可以根据自己的特殊情况制订自己的样式。将此表格输入电脑中，这样你就能随着宝宝的成长修改其中的内容了。内容要详细，但记录可简略，这样就不会让保姆花费太多时间。

食物

用奶瓶吃奶在 ＿＿＿＿ ＿＿＿＿ ＿＿＿＿ ＿＿＿＿

今天吃了哪些新鲜食物：＿＿＿＿＿＿＿＿＿＿＿＿＿＿＿＿＿＿＿＿＿＿

孩子的反应：□胀气　□打嗝　□呕吐　□腹泻

详情：＿＿＿＿＿＿＿＿＿＿＿＿＿＿＿＿＿＿＿＿＿＿＿＿＿＿＿＿＿＿＿

活动

室内：□婴儿体操　＿＿＿＿＿分钟　□婴儿围栏内

其他：＿＿＿＿＿＿＿＿＿＿＿＿＿＿＿＿＿＿＿＿＿＿＿＿＿＿＿＿＿＿

户外：□步行去公园　□金宝贝早教中心(Gymboree)　□游泳池

其他：＿＿＿＿＿＿＿＿＿＿＿＿＿＿＿＿＿＿＿＿＿＿＿＿＿＿＿＿＿＿

成长标志

□笑　□抬头　□翻身　□坐起来　□能站立　□迈出第一步

其他：＿＿＿＿＿＿＿＿＿＿＿＿＿＿＿＿＿＿＿＿＿＿＿＿＿＿＿＿＿＿

约见

医生：＿＿＿＿＿＿＿＿＿＿＿＿＿＿＿＿＿＿＿＿＿＿＿＿＿＿＿＿＿＿

日期：＿＿＿＿＿＿＿＿＿＿＿＿＿＿＿＿＿＿＿＿＿＿＿＿＿＿＿＿＿＿

不寻常的事件

意外：＿＿＿＿＿＿＿＿＿＿＿＿＿＿＿＿＿＿＿＿＿＿＿＿＿＿＿＿＿＿

发脾气：＿＿＿＿＿＿＿＿＿＿＿＿＿＿＿＿＿＿＿＿＿＿＿＿＿＿＿＿＿

其他不常见的情况：＿＿＿＿＿＿＿＿＿＿＿＿＿＿＿＿＿＿＿＿＿＿＿

第八章

应对特殊情形和意外之事

重大紧急情况和危险都表明,生活中的重大事件往往都超出我们的预料。

——威廉·詹姆斯

最好的计划

当人们计划着组建家庭时,自然就会把事情想得很简单,结婚后就会顺利地怀孕,不费力气地分娩,还会有一个健康的孩子。但是,自然之母并非让人如此遂愿。

或许,你可能会遇到生育难题,必须要去收养孩子或者利用辅助生殖技术(ART)——这是一个支持或避开传统观念的各种方式的总称。其中,代孕即指由另外一个女性替你怀孕生孩子。显然,无论在国内还是在国外,收养孩子都比代孕这种方式更流行,但是根据我在这个国家多年的工作经验,据我所知,至少有八对夫妻采用了代孕这种方式。

一旦怀孕,你可能会发现现实中有很多问题是自己从没想到的。你可能会被告知自己怀了双胞胎或三胞胎——值得高兴,但是也会让你恐慌。当然还会出现其他状况让你不得不卧床休息。如果你的年龄超过了35岁,尤其是如果你服用过催孕药物,你可能会比其他年轻点的母亲更小心。而糖尿病之类的顽疾可能会使你成为高危妊娠妇女。

最后,分娩时还有可能出现各种复杂状况。你的孩子可能会早产,也可能在分娩时因特殊原因而必须留院观察。如果你没能带着孩子直接回家,可能会更让人难过。例如,凯拉不得不一个人出院先回家,因为她的孩子萨莎早产了三个星期,因为太小、太脆弱,

可用的方法

收养:在20世纪90年代,大约每年有120,000个孩子被收养。其中有40%是亲戚收养的,15%是通过公共机构收养的,35%是通过私人(中介、医生、律师)介绍收养的,还有10%则是从国外收养的。

代孕:尽管没有官方记录,但是据代理生育组织统计,从1976年以后,大约有10,000~15,000的孩子是通过这种方式出生的,甚至数目还会更大。

多胎:双胞胎的比例是1.2%,三胞胎则成了1/6889。随着催孕药的使用,这些数字在惊人的上升中:使用排卵药克罗米芬,双胞胎比例上升至8%,三胞胎上升至0.5%;使用促卵泡激素,双胞胎达到了18%,三胞胎达到了3%。

早产:每年大约有300,000个孩子早产,或者大约有10%的孩子在第37周时出生(正常应该在第40周)。孕妇容易早产的原因如下:年龄超过35岁、怀的是双胞胎,或者有以下任何一种或多种情况——压力过大、慢性病(如糖尿病)、感染或孕期综合症(如胎盘前置)等。

而且还有肺积水，必须在新生儿监护病房（NICU）里观察六天。凯拉是一个劲头十足的运动员，她回忆道："就好像你已经充分准备好马上进入比赛了，这时候有人过来对你说'不要着急，比赛推迟了'。"

无可否认的是，整本书讲的都是关于分娩、收养、多胎妊娠问题等。在此，我关心的是无论你的孩子是怎样得来的或如何出生的，不管出现什么问题，你是否真能接受我的观点。

麻烦带着麻烦

尽管我上面讲到的内容代表着不同的情况，但我将在随后的内容中一一阐述，在特殊的环境问题和出乎意料的事件之间还存在着细微的关联。你的反应能够直接影响你的决定，影响你从宝宝那里看到和听到的，并且还会影响你形成常规作息的能力。无论你的情况如何，不管你碰到了什么样的困难，都会出现最常见的情绪波动。清楚了解可能会出现的情况将会帮助你避开困境。

你可能感到很疲倦，精神高度紧张，因此对各种事情都焦虑不安——如果你的怀孕过程很困难，或者是高危产妇，你会把时间和精力全部倾注在生孩子这件事上。如果你怀的是双胞胎或三胞胎，就更要费心思了。如果在分娩过程中有什么意外事件发生，宝宝还会让你揪心好几天，甚至几周。因此，除了和其他女性一样有分娩后的正常疲惫感之外，意外的事情还会让你更加虚弱。而且，正在发生的紧急事件不仅会影响你做母亲的能力，还会影响你和伴侣之间的关系。

没有什么神奇的药能改善这种状况，强烈的情绪激动还会导致危险状况的发生（参见后文中"情绪波动表"）。缓解办法就是要充分休息，接受一切可能的帮助。了解自己身上究竟发生了什么事情，并且明白这一切都会过去的。

你总在担心会失去孩子，即使在他已经出生或已经回家后——如果你在尝试了六七年之后才怀孕，如果你在孕期或分娩过程中碰见过很多困难，那么孩子一旦出生，你那本已十分焦虑的心情就会更加沉重。即使你的孩子是收养来的，你也可能把常见问题误解为小失误，把不顺利当作大灾难。您可能会过度关注婴儿监视器,只要宝宝一发出声音,你立刻就会跳起来跑过去。你可能还会经常认为自己"做错了什么事"。凯拉就曾经承认,她和保罗很担心自己会"害死小宝宝"。萨莎出生时十分健康,什么事也没有。但是,在她三周大时,就开始很暴躁地摇晃妈妈的乳头。这时,她已经很能吃了,短时间内就能喝完妈妈分泌的乳汁,可凯拉坚持认为孩子的这种行为肯定有"问题"。

我要再次提醒大家,用自我意识来治疗。了解自己正在边缘地带,你可能无法看清楚真相。与其跳入可悲的深渊,还不如清楚地分析现实状况。给你的家庭医生、新生儿重症监护病房的护士或者给朋友(她的孩子比你的稍大点,有过类似经验)打电话,询问这种现象是否"正常"。同样,幽默感肯定不会让人受到伤害。凯拉回忆起:"当我对保罗说一些神经质的话时,如'你不能这样给她换尿布',或者在孩子不饿或没有哭时,冲他大喊大叫地说'我现在必须得给她喂奶了',这时,他总会说'亲爱的,你又老调重弹了。'这代表着'古怪的妈妈'。通常,我会在那个时候听听自己的心声,然后慢慢平静下来。"凯拉在萨莎三个月大时才放松地进入到母亲时代,我发现很多隐藏焦虑症的典型母亲都这样。

你可能会疑惑:"我做对了吗?"——你对孩子所做的大部分事情都是经过深思熟虑的,还付出了辛苦的劳动。如果你努力了好几年才怀孕,如果你经历了一段漫长苦闷的收养过程,如果你体验了太多的失望,或者你面对了很多意料之外的事情,如怀上了双胞胎或三胞胎(一种服用催孕药物后常见的结果),那么当你最终成为父母亲时,可能会怀疑自己所有的辛苦是否值得。索非亚通过代孕妈妈得到了一个孩子,她很庆幸一切进展都很顺利。她找到代孕妈妈玛格达,让她和弗雷德的精子受孕,然后看着玛格达度过了怀胎 9 个月的时间。然而,当孩子真出生后,索非亚就垮了。从生理上讲,她并没有经历由分娩造成的荷尔蒙水平的变化,但是她却回忆说:"贝卡的出生的确给了我们很大的欢乐,但是我也经历了太多的感情波折和太多的自我怀疑。"

索非亚的艰苦经历远远超出了任何一名妇女的想象。他们常常会因为某些感受而尴尬,甚至会羞愧,因此很不情愿说出自己的感受来。结果,很多母亲并没有认识到自己的情绪很典型。当然,发自内心地讲,没有人想把孩子再送回去,然而,这些情绪和感受却能把人击垮。由于选择了沉默,这些女性常常被孤立起来,所以人们很难相信这些消极情绪和恐惧感最终会消除。

直到贝卡出生整三个月的那一天，索非亚终于在那天的某个时间自然地进入了做母亲的状态。

如果你的情况和索非亚很相像，那就鼓足勇气振作起来。你完全可以摆脱这些感受，特别要提醒你自己，这些感受都不会长久。你可以从某个咨询顾问、某个群体、有过类似问题的其他父母那里寻求帮助。无论你遇到的是收养问题，还是多胞胎问题、分娩过程不顺利问题、需要特别照顾的孩子问题，总会有人来帮助你的。

你看起来更依赖于外界的评论，而不是自己的判断——如果走进一个妇产门诊，你可能会和其中的专业人士建立起电话联系。或者，如果你生的孩子体重偏轻，你可能会依赖于医院新生儿重症监护病房的护士们。当孩子回家后，如果你像其他女性一样，就会变成钟表和测量杯的奴隶。你会定点给孩子就餐，会问自己："我给孩子喂奶的时间够吗？能让他获得足够的营养吗？"你会经常测量孩子的进步情况。你更习惯于经常给医生和护士打电话寻求指点，但你现在还是会感到孤单和迷茫。

我并不是说不需要专业帮助和精确测量，在刚开始时，确保婴儿按进度成长是很重要的。但是父母亲似乎在孩子已经脱离麻烦时依然会长期依赖这些帮助和支持。在看到孩子长大后，就应该一周称一次体重，而不用一天称一次了。当然不要停止用各种方法寻求帮助，但是在你打电话求助之前，先停一会儿，自己先考虑一下，找出解决方案来。究竟哪种是好的，哪种是错的，可以让专家们来确认你的结论，然而比起直接让他们给出解决方案，这样做更能增强你判断问题的信心。

你可能很难将孩子当作一个独立的人来看待——有时，父母无意中会陷入孩子生病的感情旋涡中。恐惧和担心蒙蔽了他们的眼睛，使之仅仅看到自己的感受和情绪，只看到婴儿的早产现象或者难产现象。如果你发现自己也把孩子当作"宝宝"，这就是一个信号——你没有将孩子当成一个独立的人看。请记住，虽然你的小家伙在来到这个世界时经历了一番斗争，但他依然是一个独立的人。现在，当你看到躺在新生儿重症监护病房育儿器中那个只有三四磅重的婴儿，身上还插着吃东西和排粪便的管子时，你就很难会想起他是个独立的人了。这时，你必须要开始如下的沟通：和孩子讲话，注意他的反应，试图让他明白自己是谁。一旦你将他带回家，尤其在其既定的预产期那天到来后（这是我们通常确定早产儿真实年龄的基础），仍然要继续慢慢地认真观察。

多胞胎身上也会出现相似的现象——他们就会成为"小宝宝"。实际上，双胞胎父母通常会把注意力放在两个孩子之间，而不是孩子身上。记住要把你的小宝贝看成一个独立的人，要直接看着他们的眼睛。我向你保证，每个孩子都有自己的个性和需要。

你可能会抵制规律性的养育过程——当然，一个早产儿或者体重过轻的婴儿需要多次喂养，而且其睡觉时间比普通婴儿长。诚然，我们都希望患病的婴儿能尽快恢复健康，所以我们必须要接受药物治疗。但是，通常在孩子长到 5 磅半时，按照 E.A.S.Y 模式来抚养他不仅很有可能，而且还是个明智的决定。这时就会出现另外一个问题：你会仍用过去的眼光来看待小宝宝。在孩子出生几个月之后，你不知道他已经赶上了同龄孩子的发育水平。

收养孩子的父母也一样，有时会抵制规律性的养育过程，因为让刚出生的孩子经历太多变化，他们会感到惶恐不安。他们反而试着去顺着宝宝让其自然发育。殊不知这样才会不可避免地造成忙乱。如我在本书前面提到的，出于好心的缘故，父母会把他当成一个孩子看待。为什么要让他来做主宰？在某些过分溺爱孩子的特例中，宝宝得到了极其过度的保护和尊敬，就像某些夫妻称呼他们的儿子为"小皇帝"。当然，我并不想告诉父母亲，不要再宠着你们的孩子了，事实上正相反。但是，我不喜欢让孩子当家做主的倾斜状平衡状态。

现在，有很多这样的父母亲，在孩子出生后的一段日子里，由于不得不在特殊环境中度过，因此他们往往会惊慌失措。现在，让我们来看一些你也可能遇到的特殊问题。

特殊的分娩：收养和代孕

"特殊的分娩"是指父母亲在医院、中介机构、律师的办公室或机场等处抱来孩子的现象。通常都是在经历一段长时间的申请、家庭访问、无休止的电话查询、与孩子的生母见面、与代孕母亲见面等过程之后，甚至在经历了没有结果的安排或者在最后一刻被取消的失望之后，这种情况才会发生。

小贴士：如果你正准备收养孩子，那么你应该要求孩子的生母或代孕母亲经常播放有你声音的录音带，这样至少能让孩子在子宫里听到你的声音。

当其他女人怀孕时，你就有 9 个月的时间来做各种准备。尽管在这段时间内你有可能会产生其他想法，但是在他人怀孕期间你完全可以好好做准备。虽然如此，但是特殊的"生孩子"方式也可能会很突然，而且当你真正将孩子抱在臂弯里时，通常都会感到震惊，其中一个收养孩子的母亲说到："我记得看见一群女人走向门口，每个人怀里都抱着一个孩子，我就想'老天呀，我也是其中一个吧。'"实际上，每对收养孩子的夫妻都会有额外的压力，他们通常都要带着孩子长途跋涉回到家，因此这就需要双倍的调整——首先是刚出生的影响，其次就是将孩子带回家的经历。

不可否认的是，收养孩子的母亲不会有怀孕和生产后生理上的突变。她至少能维持自己的正常生活，可以通过慢跑或其他经常从事的活动来缓解紧张感。夏洛特是一个地产经纪人，她借助于代孕母亲得到了一对双胞胎，直到儿子们出生的那一刻，她还能像个孩子一样欢快地跑来跑去。但是，由于照顾孩子的重任经常会落在新妈妈的肩上，所以她的情绪压力也很大。

尽管所有特殊的"生孩子"都是由别人生孩子，然后你合法地收养，但这中间也存在着极大的差别。就代孕这种方式来说，法律上的规定就要比普通的收养严格得多，而且一般的收养规定已存在几十年之久。另外，你正在做一件孤注一掷的事，不仅仅因为你要指望另外一个女人，而且还因为大概有十分之一的代孕母亲会流产。对于收养这种方式来说，你的选择范围就要广泛得多，你可以和国内外的中介机构进行联系。尽管每种方式都涉及高额的花费，但是，选择比较新潮的代孕母亲这种方式所花费的钱要比一般的收养费用更高一些，尤其是当你选择在实验室里完成受精过程时，费用就更高了。例如，索非亚和玛格达是在海边的一家旅馆里相遇，她们一起喝茶吃点心，然后，索非亚用一根烤火鸡的滴油管将弗雷德的精子输入给玛格达，使其怀孕。

愿意生孩子的母亲们，一般都有着各自不同的动机。代孕母亲都很清楚自己是在帮助不能生育的夫妇来生孩子。她们付出的精力常常和收养孩子的父母一样多，而且他们之间通常会有血缘关系，比如姐妹或者姑表亲等会自愿担当代孕母亲。对于普通的收养而言，孩子的生母通常因为年龄太小或太大，以及经济和感情问题等，不能自己照顾孩子。她们可能跟收养者有一定关系,也可能没有什么关系,甚至于可能都不知道收养者是谁。

选择代孕方式的夫妇,通常都会介入怀孕的整个过程,他们十分清楚孩子将在什么时候出生。在索非亚的例子中,她与代孕者关系很密切,甚至非常了解代孕者的孩子们,甚至于代孕者的家庭最终也融入到了索非亚的家庭中。索非亚在玛格达分娩时也待在产房里,她回忆到:"我是第一个抱起贝卡的人,那天晚上,我把她带回到酒店里,和她睡在一起。"

如果代孕过程顺利,那么这种方式比传统的收养方式更真实,而且还可以预见到什么时候能第一个见到宝宝。我记得在某个星期天接到了泰蜜打来的电话,她已经申请收养了一个婴儿,希望能知道我什么时候有空去照顾孩子。可以让我和她吃惊的是,四天之后,也就是下个星期四,她又打来了电话:"特蕾西,他们告诉我明天就能得到那个孩子了。"根本没有时间做准备了! 泰蜜要飞一千多里地去医院里领那个孩子,还要做一系列被收养的孩子必须要做的检查,以确保没有什么问题。她从没见过那位母亲,除了那张身体健康证明之外她一无所知, 接着她就把自己全身心的爱都倾注在怀中那个无助的小生命身上了。

见到你的特殊孩子

当你带着小家伙回到家里时,下面几件事需要牢记在心。

不停地对话——显然, 收养了孩子的母亲必须要做的第一件事情就是和孩子说话。如果孩子能够在子宫里听到你的声音,当然最好不过了,但是很多情况下不太可能实现。其实,你要向孩子介绍自己。告诉孩子你很幸运地拥有了他。如果你收养的孩子来自另外一个民族,可能需要更长的时间让他来熟悉你的声音。你的声音、你的语调、你讲话的方式听起来与他之前所熟悉的截然不同。这正是我为什么要建议你无论如何给孩子找一个相同民族的保姆。

最初几天做好艰难的思想准备——对一个刚遭受分娩痛苦的新生儿来说,"回家"让他们感到非常迷惑,此外,各种奇怪的声音和长途旅行也让他受到了冲击。因此,很多被收养的婴儿在刚到新家时脾气都很坏。泰蜜的孩子亨特就是这样。为了让他在新环境中舒服地平静下来,泰蜜在前两天内一刻不离地照顾着亨特,只有孩子睡觉时她才会稍微休息一下。她不停地和孩子说着话,到了第三天,亨特才不那么焦躁了。你可能会认为亨特的坏脾气是由于长途飞行造成的,但我认为是他没有听到生母的声音造成的。

不要因为不能用母乳喂养而沮丧——对诸多收养孩子的母亲来说,这点很关键,她们可能很想拥有这样的亲身经历,或者希望孩子能从母乳中得到充分的营养。如果你借助代孕母亲得到的孩子,或者被收养孩子的生母愿意提供一个月的母乳给孩子,那么你就能实现让孩子得到母乳喂养的愿望了。我知道有很多家庭都采用冷冻在冰箱里的或从各地运来的过了夜的母乳。如果收养孩子的母亲想体验母乳喂养的感觉,至少她可以用辅助方式给孩子喂奶。

在开始执行 E.A.S.Y.模式之前先观察孩子几天——尽可能快地给孩子建立规律性的作息,这一点非常重要。不过,对于收养孩子的父母亲来说,最好能多观察孩子几天。当然,这也取决于小宝宝什么时候到你家里。如果是代孕方式,你能在孩子一出生后立即和他在一起,这是一个很好的机会,如此你就能继续进行任何一个生过孩子的母亲即将要做的事了。然而,对于收养这种情况,可能中间就会有段空隙,或许是几天,或许是几个月(还可能更长,当然,你也可能收养一个会走路的幼儿或者更大的孩子,不过,我们这里要讨论的是婴儿)。那些两三个月大的孩子,或者四个月大的孩子在孤儿院或者从前生活过的家庭里就已经养成了习惯。而且,由于刚到新家的小家伙还有其他方面的压力,所以你需要给他时间来适应。最主要的是你得记住多倾听,宝宝正在告诉你他需要什么。

即使是一个刚从医院回到家里的新生儿,你也需要认真观察他,准确了解他喜欢什么,不喜欢什么。

例如,泰蜜的儿子亨特在第四五天时才开始体会到在家里的感觉,很显然,他是一个模范型的宝宝。他吃得很好,也能很轻易地预报自己的情绪,每次都能连续睡 2 个小时左右,因此,泰蜜很轻松地就让孩子步入了 E.A.S.Y.模式的正轨。

然而,每个被收养的孩子各自都有着不同的体验。你必须要考虑到这个孩子的经历。如果你的婴儿看起来特别烦躁,那么除了一直和他交谈外,你还应该亲密地抚摸他、拥抱他、安慰他。实际上,在刚出生的前四天,你可以把他放在一个能戴在身上的襁褓之中,让他贴近你的心脏,模仿他出生前的环境。但是,四天之后就不用这么做了。当你的孩子看似平静下来,能对你的声音作出反应之后，就可以开始执行 E.A.S.Y 模式了。否则，你可能就会面临我将在下一章中要讨论的麻烦了。

如果你的宝宝已经长大了，而且很不适应 E.A.S.Y 模式，反倒习惯了其他的作息规律（如每次吃完饭后都要睡一觉），你可以温和地转变他的习惯，但是你必须要给他几天时间来慢慢调整。首先，花点时间去了解他的饭量有多大。多数被收养的孩子都会采用奶粉来喂养，让宝宝用奶瓶喝。由于我们精确地了解 1 盎司奶粉大概在 1 小时内就会消化掉，所以你要确保宝宝在 3 个小时的周期内摄入了足够量的奶粉。如果宝宝喝奶时睡着了，那是因为他已经习惯如此了，这时你就要唤醒他。和他玩一会儿，然后继续喂他喝奶。在 3 天之内，小家伙就能步入 E.A.S.Y. 模式的正轨了。

牢记自己一点也不比孩子的生母差劲——无论代孕还是传统的收养，妈妈们最初都会感觉自己没有真正拥有这个孩子，或者不知道该干什么，但是，在前三个月中，收养孩子的母亲和那个生出孩子的母亲没有什么区别。做母亲的无须为收养孩子而感到内疚。毕竟，做好父母亲要看行动，并非只在嘴上说说。如果你已经拥有了一个孩子，那么就应该在他生病的夜晚坐在他跟前，以各种方式做好家长的本分，而不必为了挣得父亲或母亲的头衔而拥有血缘关系。

在许多收养孩子的父母心中，都存有下面的疑问："这个孩子长大后会去寻找他的亲生父母吗？"这个问题虽然需要考虑，但也并不需要太过担忧。你也要尊重孩子探询过去的权利——那毕竟是孩子的根源，也是他的选择。实际上，我敢保证你越是害怕他有这样的好奇心，他就越会对此感到好奇。

开诚布公——你可以经常和孩子谈论收养这个话题，因此你就不必寻找一个"合适的时间"来告诉孩子他的历史了。对于代孕，我建议用植物类似论来解释。你有一个水泥地面的院子，而你的邻居则有一个泥土地面的院子。你给了邻居一些种子，当这些种子开始发芽成长后，你把它们移植到了自己的院子里，然后不停地浇水、施肥，帮助它们成长。

我讲的"开诚布公"，并非指的是要和孩子的生母或代孕母亲保持联系。这是一个很复杂的问题，完全由个人来决定，最好由夫妻俩根据自己的特殊情况经过慎重考虑后做决定。例如，在夏洛特的例子中，她就没有和代孕母亲联系过，那个女人只是使夏洛特的卵子和迈克的精子在自己的子宫里结合（这个过程被称为代孕技术，指取出女性的卵子与男性的精子在体外授精，然后将胚胎移植到代孕母亲的子宫内，直至胎儿成熟分娩的过程。这与传统的代孕过程不同,并非只使用了父亲的精子)。孩子一出生,夏洛特和迈克立即割断了与代孕母亲的联系,因为他们会把薇薇安当作女主人。夏洛特解释说:"她已经带着孩子9个多月了,现在,孩子是我们的了。"当然了,孩子们的房间里还放着一张薇薇安的照片,全家人也不忌讳谈论她。夏洛特会对孩子们说:"爸爸和我非常幸运,因为尽管我的肚子里生不出小宝宝来,但我们发现了薇薇安,一个非常好的女人,她将你们放在她的肚子里,小心地呵护着你们,直到你们出生为止。"自从孩子们出生以来,她一直在对宝宝讲出生的故事。

如果你怀孕了也不要惊奇——这不是什么老生常谈的故事,尽管没有人能确切了解为什么那些原本无法怀孕的女性在收养了孩子之后突然又怀孕了。瑞吉娜在知道自己永远也怀不上孩子之后,就收养了一个刚出生的孩子。几天之后,她发现自己竟然也怀孕了。或许她不会再为怀孕而倍感压力了,或者不是。无论如何,她有了两个孩子,他们之间仅差9个月。瑞吉娜非常感谢收养的那个孩子,认为是他帮助自己怀上孩子的,遂称他为"奇迹宝宝"。

早产和不稳定的开始

说到奇迹,没有什么能比看到一个早产儿或者健康有问题的孩子顺利长大更让人惊奇的了,因为你恐怕一直在担心他们可能会活不过一个晚上。我知道这些,是因为我的小女儿早产了七个星期。她在医院里住了五个星期。在英国,我们家长也能陪孩子住在一起,于是我就和孩子一起住了前三个星期,后面的两个星期,我就不停地穿梭于医院和家里之间——晚上要在家里照顾萨拉,白天再回医院去照顾索菲。

由于我自己有过类似经验,所以很能理解那些有早产儿或孩子住在新生儿监护病房里的家长们。某一天,你可能还充满希望,另一天,你可能就会因为孩子的肺部呼吸停止而感到恐慌。我了解你看到孩子每长一盎司体重时的心情,了解你对孩子受感染的担忧,以及在孩子发育迟缓和可能出现其他状况时的担心。你看到孩子躺在新生儿监护病房里,自己却是那么无助。你要让自己尽快恢复体力,你的荷尔蒙也完全处于紊乱状态,但是你还必须

高危分娩的情绪波动

由伊莉莎白·库布勒-罗斯提出的面对死亡的接受阶段和死前症状说明，已经被应用于说明适应其他危险状况的过程。

震惊：你会感到很茫然，很难接受细节问题，思维也不清晰。这时，最好能有个朋友或家人在身边，帮你回忆过去的经历，并提出问题。

否认：你不愿意相信这个事实——医生可能搞错了。看到你的孩子在婴儿监护病房里，才能让你最终面对现实。

悲痛：为自己没能顺利度过理想的生产过程而悲伤。你为自己感到难过，为了不能带孩子回家而更加悲伤。你的心里很痛，每一分钟都在饱受着煎熬和折磨。你经常哭泣，眼泪会让你继续活下去。

愤怒：你会问："为什么是我们？"你可能会感到内疚，担心自己早应该做点什么事情来避免这个麻烦。你可能会将自己的怒气撒在配偶或家人身上，直到此事完全过去为止。

接受：你认识到生活必须要继续，也理解了自己能做什么、不能改变或控制什么。

小贴士：记住这个重要教训——你的生活中发生了什么不重要，关键是你如何处理已经发生的事情。

要面对孩子随时会死亡的可能性。你倾听着医生说的每句话，但是眨眼间你就会忘记他究竟说了些什么。你试着在听到坏消息时安慰自己，总会有好消息传来的，总会有希望的。但是，每时每刻你都会在心里惦记着："这个孩子能活下来吗？"

当然，某些孩子逃不脱魔爪——大约有60%患有并发症或死亡的婴儿是早产儿。这也取决于孩子究竟提前多长时间早产(见下表)。而且，存活下来的孩子也会出现其他问题或者需要进行手术治疗，这会加剧人们的焦虑。但是，在这些婴儿中，大部分不仅能够活下来，而且还能在几个月内赶上同龄孩子的发育水平。当父母带着孩子回家，虽然医生已经告诉他们孩子度过了危险时刻，但他们的神经依然十分紧张，不敢相信孩子的生活会和其他人一样。下面有些建议，可帮助你在孩子恢复的同时来调整自己。

耐心等孩子长到正常的预产期，然后再将他当作正常孩子对待——当孩子长到5磅半时，医院就会允许你带孩子回家了，但是如果在你的正常预产期之前就将孩子带回家，那么，你还需要继续精心地照顾这个小生命。你的目标是让孩子尽可能多吃、多睡，不要受刺激。这是我唯一推荐"要就给"的地方。

请记住，从技术上讲，你要假定孩子仍然在母亲的子宫里，所以你要尽力去模仿那个环境。弯曲他的身体，像子宫里的胎儿那样。将房间里的温度保持在22摄氏度。你可能也注意到了，在新生儿监护病房里，他们有时会蒙上宝宝的眼睛，以避免光线刺激。因此，在家里，你最好也让房间里暗一些。不要让孩子看见黑白相间的玩具——他的大脑还没有完全形成，不能受到任何冲击。你需要特别注意的是，不要让孩子感染任何细菌，所以一定要保持室内清洁，肺炎对他们来说是一种非常危险的疾病，所有的奶瓶都需要严格消毒。

有些家长会轮流让孩子贴在其胸口上睡觉，这种方式被称为"袋鼠式照料"，且已被证实有益于孩子的肺和心脏的发育。伦敦的一项研究发现，与在早产儿恒温箱内相比，宝宝的皮肤紧贴着母亲那裸露的胸膛睡觉，更能增加其体重，而且还能减少疾病发生。

用奶瓶代替乳头，或者两者兼顾地哺乳——在孩子长到 5 磅半以前，他的喂养方案应该由儿科大夫来决定。一旦你回到家里，他的危险系数就逐渐降低了。当然，你最要关心的问题还是如何增加体重。如何给孩子喂奶是你需要与儿科大夫讨论的问题。理想中应该用母亲分泌的乳汁喂孩子，但是我建议用奶瓶喂养的原因是我能清楚地看到孩子究竟吃了多少东西。而且，有些孩子在母乳喂养上存在着问题，这取决于你的宝宝到底早产了多长时间。他可能还没发育出吮吸的反射能力——大概在 32–34 周，才能有此发育。如果孩子早于 32 周出生，他就不知道该怎样吃奶。

早产儿的存活几率

从最后一次月经开始计算，对于在新生儿监护病房里的婴儿，应视个体情况而有所不同。

23 周	10~35%
24 周	40~70%
25 周	50~80%
26 周	80~90%
27 周	90%以上
30 周	95%以上
34 周	98%以上

在 23~24 周之间，婴儿的存活率每天能提高 3%~4%，在 24~26 周之间，婴儿的存活率每天能提高 2%~3%。在 26 周以后，因为存活率已经很高了，每天的增长量就没有意义了。

控制你的焦虑情绪，并找出解决办法——你希望一直抱着孩子，以弥补曾经错过的那些时光。当他睡着了时，你还担心他醒不过来了。从你的经历中可以看出，这些感受和无数的担心都是可以理解的。然而，焦虑情绪并不能给孩子任何帮助。正相反，研究表明婴儿的直觉可以感受到母亲的苦闷情绪，也能受到这种情绪的感染和影响。你可以去找一个成年人来提供支持，这点非常重要。你可以对这个人讲出自己内心深藏的恐惧，他也能鼓励你在他的臂弯里哭泣释怀。这个人可以是你的伴侣。毕竟，谁能比他更理解你的担心呢？但是，你们两个人都身处同样的境遇，所以各自去找一个能够信赖的朋友也有一定帮助。

在释放压力方面，进行体育锻炼也很有效。或者，你可以靠静坐、沉思、

孩子不能回家时

如果孩子早产了，或者在医院里出现了任何麻烦，你可能就要比他早出院回家。下面一些方法可让你感觉多一些参与、少一些无助，我希望如此。

◎ 将你的乳汁挤出来，在6~24小时之内送到医院的新生儿监护病房里去。无论你最终是否决定用母乳喂养孩子，你的乳汁对孩子都有好处。不过，如果你的乳汁尚未分泌出来，孩子可能就要依靠奶粉了。

◎ 每天都去看看孩子，试着与孩子进行肌肤相亲的接触，但是不要住在医院里。你也需要休息，尤其在宝宝被接回家后。

◎ 你可能会感到沮丧，这很正常。把你的担忧和恐惧都通过哭泣和诉说表达出来吧。

◎ 日子要一天天地过。总在担心自己无法控制的未来，根本没有意义。集中精力做好今天能做的事情就行了。

◎ 与另外一个也有同样问题的母亲交谈。你可能遇到了麻烦（但他并不是唯一一个需要得到帮助的人）。

冥想来缓解压力。无论做什么，只有能起到一定作用，就试着坚持做下去。

当孩子度过危险期后，就不要再当他是一个早产儿或生病的孩子了。如果你的孩子早产，或者虽然足月但出生时有毛病，那么你最大的障碍就是无力从那种伴随而来的感觉中恢复平静。你可能与那些孩子有病或者不健康的家长们具有同样的心理。事实上，当父母亲为了孩子的吃饭和睡觉问题向我咨询时，我总会先问他们："他是早产儿吗？"接着，我还会问："在出生时，他遇到了什么问题吗？"通常，这两个问题中总有一个会给出肯定答复。因为专心于增加孩子的体重，往往会让孩子过多进食，在孩子已经恢复正常发育之后仍然频繁地关注孩子的体重增长。我曾经看到过一个宝宝，在8个月大时还躺在父母胸膛上睡觉，还会在半夜醒来要吃奶。解决这种问题的办法就是按照 E.A.S.Y 模式抚养孩子。让孩子养成规律性的生活习惯既对他自身有利，也对你有无尽的好处（下一章中，我将提到这些家长的故事，并说明我如何帮助他们解决问题的）。

双胞胎带来的喜悦

很幸运的是，由于超声波技术的发展，现在的女性生双胞胎已经不是什么新鲜事了。如果你怀上了双胞胎或三胞胎，最好在临产前的一个月卧床休息，要不然就休息三个月。而且，多胞胎有85%的几率可能会早产。因此，我建议父母亲在怀孕三个月时就开始着手准备婴儿用品。但是,即便如此有人也会嫌太迟了。我最近碰到一个母亲,她已经在怀孕期间卧床休息了15个星期,只能依靠别人帮忙准备双胞胎所需的物品了。

由于她们的孕期过程比其他人要艰难些,大多在生产时需要做剖腹产手术,多胞胎的母亲不仅要在生产时(我还没说四胞胎呢!)忍受比常人多2倍、3倍的辛苦,还要更长时间来恢复自己的身体。然而,我可以告诉你,双胞胎妈妈们最不想听到的话就是"你要做的事情可要更多了!"这些话通常来自那些只有一个孩子的母亲们,这是事实,而且很显然,说这样的话起不到什么帮助作用。我更愿意说:"你的喜悦也跟着翻倍了,而且孩子们相互之间还能有个玩伴。"

如果双胞胎早产了,或者都低于5磅半重,你就要额外关注我前面提醒早产儿父母的那些注意事项了。当然,两者之间的区别就是你要担心的是两个孩子,而不是一个了。双胞胎常常不能一起回家,因为其中一个的体重可能会更轻一些,或者身体更虚弱一些。尽管如此,我总会把他们俩放在一个婴儿床内。逐渐地,在他们长到8~10周左右,或者只要他们开始有好奇心,想要去抓东西了,我才开始把他们分开,否则这两个小家伙有可能会相互抓挠。我会把他们一点点地拉远,这个过程大概有2个星期。最后,我会让他们各自拥有一张床。

一旦宝宝度过了可能出现并发症的时期,最好能让他们步入生活的正轨。的确,你有可能同时给两个宝宝喂奶,但是却很难单独地关注其中一个个体。同时,对你来说也比较难于掌握。虽然你可能会同时解决给孩子喂奶的问题,但是,像打嗝或换尿片之类的事情,最好还是分别处理。

最让多胞胎母亲操心的,除了那些无休止的工作之外,还要找时间分别和每个孩子单独相处。毫无疑问,多胞胎的母亲必须得接受规律化的抚养方式,因为这样才能让她的生活简单些。

例如,芭芭拉就是这样一个母亲,当我建议她按照 E.A.S.Y. 模式抚养两个孩子约瑟夫和哈雷时,她很高兴。约瑟夫出生时体重较轻,所以必须要在医院里多住3个星期。虽然将孩子留在医院里让芭芭拉很心疼,但是她却有机会让哈雷的生活按计划执行。因为哈雷在医院里时就养成了每隔3个小时喂一次奶的习惯,我们很容易就让他的生活规律化了。当约瑟夫回到家后,我们开始在哈雷吃完奶40分钟后再喂他,分别执行两个人不同的作息规律。下表中就是哈雷和约瑟夫的具体生活规律。

	哈 雷	约瑟夫
喂奶	上午 6-6:30,喂奶(喂大孩子的时间短些,你可先叫醒约瑟夫,这样就能多给自己一点时间)。 9-9:30 中午 12-12:30 下午 3-3:30 6-6:30 在晚上长睡之前,梦中喂奶可在 9 点和 11 点时喂一次。	上午 6:40-7:10,喂奶 9:40-10:10 中午 12:40-1:10 下午 3:40-4:10 6:40-7:10 梦中喂奶可在 9 点半和 11 点半时喂一次。
活动	上午 6:30-7:30 换尿布(10 分钟) 当芭芭拉给约瑟夫喂奶时,让他自己玩一会儿。 9:30-10:30 中午 12:30-1:30 下午 3:30-4:30 在下午 6 点喂奶之后,在约瑟夫吃奶时让他自己玩一会儿	上午 7:10-8:10 换尿布(10 分钟) 当芭芭拉哄哈雷睡觉时,让他自己玩一会儿。 10:10-11:10 中午 1:10-2:10 下午 4:10-5:10 晚上 7:10,当约瑟夫吃完奶后,给两人洗澡。
睡觉	上午 7:30-8:45,小睡 10:30-11:45,小睡 中午 1:30-2:45,小睡 下午 4:30-5:45,小睡 洗完澡后,直接上床睡觉	上午 8:10-9:25,小睡 11:10-12:25,小睡 中午 2:10-3:25,小睡 下午 5:10-6:25,小睡 洗完澡后,直接上床睡觉
你自己	无	在让约瑟夫躺下后,妈妈至少要休息 35 分钟,或者休息到哈雷醒过来吃奶时。

尽管芭芭拉没有选择用奶粉来辅助喂养两个宝宝,但我建议母亲们这样做。如果你经历过剖腹产手术,那么在恢复过程中再挤奶来喂孩子可能有点困难。当然,如果在已经有了一个孩子之后又生了双胞胎,可能就会更加困难。例如,坎迪丝就是在大女儿塔拉已经三岁之后又生了一对龙凤胎。两个孩子都是足月出生,可以比妈妈还早出院,因为坎迪丝在自然分娩的过程中失血过多。医生让她在医院里多观察三天,直到她的血小板水平恢复、脱离危险为止。坎迪丝的母亲和我在照顾孩子们,直接就对新生儿实行了 E.A.S.Y 模式。

当坎迪丝回到家后,她已经做好接受吵闹了:"我已经休息好了,现在我的身体已经恢复过来了,可以照顾他们了。"坎迪丝还认为自己不会遇到什么麻烦,因为这已经不是她的第一个孩子了。从孩子们一出生起,她就注意到了克里斯托福和萨玛莎的个性特点,并且可以区别对待他们俩。"他很柔和,即使在医院里时也这样。人们不得不胳肢他才能听到哭声。可萨玛莎却像带着团火来的。到今天为止,哪怕你给她换块尿布,她也很痛苦,仿佛人们在折磨她似的。"

坎迪丝的奶水直到分娩后第十天才分泌出来,孩子长到 6 周时,她的奶水也不充足。因此,这两个孩子只能快乐地依靠母乳和奶粉搀杂着来喂养了。再加上那个三岁大的塔拉也需要有人照顾,可见坎迪丝肯定会忙得团团转了。"从前,我每周三都陪塔拉玩一整天,但是现在,我却整日待在家里,无休止地给孩子喂奶、挤奶、换尿布、哄他们睡觉,最多也只能休息半个小时,接着又会开始新的一轮工作了。"

或许,多胞胎母亲最让人吃惊的就是,一旦度过了最初的一段时间,双胞胎或三胞胎就很容易抚养了,因为他们之间能够互相照顾和玩耍。和其他的双胞胎母亲一样,坎迪丝也发现大多数双胞胎母亲都必须要接受:有些时候你必须要让孩子们哭一会儿。"我过去以为'不该让他们哭,我该怎么办呢?'但是,只能一次安慰一个孩子,因为你只能做到这样。多哭一会儿,他们也不会顷刻间就死去。"

我告诉她,说得简直太好了!实际上,作为本章最后的注释,我要重复前面提过的一点:生活中发生了什么事情都不重要,关键是你如何去处理。还要牢记在心里的是,很多意料之外的情况和分娩时的创伤都会在几个月后成为遥远的回忆。当你在处理正常的抚养问题以及异常状况,甚至是分娩创伤时,都要尽可能地往前看。在下一章中,我们将关注于几个当父母亲没有明智的观点时所出现的一些问题。

第九章

三日魔法：改变随意抚养的 ABC 方法

如果我们希望改变孩子的某些特点，首先应该先做自我检查，

看看是否改变自我更好些。

——卡尔·杨

"我们没有了自己的生活"

当家长们没有按照自己预想的那样去做时，他们就要去执行我称之为随意性的抚养了。梅勒妮和斯坦的儿子斯潘塞早产了三个星期，一开始就得根据需要来喂养孩子。尽管小家伙很快就从早产的创伤中恢复过来了，但梅勒妮在回到家后的前几周依然为孩子的健康着急。她一直和斯潘塞睡在一起，这样就方便于夜间醒来给孩子喂奶了。白天时，只要孩子一哭，夫妇俩都会跟着忙活起来。为了哄宝宝继续睡觉，他们摇晃他，把他放到汽车里或者抱着他来回踱步。最后，他们几乎都养成了"袋鼠"似的养育习惯，让孩子睡在他们其中一个人的胸膛上。梅勒妮则起到了人工奶嘴的作用，只要斯潘塞一不舒服，她立刻就把自己的乳头放到孩子嘴里。那时，孩子当然就会立刻闭上嘴了，因为嘴里被塞进了乳头。

就这样过了八个月，两个好心的家长都意识到自己的生活完全被小家伙拿走了。除非爸爸或妈妈抱着他在房间里快步行走，否则他就不会睡觉。那时他的体重已经增加到三十多磅，而不再是六磅重了！他们的晚餐也经常会被孩子打扰。梅勒妮和斯坦从未找到"合适的"时间将斯潘塞从大人的床上移到自己的小床上。第一天晚上，梅勒妮和斯潘塞一起在大床上睡觉，斯坦则去客房里睡个好觉；第二天晚上，则由斯坦和孩子睡在一起，接替梅勒妮照顾孩子。可想而知，梅勒妮和斯坦从未开始以前正常的性生活。

显然，这对夫妇没有想到自己的生活会变成这样——因此被定义为"随意性抚养"。更糟糕的是，夫妻俩有时还会为此而争吵，双方都会为所发生的一切而谴责对方。有时，他们甚至还会讨厌这个孩子，但是毕竟，孩子只是按照父母亲的训练在做而已。在我去他们家拜访时，你可想象的到，每个人都不快乐，最难过的要数斯潘塞了。他可从没要求别人这样做呀！

梅勒妮和斯坦的故事是我所接到的咨询电话中最典型的。有时一周内甚至能有五六个这样的求助电话，来电话的父母都是没有按照自己最初设想来抚养孩子的。他们往往用"他不让我放下他"或者"他每次只吃十分钟的奶"来解释，仿佛孩子故意与他们作对。实际上，这一切都是因为父母亲无意间加强了自己的消极行为。

在本章中，我的目的并非让你感觉不好，而是想教你如何扭转这种局面，消灭随意性抚养所带来的不良后果。请相信我，如果孩子让你的家人伤心难过，让你无法睡个好觉，或者让你无法正常地生活，那么你肯定能做点什么来改变这种现状。然而，我们必须要先了解这三个基本前提。

1. 孩子的行为并非有意而为，也不是恶意为之。父母亲通常都不明白是自己给孩子带来了冲击，而且，不管好坏，是他们形成了孩子的期待。

2. 你可以不必训练自己的孩子。通过分析自己的行为——你为鼓励孩子而做出的行为，你就能确定究竟要做点什么才能改掉无意间给孩子养成的坏习惯。

3. 改变习惯需要时间。如果你的孩子还不到三个月大，通常需要三天时间，甚至还会更少。但是，如果你的孩子已经超过三个月大，或者一直坚持某种特定的习惯，你就需要逐步进行改变了。这个过程可能会需要更长的时间，通常每一步都需要三天，无论是坚持在某个特定时间睡觉还是喂奶方面的难题，都需要相当的耐心来逐渐减弱你想改变的那种行为。但是，你必须要坚持下去。如果你很快就放弃了，或者你不停地尝试转换各种方法，最终你会使你本想改变的那种行为继续下去。

改掉坏习惯的 ABC 方法

通常，那些与梅勒妮和斯坦处境相同的家长们都会感到绝望。他们不知道该从何下手改变现状。因此，我推荐一种方法以帮助家长们分析自己在这个问题中所起到的作用，而且，这样做还能帮助他们找出如何改变的策略。这就是 ABC 技巧。

A——先前发生的事情（Antecedent）：一开始发生了什么。那时你做了些什么？你为孩子做了些什么，或者没做什么？孩子周围还发生了什么事情？

B——行为（Behavior）：在事情发展的过程中宝宝的表现。他哭了吗？他看起来、听起来是否在生气？还是害怕？饥饿？他的表现是否和平常一样？

C——结果（Consequences）：在 A 和 B 的基础上产生了什么样的结果？进行随意性抚养的父母亲常常意识不到自己的行为对孩子产生的影响，还总是按照自己的想法去做,例如摇晃着孩子哄他睡觉,或者把乳头塞到孩子嘴里哄他。这些行为可能会暂时阻止孩子的当前行为,但是从长远来看,只会加强这种坏习惯的形成。因此,改变这种结果的关键因素就是改变自己的行为,为了让旧有的行为模式淡化,就要引进一种新的行为。

我来举一个实践范例。梅勒妮和斯坦都承认自己面对着一个大难题,因为斯潘塞已经八个月大了,还习惯于在半夜吸引父母亲的关注。为了让生活重新恢复正常,梅勒妮和斯坦要逐渐消除随意性抚养所带来的后果。借助于 ABC 方案,我首先帮助他们分析了目前的情况。

这个案例中的随意性抚养是由于梅勒妮和斯坦最初对早产儿的关心和担心才产生的。为了给孩子增加营养和体重,其中一个家长总是在摇晃他,让他睡在自己的胸膛上。而且,为了安慰这个小家伙,母亲还总是把自己的乳头放在他嘴里。斯潘塞的行为也很顽固,他经常会发脾气、会提要求。每次只要孩子一哭,父母亲立刻就跑过去,按照自己的习惯来安慰他,这样就造成了斯潘塞的顽固个性。结果只能是,斯潘塞在八个月大时依然无法自己安慰自己,也不能自己入睡。可以确定的一点是,梅勒妮和斯坦肯定没有想过会这样抚养儿子。但是,为了改变现状——其随意性抚养的副产品,他们必须要做出一些改变了。

一次只解决一个问题

我必须要帮助梅勒妮和斯坦找出,究竟是什么样的随意性抚养造成了斯潘塞的这些坏习惯,然后再一步一步解决这些问题。换句话说,我们要回过头去废除那些已经做过的事情。我们来看看整个过程。

观察并找出策略——起先,我只在一旁观察。当梅勒妮在傍晚时分给他洗完澡、换好干净的尿布、穿上睡衣,并试着把他放到小床上时,我密切注视着他的行为。如果梅勒妮的手臂靠近小床,这个小家伙就会紧紧贴着他的妈妈,充满了恐惧。我告诉梅勒妮,孩子试图在告诉她:"你在做什么?这不是我以前睡觉的地方,我不想在这里。"

我问道:"你说他为什么会感到害怕呢?之前发生过什么事情吗?"导致斯潘塞产生恐惧的原因很明显,梅勒妮和斯坦想改变斯潘塞躺在他们胸膛上睡觉的习惯。在阅读了那些能买到手的有关睡眠的书籍之后,在与那些孩子有睡眠问题的家长朋友交谈之后,夫妻俩决定"改变"斯潘塞,这样的决心不是下了一次,而是三次。"我们试着随他哭去,但是每次他都哭得那么凶,而且时间还很长,以至于丈夫和我都跟着他哭起来。"第三次这样做时,斯潘塞哭到最后都呕吐了,于是,他的父母决定要放弃了。

我们首先要做的是,让斯潘塞在小床上感到安全。由于他害怕自己一个人待在小床上,我告诉梅勒妮一定要有足够的耐心,还要小心谨慎地不要做任何能造成孩子心灵创伤的事情。只有在完成这一步之后,我们才能着手解决孩子夜里的行为问题,并改变他那每隔两个小时就要吃奶的需求。

慢慢进行每一步,不要急于求成——在斯潘塞的例子中,我们用了整整15天才让他消除了对小床的恐惧心理。我们不得不将整个过程细化成每一小步,从日间小睡开始进行。起初,我让梅勒妮走进斯潘塞的房间,将光线调暗,放一些轻柔的音乐,然后只是抱着孩子在摇椅上休息。第一个下午,虽然他们距离婴儿床很近,但斯潘塞的目光始终只看向门口。

梅勒妮焦虑地说:"这样根本不管用。"

我告诉她:"不,会有作用的,但是我们必须要费点时间。我们需要慢慢进行。"

有三天的时间,我一直站在梅勒妮身边,我们重复着同样的进程:来到他的小房间里,调暗光线,播放轻柔的音乐,轻松地待一会儿。开始,梅勒妮只坐在摇椅里,柔和地对斯潘塞唱着歌,催眠曲可以让他暂时忘记自己的恐惧,但是他一直坚持只看着门口。接着,梅勒妮站起来,手中抱着斯潘塞,小心地慢慢往小床边移动,以免吓着孩子。在接下来的三天里,梅勒妮逐渐地靠近孩子的小床,最后当她站在小床边时,斯潘塞也不会在她怀里扭来扭去了。到了第七天,她把斯潘塞放在那个小床里,但是继续抱着他,弯下腰来靠近他的小身体。就仿佛是她一直在抱着孩子,只不过,孩子现在躺下来了。

这真是一个突破。三天之后,梅勒妮能够和斯潘塞一起走进那间屋里,调暗光线,播放音乐,坐在摇椅上,然后再移动到小床边,把他放进去。但是,她依然会继续斜靠在孩子身边,让他感觉到自己一直在身边,有安全感。刚开始,斯潘塞只会待在小床的一边,但是过了几天后,他就不再这样了。实际上,他甚至还会离开我们一点,朝着那个小白兔玩具移动呢。当斯潘塞感觉到自己离开太远了,他就会快速回到原来待着的那个地方,仍然还有一点紧张。

我们不断重复这个固定程式,每天都有一点小进步。梅勒妮已经可以不用再站在床边抱着他了,最后,她甚至可以只坐在一边看着。到了第十五天,斯潘塞很想快点去他的小床上躺着了。一旦他开始想打瞌睡了,马上就会醒过来并坐起来。每次,我们只是简单地再让他平躺下。他也开始放松下来,但有时也会哭几声,尤其在进入第三步入睡过程中时。我告诉梅勒妮不要着急过去,那样的话会打断孩子的入睡过程,他又必须得重新来过了。最后,斯潘塞终于学会自己乖乖地入睡了。

一次只解决一个问题——我们已经帮助斯潘塞克服了恐惧心理,但仅仅是在白天。我们还没有解决他在夜里产生的其他问题。他仍然和父母一起睡觉,仍然会在半夜醒来要东西吃。当你在处理一个多种因素混杂的问题时,比如眼下这个,你必须要有足够的耐心和时间。就像我们常说的那样:"一口吃不成一个胖子。"当我看到斯潘塞已经不再对小床感到陌生之后,我知道他对我们放心了,已经可以着手解决下一个难题了。

"我认为,现在可以停止半夜给他喂奶了,"我告诉梅勒妮。通常情况下,斯潘塞已经可以吃固体食物了。在每天晚上七点半喂一次奶之后,梅勒妮就会把他放到自己的床上,他就能睡睡醒醒地直到凌晨一点,从那时开始,他会每睡两个小时就醒过来吃一次奶。在此之前,每当斯潘塞在夜里闹出动静,妈妈都会认为是他饿了,接着就给他喂奶,可他每次只吃一盎司或两盎司。孩子经常睡醒的行为就是妈妈不想让孩子饿着的天真愿望造成的。结果,斯潘塞每两个小时就想吃奶,这种喂养方法更像是对待一个早产儿,而不是对待八个月大的孩子。

再次强调,我们必须要分阶段地解决问题。前三天夜里,我们规定直到凌晨四点,才开始给他喂奶,到凌晨六点,再给他喝一瓶牛奶,这之间就不再给他喂奶了(幸运的是,这个小家伙是用母乳和牛奶交替喂养的孩子,因此,他比较容易接受这个变化)。孩子的父母亲坚持执行了这个计划,每当孩子半夜醒时就给他一个奶嘴吮吸,而不像过去那样把母亲的乳头塞进他的小嘴里了。到了早上六点钟时,才给他喝一瓶牛奶,到了第四天夜里,小家伙已经很适应这个新改变了。

一周过后,我告诉梅勒妮和斯坦应该可以让我住在他们家里了,这样的话,我可以让他们夫妻俩休息一下,更重要的是,我可以教会斯潘塞如何在不依赖爸爸妈妈和奶瓶的情况下独自在自己的小床上睡觉。在白天,他吃了足够多的固体食物和牛奶,因此我们知道他在夜里不再需要食物了。过了十天左右,他可以自己睡一小会儿了。现在已经是合适的时机让他学会自己入睡,并且是睡一整夜了。

由于旧习惯难改,做好有反复的思想准备,并且你必须要坚持这个计划——第一天夜里,我们给斯潘塞洗完澡后就将他放在小床上,我们按照白天的程序执行。仿佛这个程式有魔力似的,或者这只是我们的想象。当他躺到小床上时,仿佛有点累了,但是就在我们把他放到床垫上时,他的眼睛突然睁大了,他开始烦躁起来。他自己站起来靠在小床边上,我们又让他躺下,然后坐在床边的椅子上看着他。他哭了,再次站起来,我们又把他放下。直到这样反复了 31 次之后,他终于躺了下来,开始入睡。

第一天晚上,他准时在凌晨一点醒过来哭泣。当我走进他的房间时,他已经站起来了。我很温柔地放倒他。为了不给他任何刺激,我没有说话,甚至都没有看他的眼睛。几分钟后,他又烦躁不安地站了起来。就这样一直反复着。他哭着站起来,我又把他放下。就这样重复了 43 次之后,他筋疲力尽了,最后终于又睡着了。在凌晨四点钟时,他再次哭醒。斯潘塞的行为习惯太固执了,简直可以成为你的精确闹钟。再一次,我又把他放下去。这回,小家伙只是来回折腾了 21 次。

(是的,亲爱的朋友们,当我在做的过程中一直在数数。常常有人问我有关孩子睡眠的问题,当母亲们问我:"需要用多长时间?"我想至少会给她们一个比较准确的答复。有些孩子甚至能让我数到百次以上。)

第二天一早,我告诉梅勒妮和斯坦昨天夜里发生的事情,斯坦产生了怀疑:"这样不行,特蕾西。他不会对我们也这样的。"我眨眨眼,点了点头,答应他们接下来的两个夜晚都会来住。"不管你信不信,我们已经度过了最难的时刻,"我对他们说。

结果,到了第二天晚上,我只用了 6 次就让他躺下睡觉了。在凌晨两点钟,他又醒了,我蹑手蹑脚地走进他的房间,他正准备从床垫上抬起肩膀来,我很温和地把他放下了。这样反复了 5 次之后,他一直睡到早上 6:45,小家伙从来没有睡这么长时间。接下来的一个夜晚,斯潘塞在凌晨四点醒过一次,但是并没有起来,一直又睡到早上七点钟。从那之后,他每天晚上都能连续睡 12 个小时。梅勒妮和斯坦终于恢复了正常的生活。

"他不让我放下他"

我们来看一下另外一个使用 ABC 方法来解决的常见难题:总需要被抱着的孩子。赖安和萨拉的宝宝特迪是个三周大的小宝宝,我曾在第二章中提到过。"特迪不喜欢我们把他放下,"萨拉悲叹道。之前,赖安在萨拉分娩时正在外面出差,所以一回到家,他总是很高兴地抱着儿子来回走。萨拉找了一个来自危地马拉的保姆,她家乡的传统就是要抱着孩子。小特迪的行为就不难预测到了,我见到过若干孩子都和他一样:我只要把他抱在肩膀上时,他高兴得就像一只百灵鸟。但是,一旦我放下他,哪怕仅仅是离开我的胸口一点点,他就开始哭起来了。如果此时我停下来,转个方向,重新朝我的肩膀抬高他,他立刻就不哭了。萨拉总会放弃,认为是特迪不想让自己放下他,这样做结果只会纵容孩子的这种习惯。你可能也会猜到最后的结果了,特迪总想被人抱着。

现在看来,你抱着宝宝,或者安抚宝宝都没有什么问题。但是无论如何,一个正在哭泣的宝宝应该得到正确的安抚。问题是,我之前也曾提到过,父母亲通常不知道何时该结束安抚,也不知道坏习惯是什么时候养成的。他们对孩子的爱抚常常超过孩子本来需要的。所以孩子就会这样想(当然,以孩子的心理来说),"噢,生活就是这样的,妈妈或爸爸一直抱着我。"但是,当孩子越来越重,或者当父母亲不能拖着孩子去工作时,又会发生什么呢? 宝宝就会说:"嘿,等等,你们应该一直都抱着我呀,我可不想一个人躺在这里。"

你该怎么办呢? 通过改变自己的行为来改变这个结果。不要再一直抱着孩子了,只在他哭的时候抱起来,等他平静下来后接着就放下。如果他再哭,那就再抱起来。等他安静了,就再放下。就这样一直反复持续着。你可能要如此反复上 20 或 30 多次。重要的是,在这个过程中,你要对孩子说:"你很好,我在这里,你一个人待会儿也没事。"我保证,这种情况绝不会持续很久,除非你又忍不住回到原来的安抚方式中。

神奇三日的秘密

尽管家长们有时会认为我做的事情有点神奇,但实际上都很平常。正像你从梅勒妮和斯坦的故事中看到的那样,我们通常都需要几周的时间来扭转局面。另一方面,我们必须要在两天内改掉特迪总需要被抱着的习惯,因为此前爸爸和保姆总爱抱着他,这种状况已经持续好几个星期了。

我借助 ABC 策略详细地分析了自己究竟需要哪种神奇的三日魔术。通常,在所有涉及淡化过去旧有行为模式的方法中,我可以使用一两种技术。在三日的努力中,你不能再继续做过去曾经做的那些事情,要淡化旧有模式,转而做一些能增强孩子独立性、提高其智力的事情。当然,稍微大一点的宝宝可能很难改掉过去的行为习

改变的 ABC 策略

请记住:无论你要打破的是什么样的坏习惯,那都是你之前常做的事情 A(antecedent)和这种行为 B (behavior) 所产生的结果 C (consequence)。如果你持续做同样的事情,只会强化同一个结果。只有采取完全不同的行为方式,改变自己的方法,才能改掉旧习惯。

惯。实际上,打来电话向我求助的咨询者,其孩子通常都已超过五个月大了。

在后面的"纠错指南"中,针对多数寻求帮助和改变的宝宝常见的坏习惯,我提供了一些建议。

睡眠问题——不管孩子是无法长时间睡个好觉 (超过三个月大的孩子),还是不能独自入睡,总会存在一个首要问题:先让孩子熟悉适应自己的小床,然后再教给他在没有你的安抚下独自入睡。最难处理的情况,通常是家长们持续采用随意性抚养几个月之后,孩子可能很害怕他的小床,可能是因为他已经养成了被人抱着或摇晃着的习惯。结果,他通常永远也学不会自己入睡。

我曾遇到过一个叫桑德拉的宝宝,她最终接受小床竟然是因为把那张床当成了某个人的胸膛。当我抱着她时,在我和她之间仿佛有磁力吸引着似的。每次当我试着放下她时,桑德拉都会哭。这是她在对我说:"我可不是这样睡觉的。"起先,根本不可能把她放下,哪怕就放在我旁边也不行。我的工作就是教桑德拉学会另外一种睡觉的方式,于是我告诉她:"我准备帮你学

会用另外一种方式自己睡觉。"当然,她对此表示怀疑,而且开始时根本都没有兴趣。我在第一天晚上重复了 126 次抱起她来又放下的过程,第二天晚上重复了 30 次,到了第三天晚上只重复了 4 次。我从不会看着她哭而放手不管,也不会像她的父母那样用袋鼠妈妈的方法来安抚她,这样只会增加她改掉坏习惯的困难。

喂养问题——如果孩子吃奶的习惯成了难题,那么通常是因为家长们之前误解了孩子的某些暗示。例如,盖尔抱怨孩子莉莉每次吃奶都要花费一个小时。我以前曾经去看过莉莉,那时她才刚满月。我怀疑莉莉并不是一直吃了 60 分钟的奶,而是在安抚自己。盖尔认为整个喂奶过程很放松,她的催产素(一种脑下垂体后叶荷尔蒙)水平较高,以至于经常在给孩子喂奶时睡着了。她常常在喂奶过程中睡着,过了十分钟后又突然醒来,发现莉莉还在吮吸着。尽管我建议多数母亲将计时器扔掉,但是在这个例子中,我却使用了一个计时器,而且还建议盖尔设定在 45 分钟上。更重要的是,我告诉她要仔细观察莉莉是如何吮吸的。她真的在吃奶吗?通过密切关注,盖尔意识到莉莉每次吃到后面都在玩了。于是,当计时器响起来后,我们立刻就用一个橡皮奶嘴取代了妈妈的乳头。在三天内,我们也弃用了计时器,因为盖尔已经适应了孩子的需求。莉莉慢慢长大后也不再需要橡皮奶嘴了,因为她发现可以吮吸自己的手指头了。

关于喂养问题,通常都是孩子吃奶时间过长,在补充了实际需要的营养之后,他还需要更长时间的吮吸,就像莉莉一样。他可能还会上下拨动乳房,好像在对你说:"妈妈,我很会吃奶吧,我很快就把你的乳房吃空了。"如果你没有理解他的意思,可能就会再把乳头放回到他的小嘴里,他也会继续吮吸,因为多数小宝宝都有这样的反应。或者,他会在半夜醒来要奶吃,实际上,那时他并不需要再吃奶了。在这种情况下,你的宝宝把乳头或奶瓶嘴当成了橡皮奶嘴来玩耍了,其结果对你、对孩子都不好。

不管是什么样的行为,我要做的第一件事就是建议他们将作息规律化。使用 E.A.S.Y 计划,他们就不用再去猜测了,因为父母都很了解孩子什么时候会饿,也能发现其他会引起孩子不安的原因。但我依然鼓励父母亲继续观察后面的进展,判断出孩子是否真的需要吃奶,如果不需要,那就逐渐消除不必要的喂奶过程,教会孩子用其他方式获得安抚。我开始会先将孩子额外喂奶的时间缩短,让宝宝少吃一点母亲的乳汁。接着我可能会换成水,或者用一个橡皮奶嘴来替换。最后,宝宝就会忘掉原来的习惯,而这一切看起来就像变魔术一样。

"但是我的孩子会腹痛"

这时,我的三日魔术就真的要经受考验了。你的孩子会将小腿蜷缩到胸前吗?他是不是便秘了?是不是肚子里有气?有时,孩子一出现这种看似很疼痛的样子,你就会觉着心都快碎了。你的儿科大夫以及其他有过类似经验的母亲们都会说这是腹痛, 不能掉以轻心:"你自己可处理不了这样的情况。"从某种程度上讲,这是对的,腹痛没有什么好办法治。同时,腹痛还是一个被经常使用的泛语,可以被用来描述任何一种不同的情形,而这些难题中多数情况都能得到改善。

我向你保证,如果你的孩子也有腹痛,那对你、对孩子来说都是一场噩梦。据统计,大概有20%的孩子会出现腹痛,其中10%被认为比较严重。孩子如果有腹痛,其胃肠道和泌尿系统的肌肉组织会出现阵发性痉挛。其症状通常为焦躁不安,然后会出现长时间的哭闹,有时会持续好几个小时。一般情况下,每天的同一时间都会出现类似症状。儿科医生有时会在诊断时建议使用"三的原则"——每天哭三个小时,一周内有三天如此,持续三周以上。

纳迪娅就是一个典型例子。她白天时经常会笑,可是在晚上 6~10 点时总会哭,有时会连续地哭,有时会断续地哭。唯一能让她缓解的方法就是和她一起坐在一个黑暗的角落里,避免一切外界刺激。

纳迪娅的妈妈亚利克西斯也很可怜,几乎和孩子一样在饱受着煎熬,甚至比那些初为人母的家长们睡得还少。她和纳迪娅一样需要帮助。控制自己的情绪就成了她的全职工作了。所以,有时候对腹痛孩子的家长来说,我能提供的最好建议就是"对自己好点"(参见下页表)。

在第三周或第四周时,腹痛会突然出现,然后在三个月之后又会神秘地消失了(其实并没有什么神秘性,多数情况下,消化系统发育成熟,痉挛就会减少,而且孩子可以逐渐控制四肢的活动,并开始吮吸自己的手指获得安慰了)。然而,以我的经验来看,某种被认为是腹痛的病例实际上是随意性抚养带来的副作用。妈妈或爸爸为了安慰正在哭泣的小宝宝,想尽一切办法,或摇晃着宝宝哄他睡觉,或将乳头、奶嘴塞进他的小嘴里。这样做似乎真"治"

好了宝宝,至少短时间内是这样。从长远来看,宝宝只要一难过,就会期望着能获得这样的安慰。等孩子长到几周大后, 如果其他方式都不能让孩子得到安慰,人们就会认为他是得了腹痛。

很多告诉我孩子有腹痛的家长,其经历都和克洛伊、塞斯的情况差不多, 我曾在第二章中提到过他们的情况。在电话里,克洛伊告诉我伊莎贝拉可能得了腹痛, 他说:"她总是不停地哭。"塞斯抱着可爱的圆脸小宝宝出现在门口迎接我, 小宝宝立刻就习惯了我的臂弯,接下来的 15 分钟里,当她的父母忙着招呼我时, 她一直坐在我的膝盖上。

你可能会想起来,克洛伊和塞斯是一对快乐的年轻夫妇。一提到帮助他们那五个月大的女儿需要经过一段漫长的过程时, 我就不太期望他们能相信, 正如你在陷入困境中时仍然半信半疑似的! 他们想让一切都不受约

让自己喘口气
在满屋子的母亲中, 即使没有一个孩子哭泣,你也能辨认出哪个母亲的孩子有腹痛。她是那个看上去最憔悴的人。她认为是自己的过错导致了孩子的不健康。没道理。如果孩子真得了腹痛,那的确是个麻烦,但这并不是你造成的。为了走出这个阴影,你和孩子一样需要得到帮助和支持。
与其和伴侣之间相互责备 (有些夫妻会这样), 还不如互相帮助。大多数宝宝的哭闹就像钟表一样,每天在 3~6 点之间,夫妻俩要轮流值班。如果今天是妈妈值班, 明天就要轮到爸爸值班了。
如果你是一个单身母亲,就让能够来帮忙照顾孩子的祖父母、兄弟姐妹或朋友们排班。当替班人来后,不要再坐在那里听着孩子哭了。走到屋子外面去,散散步或者出去走走,让自己远离这个环境。
最重要的是:尽管在感觉上孩子的疼痛好像没有休止,但我可以保证,一切都会过去的。

束, 但是让我们先来看看他们这种自由的生活方式给可爱的伊莎贝拉带来了什么样的后果。

克洛伊说:"她已经好点了。或许她已经从腹痛中恢复过来了。"妈妈也接着说,自从伊莎贝拉出生后就一直睡在父母的床上,总会在夜里醒过来哭闹。白天时,也会出现这样的情况。克洛伊随声附和着,伊莎贝拉在吃奶的时候也会哭闹,每隔一两个小时就会闹一次。于是,我问夫妇俩如何使小家伙平静下来。

克洛伊接着说道:"有时我们会给她穿上滑雪服,因为这样就能让她不乱走了。有时我们会把她放到摇篮里,打开相册让她看。如果实在不行,我们就开车带她去兜风,希望这种移动方式能让她得到安慰。如果这些都不起作用,我就只好坐到后座上去,让妈妈把乳头塞到她嘴里。"

"通过更换不同的方式,有时可以让她乖一点,"塞斯说。

这对快乐的夫妇并没有意识到,他们为伊莎贝拉所做的每一件事都是与自己的愿望背道而驰的。使用 ABC 技术就能看出五个月后复杂和顽固的情况。因为伊莎贝拉一直没有接受到适当的有规律的抚养,父母亲还总是误解她的意思,认为每次哭泣都在表明"我饿了"。他们在此之前对孩子进行了过度的喂养和过度刺激,而宝宝只会在这个过程中哭泣(在整个模式中属于宝宝行为的这部分)。其结果只能是造成了孩子的疲惫,她不知道该如何让自己解脱出来。误解宝宝的意图、认为自己必须要发明新方式来让宝宝停止哭泣,于是这对夫妻不知不觉地就加重了孩子的痛苦,并且使问题复杂化了。

几乎每一次,伊莎贝拉的哭声中都会明显地带有咳嗽声,至少我听得很清楚,她是在说:"妈妈,我已经吃饱了。"

克洛伊说道:"你看到了吗?"

塞斯附和着:"哦–哦。"

我用宝宝的语调对他们说:"现在,请抱起我来,我已经很累了。"

接着,我又解释说:"窍门是在她感觉难受之前,就放下她。"克洛伊和塞斯带我上楼到他们的卧室去,这是一间洒满阳光的屋子,里面还有一张特大号的床,墙上挂着几幅图片。

一个很明显的需要解决的问题立刻就出现了:卧室里太亮了,还有太多的视觉刺激物,所以伊莎贝拉才不能好好地休息。我问他们:"你们有摇篮或婴儿车吗?我们试着把她放到那里睡觉。"

我为克洛伊和塞斯演示了如何使用小毯子包住伊莎贝拉。我将她的一条胳膊留在了外面,对他们解释说,等

治疗腹痛的方法

食物调节是避免气体引发腹痛的最好办法,但有时,宝宝可能也会出现腹痛。下面是我发现的比较有效的治疗方法。

◎ 最好的办法是让宝宝打嗝,尤其在治气体引发的腹痛时,用你的掌根部轻揉孩子左上腹部(胃)。如果 5 分钟后孩子仍然没有打嗝,那就放下他。如果他开始喘息、扭动、眼珠乱转,露出一种好像在笑似的表情,那就说明他的肚子里有气。抱起他来,让他的小胳膊搭在你的肩膀上,小腿垂直向下,再次试着让他打出嗝来。

◎ 当孩子仰卧的时候,轻轻抬起他的小腿做蹬自行车的动作。

◎ 将宝宝横搭在你的前臂上,面朝下,用你的手掌轻按宝宝的腹部。

◎ 将一块小毯子折叠成四五英寸宽的小腰带,紧紧地缠在宝宝的腰间——但是不要太紧了,否则会妨碍宝宝的血液循环(如果孩子面色变青紫,就说明太紧了)。

◎ 帮助宝宝排除气体,把宝宝背对着你抱起来,轻拍他的屁股底部。这会给他一个集中点,让他了解该向何处排气。

◎ 按逆时针方向轻揉他的腹部,这样就能顺着结肠的方向,从左至右,向下,再从右至左。

孩子长到五个月大时就能控制自己的四肢活动,那时就能找到自己的手指头了。然后,我抱着已经被包裹好的小宝宝,从卧室里走到一个比较暗的小厅里,有节奏地拍打着她。我用轻柔的声音对伊莎贝拉说:"好吧,小家伙,你不过是感觉累了。"几分钟后,她就平静下来,进入了梦乡。

当我慢慢将伊莎贝拉放到摇篮里,仍旧轻轻拍打着她时,她的父母亲由刚才的惊奇转向了怀疑。她安静了几分钟后,接着又哭起来。于是,我再次抱起她来,安慰着她,等她平静下来,我又放下她。就这样重复了几次之后,在父母的惊讶中,孩子已经睡着了。

我告诉克洛伊和塞斯:"我并不指望她能睡很长时间,因为她已经习惯于短时间的小睡了。你们的任务就是帮助她延长睡眠时间。"我又解释说宝宝和成年人一样也会经历 45 分钟的循环睡眠过程。像伊莎贝拉这样的孩子还没有学会如何重新进入睡眠,因为她的父母亲总是在她一发出动静时立刻就冲到孩子身边了。家长们必须要教会孩子重新入睡。如果她在 10~15 分钟后醒过来,爸爸和妈妈不要认为她已经睡了一觉后醒了,相反,他们应该温柔地哄她再回到睡梦中,就像我做过的那样。最后,她就能学会自己重新入睡了,而且她在白天小睡的时间也会加长。

塞斯很关心地问道:"但是,她的腹痛怎么办呢?"

我解释说:"我怀疑你的孩子并非真的腹痛,不过,即使她腹痛了,你们也能做点什么,让她感觉舒服些。"

我试图让这对夫妻意识到,如果伊莎贝拉真的腹痛,他们家中缺乏规律的生活方式也会加重孩子生理上的问题。但是,我相信孩子的不舒服是由大人们随意性抚养造成的。伊莎贝拉只要一哭就会被喂奶吃的结果,只能让她把母亲的乳房当作橡皮奶嘴一样的玩具。由于如此频繁地喂奶,她也只会"一点一点"地吃,而且,只吃进了母乳中富含乳糖的奶水,由此产生了气体。我还指出,"她甚至整夜都在加餐,这意味着孩子的消化系统从没休息过。"

我还解释说,最最重要的是孩子无论白天还是夜里都没得到过能恢复体力的良好休息,因此她始终处于疲惫状态。一个累极了的孩子怎样才能阻隔外界的侵扰呢?只有哭泣。当她哭时,又会吞咽进空气去,由此而导致胃里胀气并加重本已存在的胃部难受状况。最后,针对这一系列现象,好心的父母又给孩子增添了太多的刺激——开车去兜风、摇晃、各种声音(只多不少)。这些行为不但没有教会伊莎贝拉学着平静下来,反而还剥夺了孩子自我安慰的本能。

我给了他们如下建议:坚持按照 E.A.S.Y 的模式抚养伊莎贝拉。继续用襁褓(大约在孩子 6 个月大时,可以松开伊莎贝拉的双手,因为那时她就不会抓挠自己或者用手打自己的脸了)。在 6 点、8 点、10 点时集中喂奶,这样她就拥有足够的热量过夜了。如果她在夜里醒来,不要喂她,只给她一个过渡用的奶嘴即可。在她哭时去安慰她,让她打消顾虑。

我建议他们逐渐实行这些步骤,先解决白天睡觉的问题,这样伊莎贝拉就不会太疲惫、太焦虑了。有时,仅仅处理好白天小睡的问题就能有助于解决夜间睡眠的问题。无论如何,我都提醒他们,在进行转变的过程中可能会有好几个星期都能听到孩子的哭声。然而,在目前这种情况下,他们又能失去什么呢?他们已经为孩子的痛苦烦恼了好几个月。至少现在他们还能看到希望的曙光。

如果我错了,会怎样呢?如果伊莎贝拉真的是腹痛,怎么办呢?实际上,这些都没关系。尽管儿科医生有时会用一些温和的抗酸剂来缓解气体造成的疼痛,实际上这并不能真正治愈疼痛。但据我了解,正确的饮食调节和促进正常睡眠的方法通常都能消除婴儿的不适。

而且,过度进食和缺乏睡眠还能引起类似腹痛的行为表现。如果真是腹痛,又怎样呢?你的孩子依旧会不舒服。想想如果是一个成年人会怎样。如果你彻夜未眠会有什么样的感受呢?肯定会烦躁不安的。一个正在依靠喝奶长大的摄入过多乳糖的婴儿,又会怎样呢?宝宝也是人,他们也和我们成年人一样遭受着各种肠胃不适的症状。对一个成年人来说,胃里的胀气都是可怕的梦魇,对婴儿来说就更加糟糕了,他还不能控制自己,也不能自己按摩胃部,甚至不能用语言告诉我们哪里出了问题。利用 E.A.S.Y 的抚养模式,爸爸和妈妈至少可以推断出需要做什么。

在塞斯和克洛伊的例子中,我向他们解释说要给孩子正确的喂养,而不是整天吃个不停,这还会帮助他们分析伊莎贝拉的真正需要。当孩子哭时,他们也能进行逻辑的思考:"噢,她不应该饿了。我们刚在一个半小时前喂过她。她可能是吸进去空气了。"当他们开始研究伊莎贝拉的面部表情和肢体语言时,就能够分辨出悲伤的哭泣("我看到她表情痛苦,抬起了小腿")和疲惫的哭泣("她打了两次哈欠")之间的区别了。在规范作息的过程中,我向他们保证,伊莎贝拉的睡眠规律一定会得到改善,她也不再是一个不停哭闹的孩子了。毕竟,她不仅可以得到适当的休息,其父母也能在她哭得难以自控时搞清楚孩子究竟需要什么。

"孩子不想放开乳头"

这是我经常听到父亲们抱怨的话,特别是他们已经厌倦了母乳喂养时,或者妻子在第一年里一直坚持用乳房哺育孩子。如果母亲没有意识到自己才是导致孩子依赖母乳的主因,将会造成不良的家庭内部矛盾。我认为,如果母亲们延长了母乳喂养的时间,那也是为了她们自己,并非为了孩子。女人通常都很陶醉于自己扮演的母亲这个角色、和孩子的亲密程度以及只有她能让孩子得到安慰的秘密。除了认为喂奶是她独自的特权外,她还很喜欢宝宝依赖自己的那种感觉。

例如,阿德里安娜在儿子纳撒尼尔两岁半时还在给他喂奶吃。丈夫理查德常常会情不自禁地问我:"特蕾西,我该怎么办?只要纳撒尼尔一难过,她就把乳头塞进孩子的嘴里。她甚至都不和我说这件事,因为她说国际母乳会(La Leche league)告诉她这是'自然的'现象,用乳房来安慰孩子是很好的办法。"

接着,我就问阿德里安娜有何感受。她解释说:"特蕾西,我只想让纳撒尼尔舒服些,他需要我。"然而,因为她了解丈夫越来越缺乏耐心了,她必须得承认自己开始对他隐瞒事实了。"我告诉过他已经给孩子断奶了,但是最近,在一个朋友举办的周日烧烤聚会上,纳撒尼尔又开始拉扯我的乳房,还不停地说'它它,它它'(这是孩子对乳房的昵称)。理查德狠狠地瞪了我一眼,他知道我对他撒谎了,很生气。"

现在,我的工作不再是改变一个妇女对母乳喂养的看法了。正如我在本书前面提到的,这是个人的私事。但是,我依然建议阿德里安娜至少应该对丈夫诚实一些。我强调了自己的观点,家庭应该是一个整体。"不应该是我来告诉你是否给纳撒尼尔断奶,但是看看现在对每个人造成的影响吧,"我说,"你要考虑丈夫和儿子两个人的感受,但是现在看起来好像孩子成了主宰。"接着,我又说道:"如果你背着理查德加强了纳撒尼尔继续从妈妈乳房吃奶的观念,那么,你就是在教孩子学着欺骗。"

再来讨论一下随意性抚养。我建议阿德里安娜看看发生的这一切,考虑一下自己给孩子喂奶的动机,再想想将来。难道她真想冒险去欺骗理查德,并给纳撒尼尔作出坏榜样吗？当然，她不想这样。她只是没有想过这么多。我一针见血地告诉她："我认为不是纳撒尼尔还需要吃奶，我想是你自己的原因。这才是你应该了解的。"

阿德里安娜认真反思了一下自己。她意识到自己把纳撒尼尔当作一个不想去工作的借口。她对人们说自己多么"渴望"回到办公室去工作，但是私底下却完全不是这么想的。她还想再多休息几年，以便和纳撒尼尔待在一起，或许还想再要一个孩子。最后，她对理查德讲了自己的真实想法。"没想到他这么支持我，"她后来告诉我，"他说并不需要我去挣钱养家，而且他为我这样的母亲感到很骄傲。但是，他也希望能平等地参与到抚养孩子的过程中。"这次，阿德里安娜告诉理查德她一定要给纳撒尼尔断奶了。

起先，她在白天先停止了给纳撒尼尔吃奶。有一天，她只简单地说："不能再吃'它它'了，只能在晚上睡觉时吃。"在前几天时，纳撒尼尔还总会掀起母亲的上衣，无论如何，阿德里安娜都会重复说："不能再吃了。"然后递给孩子一个鸭嘴杯。一周后，她在夜里也停止了给孩子吃奶。纳撒尼尔还试图劝说母亲："就吃5分钟。"但她坚决地对孩子说："不能再吃了。"又这样坚持了两个星期，最后纳撒尼尔放弃了。但是只要孩子一想吃奶，阿德里安娜还会再次拒绝。过了一个月后，阿德里安娜告诉我："我真的感到很惊讶，他好像再也没有吃奶的记忆了，我简直无法相信。"更重要的是，阿德里安娜也重新恢复了以往的家庭生活："我感觉更喜欢理查德了，我们好像在二度蜜月一样。"

阿德里安娜接受了自省和权衡的一个重要教训，作为家长，这两者都需要。由于爸爸和妈妈没有意识到自己对孩子造成的影响，所以才会出现那么多所谓的问题和麻烦。很重要的一点是，你要经常问问自己："我做这些是为了宝宝，还是为了我自己？"我见过很多家长在宝宝已经不需要被抱着时依然会抱着他，在宝宝不再需要喝奶时依然会继续哺乳。在阿德里安娜的例子中，她利用孩子隐藏了自己的真实想法，由于没有意识到这一点，又对丈夫继续掩饰了自己。一旦她能真正看清楚发生的一切，能对自己、对伴侣更诚实些，能看到自己将不好的现状改变成好的事实，她就会自动成为一个好母亲、一个好妻子、一个更坚强的人了。

纠 错 指 南

下面并没有将你可能会遇到的问题全部罗列出来，但这些是人们经常咨询我、求助我的典型的长期麻烦。如果你的孩子存在多个问题，请记住你每次只能解决其中一个。作为一个指导，你可以问问自己："我想改变什么？"以及"我究竟想要什么？"如果既有喂养问题，又有睡眠问题，这两个问题常常相互影响，不可能只存在其中一个麻烦，例如，当你的孩子害怕一个人待在小床上时。在你考虑先解决哪个问题时，请根据自己的常识和直觉选择，解决方案常常比想象得更显而易见。

结　果	可能的诱因	你需要做什么
"我的孩子总想让人抱着。"	刚开始时，你（或保姆）喜欢抱着他。 现在他已经习惯这样了，而你却准备继续自己的生活。	当宝宝需要安慰时，抱起他来安慰他，但是只要他不哭了，立刻就放下他。告诉他："我就在这里，哪里也不去。"不要超过他需要的安慰时间，一直抱着他。
"我的孩子每次吃奶都要超过 1 个小时。"	他或许将你的乳头当成了人工的橡皮奶嘴。当你在喂孩子吃奶时打电话了，或者你并没有关注他吃奶的方式？	起先，宝宝吃奶都是迅速有力的，你能听到他吞咽奶水的声音。当他最后已经基本吃饱的时候，就会用更长的时间吮吸，也更难了，还会猛地吸一下。但是，当他吃饱后，你就能看到他的下巴突起，但你感觉不到他向外推乳头。认真看他吃奶的样子，不要让喂奶的过程超过 45分钟。
"我的孩子每隔 1 小时或 1 个半小时就饿了。"	你可能误解了孩子的意思，每次都将他的哭泣当成了饥饿的信号。	不要给他奶瓶或乳头，让他换换视野，他可能会厌倦了，或者给他一个橡皮奶嘴来满足其吮吸的需要。
"我的孩子需要嘴里吃着奶才能睡着。"	在睡觉之前你可能常常让他吃奶，所以才养成了这样的习惯。	让宝宝按照 E.A.S.Y 的模式生活，这样他就不会把睡觉和奶瓶或乳头联系在一起了。可参见前面有关让宝宝学会自己入睡的内容。
"我的孩子已经 5 个月大了，还不能在夜里睡个好觉。"	你的孩子可能颠倒了日夜。想想你怀孕的时候：如果他在夜里常踢你，而在白天常睡觉，那么他的生物钟可能就如此。或者在他刚出生的前几周，你让他白天睡得过多，而现在他也养成了习惯。	在白天每隔 3 个小时就唤醒小睡着的宝宝非常重要。第一天他可能会迷迷糊糊，第二天他就更清醒，第三天就会彻底改变生物钟了。

结　果	可能的诱因	你需要做什么
"如果没有我们在摇晃他，孩子就睡不着。"	你可能误解了他要睡觉的暗示和他累了的暗示。因为你一直用摇晃他来安慰孩子，他还没有学会自己入睡。	注意前两个打哈欠，如果你错过了，就看看前文中提到的解决方法。如果你已经如此做了一段时间，他可能已经把睡觉和摇晃联系在一起了。当你逐渐停止摇晃他时，必须用其他行为来取代：抱着他站在那里，或者只坐在椅子上，不摇晃。用你的声音和拍打来代替摇晃。
"我的孩子整天哭。"	如果整天都这样的话，这可能是过度进食、劳累和受到过多刺激的问题。	婴儿很少会哭这么久，因此最好去咨询你的儿科大夫。如果是腹痛，就不是你的原因了，你必须要顶住。但如果不是腹痛，你就需要改变自己的做法。请参考前面的相关内容。无论如何，让宝宝按照 E.A.S.Y 的模式规律地作息，这对促进他的睡眠都能起到一定的帮助作用。
"我的孩子每次醒时都很烦躁不安。"	有些宝宝脾气很暴躁，在醒来时容易焦躁是因为他们还没有睡够。如果你在孩子睡眠周期转换时唤醒他，宝宝就得不到充足的睡眠。	不要在宝宝一发出动静时立刻就冲到他身边。等一会儿，让他自己学着重新入睡。延长他在白天睡觉的时间。无论你信不信，这都会让宝宝在夜里睡个好觉，因为他不会再感到过度疲惫了。

结束语

带着爱心和大智慧去生活,请记住生活本身就是一个大平衡的关系。

永远不要忘记灵活熟练,永远不要混淆你的左右脚。

你会成功吗?是的,你当然会成功的!

(98.75%的保证)

——苏斯博士《哦,你要去这里!》

在本书最后，我希望给出最重要的一个提醒：找到乐趣。如果你不能快乐地为人父母，世界上所有关于婴儿的建议都会没有用处。是的，我知道这个过程很艰难，尤其在孩子刚出生的前几个月，尤其在你们筋疲力尽时。但是你必须要牢记为人父母是一份多么特殊的礼物呀。

还请记住，养育孩子是你毕生的使命，比你所接受的任何一项任务都要更加认真严肃。你的责任是指引和塑造另外一个人的成长，没有比这更伟大更高尚的事情了。

当这个过程出现困难时（我保证会出现的，即使面对一个天使型的宝宝，有时也会出现这种时候），不要失去信心。孩子的婴儿时期非常奇妙，既让人胆战心惊，又弥足珍贵，这一切都转瞬即逝。如果你怀疑自己是否会在将来怀念这段甜蜜而简单的日子，就可以去和那些孩子已经长大的父母交流一下。照顾孩子是你人生中很微小的一件事——清晰、五味俱全，让人难过的是它不能重新再来。

我对你的希望是享受每时每刻，即使是最艰难的时候。我的目标是不仅给你提供信息或技巧，而且更希望给你增加自信心、提高自己解决问题的能力。

亲爱的读者，你完全可以做到。无论爸爸还是妈妈，又或者是爷爷、奶奶，只要手中拥有这本书，这些秘密就不再是我自己的了。好好使用它们吧，享受和孩子平静、亲密、良好的沟通快乐吧！

特蕾西·霍格